Jean-François REGNARD

LIRE UN BILAN, C'EST SIMPLE !

TOP Editions

L'auteur tient à exprimer ses remerciements à :

– *la Chambre de Commerce et d'Industrie de Bordeaux et le Groupe ESC Bordeaux qui ont mis à sa disposition le matériel informatique nécessaire à la rédaction de cet ouvrage.*

– *Monsieur François* DELACHAUX*, PDG de LMR et du Groupe* DELACHAUX*.*

– *Madame* MORDANT*, Professeur de Finance à l' ESC Bordeaux.*

Couverture : Thierry Leveau.
© F.D.S / TOP Éditions 1995, 1re édition.
Imprimé en France. Droits mondiaux réservés.

ISBN 2.87731.115.5

TOP ÉDITIONS
DÉPARTEMENT ÉDITIONS DE FDS SARL
121-127, avenue d'Italie, 75013 Paris

SOMMAIRE

1 L'ENTREPRISE ET SES COMPTES

Les comptes des entreprises qui se présenteront devant vous pourront revêtir des formes bien distinctes. Qu'il s'agisse des comptes CERFA – encore appelés liasses CERFA ou liasses fiscales –, qu'il s'agisse du rapport annuel publié par les entreprises cotées, qu'il s'agisse du rapport de l'Expert-Comptable, la réalité de l'entreprise est unique et complexe. Elle est d'ailleurs impossible à cerner totalement ou à synthétiser en quelques chiffres.

1.1 DES COMPTES : POUR QUI ? POUR QUOI ?

Une entreprise est comme une personne vivante. Certes, elle n'est pas composée de cellules de chair, de muscles, de sang, de nerfs. Elle vit dans le monde économique entre ses dirigeants, ses actionnaires, ses banquiers, ses clients, l'Administration, son personnel...

Les uns et les autres la regardent d'un œil biaisé par leurs propres objectifs. Alors que certains sont intéressés par tel aspect de sa personnalité : sa solvabilité, par exemple, d'autres ne recherchent que la rentabilité à court terme. Bien peu, hélas, sont assez clairvoyants, raisonnables ou bien informés pour porter un jugement à long terme. Aussi les dirigeants sont-ils assez rusés pour « habiller » leurs comptes aux goûts de l'analyste...En français, on parle effectivement d'*habillage* de bilan. En anglais, on dit « *window dressing* ».

Lorsque l'on veut décrire une personne physique, il est de coutume d'énoncer les traits ou les chiffres marquants qui la caractérisent tels que sa taille, sa corpulence, la couleur de ses yeux et de ses cheveux, sa manière de s'habiller, ses grands traits de caractère.

A-t-on pour autant parfaitement décrit cette personne ?

Il en est de même pour l'entreprise. Pour la décrire, on citera quelques chiffres, mais pas n'importe lesquels, ni dans n'importe quel ordre. On utilisera plusieurs formulaires de description standard d'entreprise, qu'il est convenu d'appeler comptes, ou encore états financiers, ou encore, par abus de langage, *bilan*.

Ces comptes ne constituent cependant qu'une des facettes de la réalité de l'entreprise.

Il arrive parfois que cette facette soit absolument atypique : on n'aurait aucune hésitation à qualifier d'obèse une personne qui mesurerait 1,50 m et pèserait 200 kilos ; de gravement cardiaque une personne dont le cœur battrait 200 coups à la minute ; de manchot celui qui n'aurait qu'un bras. De même, pour l'entreprise, l'examen des comptes permet parfois de déceler immédiatement des disproportions analogues.

Notre objectif est clair : **essayer de comprendre l'entreprise à la lueur de ses comptes.**

1.2	LA VÉRITÉ COMPTABLE

Il a été question de maquillage. Sachez que les limites du maquillage sont définies. Les comptes que vous étudiez sont l'aboutissement d'une certaine logique. Ils ne sont pas l'aboutissement final d'une logique absolue, irréfutable et inattaquable. Cette logique s'inscrit dans un cadre strict et les Commissaires aux Comptes sont là pour certifier que les comptes ont effectivement été établis dans ce cadre logique. Leur certificat ne veut pas dire que bleu est plus joli que rouge ou que le jaune est parfait. Leur certificat atteste que c'est bien de la peinture qui a effectivement été posée sur la toile, elle-même fixée sur le bon cadre.

RAPPORT DES COMMISSAIRES AUX COMPTES SUR LES COMPTES CONSOLIDÉS

Exercice clos le 31 décembre 1993

Mesdames, Messieurs,

En exécution de la mission qui nous a été confiée par votre assemblée générale du 10 juin 1992, nous avons l'honneur de vous présenter notre rapport sur :
* le contrôle des comptes consolidés de la société SAGEM tels qu'ils sont annexés au présent rapport,
* la vérification du rapport sur la gestion du Groupe,
relatifs à l'exercice clos le 31 décembre 1993.

I. Opinion sur les comptes consolidés

Nous avons procédé au contrôle des comptes annuels en effectuant les diligences que nous avons estimées nécessaires selon les normes de la profession.

Nous certifions que les comptes consolidés sont réguliers et sincères et donnent une image fidèle du patrimoine, de la situation financière ainsi que du résultat de l'ensemble constitué par les entreprises comprises dans la consolidation.

II. Vérifications et informations spécifiques

Nous avons également procédé, conformément aux normes de la profession, aux vérifications spécifiques prévues par la Loi.

Nous n'avons pas d'observation à formuler sur la sincérité et la concordance avec les comptes consolidés des informations relatives au Groupe données dans le rapport de gestion.

Fait à Paris, le 29 avril 1994

Les Commissaires au comptes

Gilles de CALAN

CALAN, RAMOLINO
& ASSOCIÉS
représenté par
Jean-H. LEGORJU

FIGURE 1

Soyez décontracté devant vos comptes

Ne vous laissez pas impressionner par l'attaché-case volumineux de l'auditeur, ni par le pli impeccable de son pantalon : le cadre dans lequel les comptes ont été établis résulte à la fois de la culture, de la réglementation et de l'humeur du moment.

La réglementation, d'abord. Merci, Colbert ! Merci, Napoléon ! C'est sans doute en partie grâce à vous que les agents de l'Administration et que les cadres des entreprises ne peuvent passer une journée sans se référer aux 1500 pages du Lefebvre ou du Lamy pour vérifier, par exemple, si **on** doit amortir à 20 % ou 25 % son dernier ordinateur, alors qu'il s'est dévalorisé de 50 % depuis qu'il a été extrait de son carton d'emballage.

De plus, bien que le bon sens soit universel, le dicton de Pascal, « Vérité en deçà des Pyrénées, erreur au-delà » s'applique au domaine de la comptabilité plus qu'à tout autre. Et il faut reconnaître, hélas, qu'Outre-Manche et Outre-Atlantique, la profession comptable n'est pas en retard par rapport à la nôtre.

De plus, comme l'a remarqué Claude Riveline [1] :

« L'analyse des comptabilités en tant que rituels est très éclairante. La comptabilité française, par exemple, relève à n'en pas douter d'un rite agricole, avec son annualité et le privilège donné aux biens fonciers inscrits en haut du bilan. »

Le monde de la comptabilité est une tribu, au même titre que le monde du football ou celui du tennis...

Enfin, comme dans toute tribu, il y a des modes. Le maquillage, ou plutôt l'habillage du bilan fait partie de ces modes. Ainsi, le 26 janvier 1995, ELF-AQUITAINE décide un jeu d'écriture (dans la tribu, ils appellent ceci « *passer une provision* ») de neuf

---

1. C. Riveline, « La Gestion et les rites », *Annales des Mines, Déc 1993.*

milliards de francs. Le Nouvel Economiste [1] titre : « *Courage ou habilité ? En mettant délibérément les comptes d'*ELF *dans le rouge...* » Ces neuf milliards ne sortent pas d'un chapeau, et l'actionnaire - contribuable que je suis ne manque pas de se demander comment ils avaient jusqu'à ce jour échappé à la perspicacité des précédents PDG...

Vous devez vous abstenir de prendre systématiquement le contre-pied des chiffres que vous voyez apparaître dans les comptes, mais vous devez cependant garder en permanence l'esprit critique.

En effet, la comptabilité n'est pas une science exacte : ce n'est pas la vérité descendue du ciel. **Pratiquement chaque écriture comptable est la conséquence d'une décision ou d'un choix.** Si ce choix ou cette décision avait été différent, l'enregistrement aurait pu concerner un autre compte, ou le même compte pour un autre montant, et, à l'instar du nez de Cléopâtre, le monde aurait été différent.

1.3 LES LIASSES CERFA

Ce sont les documents pré-imprimés [2] fournis par l'administration fiscale, que les entreprises remplissent chaque année en plusieurs exemplaires.
– L'un de ces exemplaires est destiné aux services fiscaux.

– Un autre est destiné au Greffe du Tribunal de Commerce de la circonscription où l'entreprise a son siège.

Éditées par la Direction Générale des Impôts, sous la référence D.G.I. 2050 et suivantes, elles rassemblent, sur quinze pages, les chiffres fournis par l'entreprise à l'Administration.

---

1. *Nouvel Economiste, n° 982, pages 20 et suivantes.*
2. *Vous avez, dans les documents de fin de volume, les liasses Cerfa de LMR.*

La forme des liasses fiscales est une matrice légale. Nous pourrions la qualifier de *brute de fonderie*. Ce type d'imprimé n'a rien de poétique. Contrairement au rapport annuel, la liasse fiscale ne comporte ni dessin, ni photo, ni caractères gras, ni couleurs. La liasse fiscale comporte au contraire une foule de lignes et de chiffres, tapés avec la police de caractères d'une machine à écrire, probablement antédiluvienne, et sans doute non amortie à 100 % : merci Colbert !...

Cette liasse fiscale est enregistrée par les Greffes des Tribunaux de Commerce, qui, de leur côté, la fournissent à qui en fait la demande. La liasse fiscale est donc un document tout à fait officiel et parfaitement public.

Dans les documents de fin de volume figurent les pages les plus significatives de la liasse CERFA de LMR, une sympathique petite entreprise industrielle de la région parisienne.

Les comptes des Sociétés Anonymes sont **des documents publics à la disposition de tous.** Pour les obtenir, il suffit de les demander au Greffe du Tribunal de Commerce : pour quelques dizaines de francs et moyennant quelques jours (ou semaines), vous pouvez ainsi, au moins théoriquement, vous procurer les comptes de toutes les entreprises que vous voulez étudier. Théoriquement, car certaines sociétés sont d'une discrétion maladive et, délibérément, ne remettent pas leurs comptes au Greffe. Elles se mettent ainsi hors la loi et s'exposent à une amende de... 220 Francs !

1.4 LES RAPPORTS ANNUELS

Parfois volumineux et magnifiques, ces documents sont le plus souvent imprimés sur du papier glacé. Les services de Relations Publiques exercent ainsi leurs talents de communication pour séduire la Communauté financière. Dans ces rapports annuels, les photos en couleur et les graphiques en trois dimensions se disputent la une. Les dirigeants y apparaissent souriants et détendus et multiplient, au fil des pages, déclarations apaisantes et témoignages de satisfaction.

Ces discours qui informent sur la société n'ont pas le caractère absolu, froid et parfaitement objectif des chiffres financiers. Ils ne sont pas pour autant dénués de toute valeur informative. Le sérieux du Groupe Industriel DELACHAUX est visible dans les pages de son rapport annuel. Le luxe transpire des pages de celui de LVMH. La haute technologie transparaît dans le rapport SAGEM. *A contrario*, et au même titre, les rodomontades des dirigeants de BANDAG, et les déclarations fracassantes de Bernard TAPIE lors de son introduction en Bourse, auraient pu éveiller la méfiance des plus avisés.

A la fin du rapport annuel figurent les documents financiers. Nous revenons là à l'information purement financière telle que l'ont prévue les textes (Droit commercial, Commission des Opérations de Bourse). Plus de fantaisie ni d'expression artistique : les comptes publiés doivent être en conformité avec les principes comptables généralement admis en France et au plan international.

La forme des comptes présentés dans les rapports annuels peut varier d'une société à l'autre. Ainsi, le bilan de DELACHAUX est présenté « à la britannique », alors que celui de la SAGEM est présenté de la manière la plus classique.

Les réviseurs et Commissaires aux Comptes ajoutent leur signature à ces comptes. Ils engagent leur responsabilité en certifiant la véracité des comptes. Leur attestation constitue pour l'analyste externe une garantie supplémentaire. En effet, les Auditeurs engagent leur responsabilité non seulement civile et pénale, mais aussi leur responsabilité morale en attestant la sincérité des comptes d'une entreprise.

Pour les grands cabinets de commissariat aux comptes, la responsabilité morale est synonyme de valeur de fonds de commerce. Qui irait solliciter leurs services si leur nom était mêlé à un scandale financier ? Ou s'il était prouvé qu'ils se sont laissé abuser par les managers de telle ou telle société ? Les grandes *affaires* des années passées, (TAPIE, POLYPECK, en Grande-Bretagne), la BANQUE DE COMMERCE INTERNATIONALE (BCCI) ont littéralement ébranlé le monde feutré de la profession comptable, montrant à l'envi que cette profession n'était pas à la merci des plus habiles bateleurs.

Souhaitons qu'elle en tire les conséquences, renforce sa vigilance afin de fournir et certifier des comptes *sincères et véritables.*

1.5   QUI EST ANALYSTE FINANCIER ?

Nombreux sont ceux qui devraient se sentir concernés par la lecture d'un bilan. En effet, dans les divers rôles de notre vie, nous sommes tour à tour citoyens, actionnaires, banquiers, fournisseurs, clients, salariés. La lecture de bilan que nous ferons dépendra essentiellement du rôle que nous jouons.

❑ Les actionnaires

Il y a en France 58 millions d'actionnaires, par le biais des entreprises nationalisées ou publiques. Nous sommes donc tous concernés par PÉCHINEY (nationalisée en 81) et par la SNCF ou RENAULT (à 51 % encore). Hélas encore, par AIR FRANCE ou le CRÉDIT LYONNAIS. Certes, chacun d'entre nous n'est qu'actionnaire très minoritaire. Mais, compte tenu de la valeur de ces entreprises qui se chiffre en dizaines de milliards de francs chacune, notre mise de fonds n'est pas nulle. De plus, citoyens de la Société France, de la Région Aquitaine (par exemple), ou de la ville de BORDEAUX, nous sommes directement concernés par les heurs et malheurs de notre pays, de notre région, de notre ville, des services de leurs administrations, des sociétés ou associations dans lesquelles elles ont des participations [1].

Ainsi la SOCIÉTÉ GÉNÉRALE, qui faisait automatiquement partie de notre patrimoine commun avant sa dénationalisation, valait de l'ordre de 28 milliards de francs en automne 1988 (56 millions d'actions à 500 francs l'action). Chaque citoyen avait donc en portefeuille une demi-part de SOCIÉTÉ GÉNÉRALE, donc environ 250 francs d'actions SOCIÉTÉ GÉNÉRALE.

De même, quand l'État fait en notre nom une remise de dettes de douze milliards de francs à RENAULT, qui était alors nôtre, il s'agissait encore de près de 250 francs (12 milliards de francs pour 55 millions de français) qui allaient sortir de notre poche. Et lorsqu'il *recapitalise* AIR FRANCE pour 20 milliards de Francs, ce sont encore 355 francs par citoyen, ou encore 1200 Francs par foyer, ou encore 5 000 Francs par foyer acquittant l'impôt sur le revenu. Afin de ne pas vous affoler, je ne vous parlerai pas des 100 milliards du CRÉDIT LYONNAIS !

Et si l'on ajoute aux deux actions RENAULT que nous possédons encore, les nouvelles actions AIR FRANCE auxquelles nous venons de souscrire, celles de l'EDF, de la SNCF, de PÉCHINEY, de THOMSON, des AGF, du GAN, de l'UAP.... on arrive à un portefeuille moyen de plusieurs centaines de milliers de francs par citoyen.

Nous nous sentons plus directement concernés par nos investissements directs que par les investissements gouvernementaux, effectués par l'État en notre nom. Les achats que nous faisons en Bourse, ou les participations que nous prenons dans les sociétés montées par nos parents, amis ou relations, nous préoccupent davantage que notre portefeuille d'actions d'État. Peut-être avons-nous tort.

---

1. *Il serait d'ailleurs souhaitable que les organismes publics et parapublics soient soumis à la même réglementation de publication de leurs comptes que les sociétés privées.*

Jean Pierre PIGASSE et Jacqueline BEYTOUT ont estimé la valeur du patrimoine géré par les collectivités en notre nom à 1 000 milliards de milliards [1]. Pas moins.

Habitué des pays de l'Est, où pendant 40 ans les citoyens ont été actionnaires de la totalité de leurs entreprises, je frémis rétrospectivement à la pensée que notre patrimoine commun pourrait avoir subi le sort du patrimoine qui fut le leur....

Mais quittons l'entreprise France, et revenons à nos entreprises que nous devrions pouvoir gérer plus facilement. Les attentes des actionnaires peuvent être de nature opposée.

Certains actionnaires ont investi pour obtenir des dividendes afin de compléter leurs autres revenus. **Or, qui dit dividendes dit capacité bénéficiaire, faibles besoins d'investissement et possibilité d'emprunter**. L'examen des comptes nous indiquera si ces conditions sont réunies.

D'autres, au contraire, ont investi pour faire des plus-values. **Or, qui dit plus-values, dit entreprise en croissance, marché en expansion, position concurrentielle forte, risque élevé**. Là encore, l'examen des comptes permettra d'entrevoir si les plus-values espérées ont des chances de se concrétiser.

❑ Les banquiers

Le banquier, sollicité pour octroyer un crédit à l'entreprise, est bien sûr essentiellement concerné par la faculté qu'a l'entreprise de faire face à ses engagements. Il évaluera cette capacité à partir du bilan, où figurent les engagements passés, et à partir du compte de résultat qui évalue les excédents dégagés par l'exploitation de l'entreprise.

---

1. « Mille milliards de milliards », *Éditions Tsuru, 1993.*

Il aura tendance à voir d'un mauvais œil la distribution de dividendes qui affaiblit l'entreprise dont il voudrait se réserver l'exclusivité du *cash-flow* ! Ses aspirations seront souvent à l'opposé de celles des actionnaires.

❑ Les fournisseurs

Il est de tradition, dans le monde économique occidental ,de vendre à crédit. Aussi les fournisseurs sont-ils, *de facto*, les banquiers de leurs clients. Certes, ils prêtent à plus court terme que le banquier classique, généralement sur une période allant de un à trois mois. Cela dit, s'ils fournissent l'entreprise de manière régulière, ils font une série de prêts à court terme qui peuvent être qualifiés de *revolving,* et se retrouvent donc banquiers permanents de leurs clients. La solvabilité de ces clients, analysée à partir du bilan, est de première importance pour eux.

❑ Les clients

Le client est roi. Il attend bien évidemment de son fournisseur des produits de qualité au meilleur prix et dans les meilleurs délais. Il est donc très directement concerné par la santé financière de son fournisseur.

Peut-on imaginer qu'une entreprise de vente par correspondance comme LA REDOUTE, irait investir une page de son catalogue dans la promotion de produits fabriqués par SEB si elle pensait que SEB allait déposer son bilan dans les six mois ?

Peut-on imaginer qu'une entreprise industrielle comme RENAULT irait investir dans le processus de montage d'un démarreur VALÉO si elle pensait que VALÉO va déposer son bilan dans les six mois?

❑ Le personnel

Chaque employé de l'entreprise doit se sentir concerné par la santé de l'entreprise. Santé instantanée, traduite par le bilan actuel. Mais aussi santé future, qui proviendra de l'enrichissement de l'entreprise traduit dans les comptes de résultat.

Si le chiffre d'affaires de votre entreprise croît de 20 % par an et si ses résultats suivent la même progression, vous avez un avenir dans le cadre de cette société. Si au contraire le chiffre d'affaires stagne ou diminue, si les pertes s'accumulent, cherchez vite un autre employeur.

Si votre entreprise dégage un résultat net de 20 % du chiffre d'affaires, et si les frais de personnel s'élèvent à 50 % du CA, votre Comité d'Entreprise peut envisager d'obtenir une augmentation globale du personnel. Si au contraire le résultat n'est que de 1 % du CA et les frais de personnel 60 % de ce même CA, les chances d'augmentation globales sont proches de zéro.

1.6 LES ÉTATS FINANCIERS

Chaque entreprise établit systématiquement :

– un bilan à la date du dernier jour de l'exercice, accompagné d'éléments annexes.
  Vous trouverez dans les documents de fin de volume les pages 1 et 2 de la liasse CERFA de LMR sur lesquelles figure le bilan.
– un compte de résultat, traduisant le résultat dégagé pendant l'année passée.
  Vous trouverez dans les documents de fin de volume les pages 3 et 4 de la liasse CERFA de LMR sur lesquelles figure le compte de résultat.

Les deux *états financiers précités*, – le terme *état financier* est le terme générique de ce type de rapport –, sont les pièces maîtresses des liasses fiscales. Ils sont néanmoins suppléés par :

– un état des dettes et créances à la clôture des comptes. C'est la page 8 de la liasse fiscale (imprimé 2057),
– un tableau *d'affectation du résultat et renseignements divers.* C'est la page 11 de la liasse (imprimé 2058-C).

Dans les rapports annuels, *bilan* et *compte de résultat* ne peuvent guère se comprendre sans se reporter aux annexes. Le plus souvent, dans chaque poste important, ou encore pour lequel un complément d'information est nécessaire, il y a un renvoi à une note d'annexe.

De plus, dans les rapports annuels où l'entreprise se montre moins avare d'informations, on a le plus souvent d'autres états et notamment :

– un tableau de financement, retraçant les principaux flux de financement et leur affectation, pendant l'exercice.
– un tableau de variation des fonds propres.

1.7 | OÙ TROUVER DES COMPTES ?

Aussi incroyable que cela puisse paraître, certaines entreprises gardent encore jalousement leurs comptes.Certaines sociétés font de la culture du secret une vertu première et C. RIVELINE [1] remarque à juste titre qu'on n'en sait « *guère plus aujourd'hui sur la marche des organisations que sur celle du corps humain au Moyen-Âge. Si visibles que soient les entreprises, elles choisissent avec soin ce qu'elles donnent à voir et ne laissent qu'exceptionnellement entrer des observateurs extérieurs* ».

---

1. C. Riveline, « La Gestion et les rites », *Annales des Mines*, Déc 1993.

En France, cependant, les comptes des entreprises commerciales sont publics, standardisés, et facilement accessibles à l'âge du MINITEL, d'INTERNET, de COMPUSERVE et des CD ROM. La plupart des services précités ne se contentent pas de vous donner l'information de base, mais généralement, des informations agrégées.

Les CD ROM coûtent de l'ordre de 100 000 Francs. Ils sont consultables aux services d'information des grandes Chambres de Commerce.

Les services MINITEL, dont le tarif à la minute varie de 5 à 10 Francs, sont évidemment d'un accès plus aisé au particulier ou à la PME.

Ci-dessous, quelques pistes :

1. SCRL ENTREPRISE, sur MINITEL **36-29-19-93,**.

2. SCRL FINANCES, sur MINITEL **36-29-50-00,**.

3. Le service MINITEL des Chambres de Commerce : **36-28-19-92 CCI,**

4. Les Services d'information des Chambres de Commerce. Ces services proposent des informations sur l'identité de 1.4 million d'établissements français,

5. CD ROM DIANE, pour les entreprises françaises,

6. CD ROM FAME [1], pour les entreprises britanniques,

7. CD ROM CORPORATE AMERICA pour les petites entreprises américaines,

8. CD ROM COMPUSTAT, pour les entreprises américaines cotées,

---

1. *Fame et Diane ont été conçus par le même éditeur. En conséquence, leur philosophie est extrêmement proche et on passe très aisément de l'un à l'autre.*

9. CD ROM CORPORATE DISCLOSURE, pour les entreprises américaines cotées,

10. POUEY INTERNATIONAL (BP 529, 33002 Bordeaux-Cédex ; 56-56-30-30) ; **3614 code RCX**. Ce service, outre les éléments financiers, donne des informations qualitatives sur l'entreprise.

11. Le service MINITEL de DUN & BRADSTREET : **36-29-07-07**. Ce service couvre les principales entreprises européennes, hors Allemagne,

12. DUN & BRADSTREET : les antennes commerciales de cette société sont à même de vous fournir les comptes de n'importe quelle société au monde,

13. Demande directe auprès de l'entreprise.

DOCUMENT

LA SOCIÉTÉ LMR
(FICHE POUEY)

BORDEAUX, LE 09/02/93   POUEY INTERNATIONAL SA
     MR LACAMPAGNE
         ENQUÊTE 48 H   57 RUE DE SOISSONS
     33000 BORDEAUX

RÉFÉRENCE   : MS 99999/A/02/1E/500101/0
N° SIREN   : 572227833   NOMBRE D'ÉTABLISSEMENTS : 1
RC   : 87 B 07990

RAISON SOCIALE   : SA LMR   TEL : 43 63 36 32
ADRESSE   : 124 AVENUE PASTEUR
     93170 BAGNOLET

CRÉATION   : 1957
F. JURIDIQ   : SA À CONSEIL D'ADMINISTRATION   CAPITAL : 1 356 600 F
ACTIVITÉ   : 295N
     FABRICATION DE MOULES ET MODÈLES
EFFECTIF   : 35 personnes
NATURE LOCAUX   : USINE OU ATELIER   FONDS : PROPRIÉTAIRE

DIRIGEANTS

PRÉSID. DIR. GÉNÉRAL   FRANCOIS DELACHAUX
DIRECTEUR   PEDRON ROLAND

RELATIONS FINANCIÈRES

ACTIONNAIRE   562036574   DELACHAUX SA   99 %

ÉLÉMENTS FINANCIERS

ANNÉ 1993	C.A. HT : 19 389 KF	RÉSULTAT :	386 KF
ANNÉ 1992	C.A. HT : 22 780 KF	RÉSULTAT :	689 KF
ANNÉ 1991	C.A. HT : 19 912 KF	RÉSULTAT :	97 KF

RÉFÉRENCES BANCAIRES

BNP PARIS AGENCE VILETTE   COMPTE :   TEL : 44 84 13 12
GISÈLE ROUSSET   COMPTE :   TEL :

CONCLUSIONS

LMR EST UNE ANCIENNE AFFAIRE DE LA PLACE DONT L'ORIGINE REMONTE À 1920, SOUS
FORME D'ENTREPRISE ARTISANALE, AU NOM DE MR NICOT.
EN 1957, ELLE A ADOPTÉ LE STATUT DE SOCIÉTÉ ANONYME.
ELLE A TOUJOURS CONSERVÉ SA DOMINANTE FAMILIALE, JUSQU'EN 1978, DATE À
LAQUELLE ELLE A INTÉGRÉ LE GIRON DU GROUPE DELACHAUX, CE QUI A DONNÉ LIEU À
UNE MODIFICATION DE LA RAISON SOCIALE DE "NICOT ET FILS" EN "SA LMR" (LE
MODELAGE RATIONNEL).

FIGURE 2

COTÉ SUR LE SECOND MARCHÉ À PARIS, DELACHAUX BÉNÉFICIE D'UNE IMPLANTATION INTERNATIONALE (USA, CANADA, MEXIQUE, ITALIE, ANGLETERRE) AU TRAVERS DE SES VINGT DEUX FILIALES INDUSTRIELLES, CE QUI CONSTITUE UN EFFECTIF CONSOLIDÉ DE L'ORDRE DE 1 200 PERSONNES.
LE GROUPE EST DOTÉ DE QUATRE GRANDS POLES D'ACTIVITÉ :
– DIVISION ACIERS SPÉCIAUX,
– DIVISION CONDUCTIQUE,
– DIVISION ROUES,
– DIVISION MÉTAUX.

LMR EST POUR SA PART SPÉCIALISÉE DANS L'ÉTUDE ET LA FABRICATION DE MOULES DE CONTRE-PORTES, TABLEAU DE BORD, SOUS-CAPOTS...
ELLE EST AINSI AMENÉE À TRAVAILLER EN SOUS-TRAITANCE POUR LE COMPTE D'ÉQUIPEMENTIERS AUTOMOBILES, UNIQUEMENT AU PLAN NATIONAL, L'EXPORTATION SE FAISANT AU TRAVERS DE LA CLIENTELE.
L'ENSEMBLE DES SERVICES OPÉRATIONNELS SONT BASÉS AU SIEGE, OÙ LES ACTIFS IMMOBILIERS SONT LA PROPRIÉTÉ DE LA FAMILLE NICOT.
LMR ARRÊTE SES COMPTES SOCIAUX EN FIN D'ANNÉE CIVILE. SUR 1993 ELLE A ENREGISTRÉ UN FLÉCHISSEMENT DE 14,9 % DE SON CHIFFRE D'AFFAIRES.

CETTE BAISSE EST TOUTEFOIS À RELATIVISER, CAR OUTRE LE FACTEUR "CONJONCTUREL", IL FAUT SAVOIR QUE LA FACTURATION DE LA SOCIÉTÉ EST DÉCALÉE DANS LE TEMPS, DANS LA MESURE OU LES PRESTATIONS "D'ÉTUDES" REPRÉSENTENT UNE PART SIGNIFICATIVE DE L'ACTIVITÉ.
CECI SUPPOSE DONC UNE IMPORTANTE GESTION DES STOCKS QUI, CEPENDANT, NE GÉNERE PAS DE FRAIS FINANCIERS, SACHANT QUE L'ENTREPRISE NE TRAVAILLE QU'À PARTIR DE PROTOTYPES DÉJÀ AVALISÉS PAR LES CONSTRUCTEURS AUTOMOBILES.

LE BILAN 1994 DEVRAIT EN PRINCIPE FAIRE APPARAITRE UN CHIFFRE D'AFFAIRES DE 19 MFS CAR UNE PARTIE IMPORTANTE DE LA FACTURATION A ÉTÉ RÉPERCUTÉE SUR LE PREMIER TRIMESTRE 1995.
LE RÉSULTAT SERA BÉNÉFICIAIRE DU MEME ORDRE QU'EN 1993.
MALGRÉ LES DIFFICULTÉS DU SECTEUR, CETTE AFFAIRE DÉGAGE UNE RENTABILITÉ CORRECTE.
PAR AILLEURS, SA STRUCTURE DE BILAN EST ÉQUILIBRÉE PUISQU'UNE SITUATION INTERMÉDIAIRE ÉTABLIE AU 30 JUIN 1994 FAISAIT APPARAITRE UN NIVEAU DE CAPITAUX PROPRES DE 5 188 KFS ET DES FRAIS FINANCIERS DE 1,1 % DU CA CE QUI, COMPTE TENU DES LONGS DÉLAIS DE REGLEMENT, RESTE RELATIVEMENT RAISONNABLE.
SA TRÉSORERIE EST GÉRÉE DE MANIERE AUTONOME, MAIS LA DEMANDE BÉNÉFICIE TOUTEFOIS DE LA GARANTIE DU GROUPE, LEQUEL A CONSOLIDÉ À FIN 1993 UN CHIFFRE D'AFFAIRES HORS TAXES DE 770 798 MFS (– 6,8 % PAR RAPPORT À 1992), POUR UN BÉNÉFICE NET PART DU GROUPE DE 14 337 MFS.
SUR LA MEME PÉRIODE SA SITUATION NETTE S'ÉTAIT ÉTABLIE À 259 136 MFS.

RIEN DE DÉFAVORABLE N'EST RELEVÉ AU NIVEAU FINANCIER ET RIEN NE S'OPPOSE À CE JOUR À UNE ENTRÉE EN RELATIONS COMMERCIALES SUR LA BASE DE CRÉDITS COURANTS, TOUT EN OBSERVANT UNE ÉVOLUTION RÉGULIERE DE LA SITUATION COMPTE TENU DU SECTEUR D'ACTIVITÉ.

FIGURE 2 (suite)

2

UN PREMIER REGARD SUR LE BILAN

**L'objectif du bilan est clair :
mesurer la *richesse* de l'entreprise**

CE QUE L'ENTREPRISE POSSÈDE

ACTIF DU BILAN SAGEM

ACTIF *(en milliers de FRF)*	1993	1992
ACTIF IMMOBILISÉ		
Immobilisations incorporelles	68 485	84 085
Écarts d'acquisition	321 485	309 671
Immobilisations corporelles	1 012 540	1 006 621
Immobilisations financières	596 404	397 483
Titres mis en équivalence	74 298	97 622
Total actif immobilisé	**2 073 212**	**1 895 482**
ACTIF CIRCULANT (1)		
Stocks et en-cours	1 938 087	1 803 421
Clients et comptes rattachés	3 623 951	3 403 675
Créances diverses	471 585	434 941
Valeurs mobilières de placement et disponibilités	2 405 441	1 915 723
Comptes de régularisation et assimilés	102 363	166 953
Total actif circulant	**8 541 427**	**7 724 713**
TOTAL ACTIF	**10 614 639**	**9 620 195**
(1) dont créances à plus d'un an	*78 486*	*23 340*

PASSIF DU BILAN SAGEM

PASSIF *(en milliers de FRF)*	1993	1992
CAPITAUX PROPRES ET AUTRES FONDS PROPRES		
Capital	181 280	181 280
Primes d'émission et réserves	1 698 701	1 411 891
Résultat de l'exercice	423 414	366 382
Total capitaux propres	**2 303 395**	**1 959 553**
Intérêts minoritaires	725 437	719 919
Autres fonds propres (Emprunts subordonnés)	500 000	500 000
Total fonds propres	**3 528 832**	**3 179 472**
PROVISIONS POUR RISQUES ET CHARGES	**1 506 496**	**1 165 710**
DETTES (2)		
Emprunts et dettes financières	544 913	664 208
Avances et acomptes reçus sur commandes en cours	1 642 571	1 429 448
Fournisseurs et comptes rattachés	1 726 014	1 503 004
Autres dettes	1 635 819	1 656 518
Comptes de régularisation et assimilés	29 994	21 835
Total dettes	**5 579 311**	**5 275 013**
TOTAL PASSIF	**10 614 639**	**9 620 195**
(2) dont dettes à plus d'un an	*455 698*	*288 305*

CE QUE L'ENTREPRISE VAUT

CE QUE L'ENTREPRISE DOIT

Vous venez de voir le bilan de la SAGEM, un des fleurons de l'industrie française, dont le domaine s'étend de l'optronique à la téléphonie, en passant par la *navigation inertielle*.

Il s'agit du bilan extrait du rapport annuel 1993. Simple, direz-vous ? Trop simple, peut-être ? Bien plus simple en tout cas que les pages 1 et 2 de la liasse fiscale qui figurent dans les documents de fin de volume. En apparence seulement, puisque ces documents ont été établis à partir de la philosophie comptable initialement développée par Pacioli.

Et pourtant, un bilan ce n'est que ça. Nous allons encore le simplifier. en utilisant une méthode infaillible et qui a déjà fait ses preuves, celle exposée par DESCARTES dans le *Discours de la Méthode* : décomposer le problème complexe en sous-problèmes plus simples .

2.1 LE BILAN À L'INSTANT *T*

Un bilan est établi à une date donnée. Ce n'est ni le bilan d'une année d'exercice, ni le bilan d'une opération. Il ne traduit pas une différence entre des données au 1er janvier et les mêmes données au 31 Décembre. C'est au contraire la photographie instantanée de l'entreprise au dernier jour de l'exercice.

Aussi, quand on parle de *bilan 95*, commet-on une erreur de langage.

Il n'y a pas de bilan 95 mais un *bilan au 31/12/95*, comme il y a un bilan au 30/06/95, comme il y a un bilan à chaque instant si l'on se donnait la peine de l'établir. Et encore devrait-on parler du bilan au 31 décembre à minuit, lui-même quelque peu différent du bilan de ce même jour à huit heures [1].

---

1. *Aujourd'hui, à l'heure de l'informatique, il est possible d'établir un bilan instantané en appuyant sur un bouton, pour peu, bien entendu, que toutes les opérations aient été enregistrées.*

Vous avez sans doute remarqué. dans les bilans joints, que ce n'est pas seulement le bilan de SAGEM au 31/12/93 qui vous est fourni, mais deux bilans :

– le bilan fin 93 (colonne de gauche),
– le bilan à fin 92 (colonne de droite).

Depuis la réforme du plan comptable, les états financiers des entreprises nous sont systématiquement fournis sur deux années consécutives, afin que nous puissions nous faire une première idée de l'évolution de l'entreprise d'une année sur l'autre.

2.2 | LA FORME DES CHIFFRES DU BILAN

Chacun sait que le comptable travaille au centime près [1]. En effet, une erreur portant sur un centime peut être la partie émergée d'un manque de rigueur, dont les dimensions peuvent être dévastatrices. Ainsi, un centime de trop sur le résultat peut provenir d'une erreur de 1 million de francs sur les ventes et de 1 million de francs et 1 centime sur les coûts.

Cependant, dans le cadre de l'analyse des comptes d'une entreprise, il n'est plus question de parler en francs et en centimes.

S'il s'agit d'une petite entreprise, il convient de parler en milliers de francs, parfois appelés KF, comme kilofrancs. Dans le cadre d'une moyenne entreprise on utilise le million de francs, parfois appelé MF. Pour les grosses entreprises, on raisonne en milliards de francs, le MMF.

---

1. Ce qui n'empêche pas leurs patrons de faire valser les milliards.

En analyse financière – car c'est d'analyse financière que nous parlons, au même titre que monsieur JOURDAIN faisait de la prose –, on utilisera au maximum trois chiffres significatifs. C'est ainsi que nous serons bien assez précis en évaluant les dettes de SAGEM à 5.58 MMF au 31/12/93, alors que le solde comptable est de 5 579 311 milliers de Francs.

Dans la tradition comptable, surtout outre-Atlantique, il est de coutume de mettre entre parenthèses les chiffres négatifs, ou les chiffres à soustraire, plutôt que de les faire précéder par un signe moins. On estime que les éléments de la colonne (2) sont plus parlants que ceux de la colonne (1).

	(1) Format arithmétique	(2) Format financier
Chiffre d'affaires	13 038	13.038
Dépenses d'exploitation	– 12 057	(12.057)
Résultat d'exploitation	981	981

Enfin, on a aussi l'habitude d'utiliser des virgules ou des points pour séparer les groupes de trois chiffres. Ces virgules séparatrices permettent de mieux visualiser l'ordre de grandeur du chiffre. Ainsi, le graphisme de la colonne de droite est plus parlant que celui de la colonne de gauche.

2.3 LES COMPOSANTES DU BILAN

Synthétiquement, le bilan comporte trois parties :

1) D'abord tous les **avoirs** de l'entreprise, pour lesquels le terme consacré est *actif* ou encore *élément d'actif*. Ces éléments d'actif sont rassemblés dans la partie du bilan qui s'appelle **Actif,**

et qui est conventionnellement la partie gauche du bilan. Parfois, on met cet actif en haut du bilan.

Ainsi, l'ensemble des actifs de SAGEM au 31/12/93 est de 10.61 MMF.

2) Ensuite, il y a les **dettes** de l'entreprise, qui figurent traditionnellement en bas, à droite du bilan. Elles représentent l'ensemble des engagements de l'entreprise envers les tiers, c'est-à-dire ses fournisseurs, ses banquiers, le fisc, le personnel, et bien d'autres encore.

Les sommes enregistrées en dettes constituent les montants qu'il conviendra de décaisser, soit la bagatelle de 5.58 MMF.

3) Enfin, il y a les **fonds propres** (FP), encore appelés capitaux propres.

Et que sont ces fonds propres ? La différence entre ce que l'entreprise a, et ce que l'entreprise doit. On a l'égalité fondamentale, qui est une définition des FP,

(1)   **FP = Actifs – Dettes**

Dans le cas de SAGEM, nous avons donc, au 31/12/93 :

Actifs	10.61 Milliards
moins dettes	5.58 Milliards
= Fonds Propres	5.03 Milliards

2.4 ÉGALITÉ DE L'ACTIF ET DU PASSIF

Quoi de plus naturel et intuitif que cette définition des fonds propres?

Faut-il des calculs longs et compliqués pour arriver à la conclusion que si on a 100 dans une poche (actifs) mais si on s'est engagé pour 60 (dettes), on vaut (on pèse, dirait un américain) :

$$100 - 60 = 40$$

L'équation (1) est donc un truisme, une évidence, une donnée du bon sens le plus primaire et le moins élaboré. Cette évidence ne s'applique d'ailleurs pas uniquement aux sociétés commerciales ou industrielles.

Cette équation s'applique à chacun d'entre nous. Si nous possédons vêtements, voitures, meubles, immeubles, et liquidités, nous pouvons avoir en contrepartie des dettes et notre patrimoine est égal à la différence entre les uns et les autres. Cette équation vaut aussi pour toutes les personnes morales qui ne sont pas tenues d'établir un bilan, comme les communes, conseils régionaux et autres collectivités et associations financées par fonds publics, qui gèrent en notre nom des patrimoines souvent considérables.

Traditionnellement, l'équation (1) ne se présente pas sous cette forme dans le monde de la comptabilité et de la finance. On l'écrit plutôt d'une autre manière, parfaitement équivalente, qui est l'équation ci-dessous :

(2) $$FP + Dettes = Actifs$$

Les deux termes à gauche du signe égal sont regroupés dans ce qui est convenu d'appeler **passif**. Notez bien qu'il s'agit, là encore, d'un abus de langage. Les « fonds propres » ne sont pas, juridiquement en tout cas, un élément de passif. On a alors l'égalité de base :

(3)   *Actif = Passif*

Cette égalité ne provient pas d'une longue suite de calculs. Il n'est besoin ni d'ordinateurs, ni d'expert-comptable pour aboutir à cette égalité qui découle uniquement de la définition des fonds propres.

2.5   LIAISON BILAN / COMPTE DE RÉSULTAT

Il est clair qu'il y a une relation entre le bilan et le compte de résultats. Cette relation est basée sur l'équation (1).

(4)   *FP = Actifs – Dettes*

Cette relation peut s'expliquer par l'analogie de la baignoire. Un bon vieux problème de baignoire comme nous en avons connu à l'école primaire.

❑ Un problème de baignoire

Imaginez donc votre baignoire remplie d'eau, munie d'un robinet et d'une bonde de vidange. Le volume d'eau contenu est analogue au volume des fonds propres de l'entreprise.

A l'instant t, les fonds propres sont au niveau FP, votre baignoire contient x litres. A ce même instant, l'eau pénètre par le robinet largement ouvert, et s'écoule simultanément par la bonde.

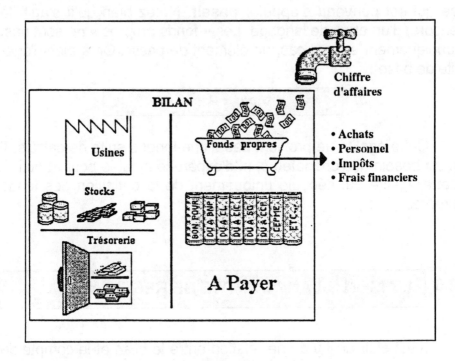

FIGURE 3

Donnons quelques précisions chiffrées sur notre problème :

– À 10 heures, il y a 200 litres d'eau.
– À 11 heures, il y a 260 litres d'eau.

On pourrait se contenter de citer ces chiffres, qui sont des données d'inventaire, donc bilantielles.

Mais on en dira plus en apportant les informations suivantes sur les flux :

– Un débit entrant de 2 litres d'eau à la minute par le robinet.

– Un écoulement par la vidange, de 1 litre à la minute.

A partir de ces informations, on pourra dresser un tableau des flux d'eau dans la baignoire.

Volume versé entre 10 et 11 heures	120 litres
Moins volume écoulé entre 10 et 11 heures	− 60 litres
Augmentation de volume de l'eau entre 10 et 11 heures	60 litres

La résultante de ces deux constatations sera bien sûr une augmentation de 60 litres à l'heure. Il y avait *a priori* une infinité de manières de passer de 200 à 260 litres. Nous savons maintenant que ce sont 120 litres qui sont entrés, et non pas 60, ni 1 000, ni 2 000.

Il en est de même pour l'entreprise. Il faut savoir de combien les fonds propres augmentent ou diminuent.

L'eau du robinet peut être comparée au chiffre d'affaires : le montant des ventes. L'eau qui s'écoule peut être comparée au montant des dépenses.

La différence entre les deux, c'est le profit, qui se retrouve sur le bilan.

❑ Quelques exemples de transactions

Analysons maintenant les conséquences de quelques événements sur le niveau d'eau dans la baignoire.

1. La vente

Quand l'entreprise vend, ses comptes clients se remplissent, donc ses actifs augmentent, les fonds propres aussi. Mais, simultanément, ses stocks se dégarnissent, et le niveau des fonds propres baisse comme le niveau de l'eau. Cependant, la vente se faisant à un prix supérieur au coût de revient [1], il y aura plus d'eau à l'entrée qu'à la sortie, donc une élévation du niveau, se traduisant par un *enrichissement* de l'entreprise.

2. L'encaissement

Quand l'entreprise encaisse une créance de 100, il n'y a ni entrée d'eau, ni sortie d'eau. Le niveau est inchangé : un actif a diminué (le compte-client) un autre a augmenté (le compte en banque).

C'est comme si on avait pris de l'eau au fond de la baignoire pour la reverser en surface.

3. Le décaissement

Si l'entreprise utilise ces 100 pour rembourser une dette de 100, là encore le niveau de l'eau ne bouge pas. Un actif diminue, la banque ; mais un élément de passif, la dette de 100, diminue du même montant.

❏ Du bilan au compte de résultat

Alors que le bilan constate le niveau de l'eau à un instant donné, le compte de résultat enregistre :

– le volume d'eau qui est entré entre 10 et 11 heures (comparable à l'augmentation des postes d'actifs).

– le volume d'eau écoulé sur la même période.

---

1. *Je profite de cette allusion aux prix de revient pour signaler qu'il règne autour des prix de revient une immense escroquerie intellectuelle. Il est toujours possible de calculer un prix de revient ; mais ce prix de revient ne représente rien d'autre que le résultat d'un calcul, et en aucun cas le coût d'un produit.*

– à la suite de ces enregistrements, ce compte constate la variation du volume, égale au volume d'eau entré, diminué du volume d'eau sorti.

Cette différence entre ces deux volumes s'ajoute au volume d'eau initialement contenu dans la baignoire, comme le profit gagné sur une année d'exploitation vient s'ajouter au montant initial des fonds propres au début de l'exercice.

Vous allez sans doute me poser la question traditionnelle :

« Pourquoi le résultat net figure-t-il au passif de l'entreprise ? ».

Il semble en effet paradoxal que le résultat de l'exercice soit considéré comme une dette. Il n'en est pas une, au sens juridique du terme. Cependant, ce résultat ayant été dégagé au nom des actionnaires, à leurs risques, il est normal qu'il leur soit dû. D'où sa présence, temporaire, au passif de l'entreprise dont il sortira lors de l'affectation des résultats.

Certains chefs d'entreprise ne devraient d'ailleurs pas lire ces lignes, et considérer que le résultat net est réellement une dette envers les actionnaires.

EXERCICES

Exercice 1

Ci-dessous, quelques éléments extraits des comptes de CONTI-NENTAL, le fabricant de pneus, au 31/12/93, exprimés en millions de DM. Vous savez qu'en 1993, CONTINENTAL a vu son niveau de richesse augmenter de 107 Millions de DM.

A vous de remplir les cases vides.

CONTINENTAL AKTIENGESELLSCHAFT	au 31/01/92	au 31/12/93
Fonds propres Dettes	? 1817	? ?
Total	3074	3203

Exercice 2

RENAULT, *comme* CONTINENTAL, *a souffert de la crise économique. Ci-dessous, quelques données extraites du rapport annuel* RENAULT *au 31/12/93, exprimées en milliards de Francs (MMF).*

Quelles ont été, selon vous, les actions entreprises par la direction de RENAULT *pour limiter les conséquences de la récession ?*

	Exercice 93	Exercice 92
Chiffre d'affaires	169.7	184.2
Total des Actifs	212.6	212.6
Immobilisations nettes	45.6	46.1
Stocks	19.8	24.0
Créances	18.9	23.1

3 LE BILAN PAR GRANDES MASSES

Devant le nombre de chiffres que comporte un bilan, il faut s'efforcer de synthétiser, en regroupant dans une même enveloppe des éléments différents mais bien sûr homogènes. C'est ainsi que la première tâche de l'analyste financier consiste à établir le bilan par grandes masses.

La tâche est d'autant plus aisée que les alinéas figurant à l'actif du bilan n'ont pas été placés dans n'importe quel ordre. Ils ont été classés, de haut en bas, par ordre de liquidité croissante. Ce n'est pas réellement un hasard : le caractère d'homogénéité auquel nous faisions référence, ce sera la liquidité (pour les actifs) ou la date d'exigibilité (pour les dettes).

3.1 LES ACTIFS

La première séparation qu'effectue l'analyste est la séparation entre **actifs immobilisés** et **actifs à court terme**.

Les immobilisations sont les éléments destinés à servir de manière durable à l'activité de l'entreprise. Ils ne se consomment pas par le premier usage [1].

Les actifs à court terme, ce sont les autres.

Chez nos voisins qui ignorent le LEFEBVRE, on appelle immobilisation tous les biens non susceptibles d'être transformés ou revendus avant une année.

Il y a une frontière, tracée en traits épais, entre :

– les actifs à plus d'un an,
– les actifs qui auront été vendus avant un an.

---

1. LEFEBVRE COMPTABLE, *1994, s.1452.*

3.1.1 L'ACTIF IMMOBILISÉ

On place en haut de l'actif les éléments d'actif les moins liquides.

C'est-à-dire les moins susceptibles de se transformer en argent liquide.

On les regroupe sous le vocable d'actifs immobilisés. Leur dénomination d'immobilisation, ou leur qualificatif d'immobilisé, est bien synonyme de leur manque de liquidité. Ils constituent donc la première grande masse, celle de l'actif immobilisé, parfois encore appelé *actif à long terme*.

Que ce soit dans les liasses CERFA ou dans les rapports annuels, ce sous-total est calculé : vous n'avez pas à faire l'addition, qui a déjà été faite et qui apparaît dans le **Total 1** de la liasse fiscale (lignes BJ et BK de l'imprimé 2050).

❑ Typologie des immobilisations

Il est de coutume, en France, de distinguer trois types d'immobilisations :

1) Les immobilisations incorporelles

Rentrent dans cette catégorie tous les actifs acquis par l'entreprise dont la valeur repose sur un droit juridique plutôt que sur de la matière. Ainsi, le droit au bail, ou le pas-de-porte par le paiement duquel le commerçant a acquis le droit d'établir son commerce rue Saint-Lazare, face à l'arrivée des trains. Ainsi, les brevets et concessions. Ainsi, les frais de recherche et développement [1]. Ainsi, enfin, les *survaleurs* et autres écarts d'acquisition, c'est-à-dire le sur-prix payé pour les sociétés acquises.

---

1. En règle générale, l'entreprise enregistre dans les charges de l'exercice les frais de recherche et développement. Elle respecte, ce faisant, la règle de prudence qu'impose le caractère aléatoire de cette activité. Ce n'est qu'exceptionnellement qu'elle peut inscrire ces frais à l'actif. Tel est le cas si les projets de recherche sont nettement individualisés et s'ils ont de sérieuses chances de rentabilité commerciale.

2) Les immobilisations corporelles

Ce sont tous les actifs que Saint-Thomas n'aurait pas contestés, qui se voient, qui sont touchables, et qui se retrouvent physiquement dans l'entreprise : des bâtiments aux équipements, en passant par les véhicules, les ordinateurs...

Dans une société purement industrielle, ils constitueront la majeure partie des actifs. Par contre, dans une société *holding,* dont l'activité est purement financière, ils pourront être réduits à très peu de choses : un vieil ordinateur et une boîte de crayons pouvant suffire à la *gestion* des participations.

3) Les immobilisations financières

Il s'agit de toutes les sommes engagées par l'entreprise dans d'autres entreprises ou auprès d'administrations. Ainsi, une société industrielle comme LMR aura peu, voire pas, d'immobilisations financières. *A contrario*, une société comme DELACHAUX, qui détient de nombreuses filiales, aura un poste important (94 MF).

3.1.2 L'ACTIF CIRCULANT

Sous le titre d'actif circulant, parfois au pluriel, sont regroupés les actifs susceptibles de se transformer en argent liquide avant la fin de l'année.

L'actif circulant se compose essentiellement :

– des stocks,
– des créances-clients,
– des créances autres,
– des disponibilités.

Attention, certains de ces actifs « palpables » peuvent ne pas appartenir à la société, donc ne figureront pas à son bilan : ainsi, tous les biens en leasing *figurent au bilan du bailleur, et non pas sur celui du preneur.*

Le total des actifs circulants est lui-même calculé. Dans les liasses fiscales, c'est le **Total (II)** (lignes CJ et CK) de l'imprimé 2050.

3.1.3 LES COMPTES DE RÉGULARISATION

Nous n'avons pas encore épuisé l'actif, puisque, entre le total de l'actif – lui aussi calculé et dénommé *total général* – et l'actif circulant, figurent encore les comptes de régularisation. Comme leur nom l'indique, le rôle de ces comptes est de régulariser certaines écritures.

Certaines régularisations constituent réellement des avoirs. Ainsi une prime d'assurance payée en octobre 95 pour une période allant de octobre 95 à septembre 96 devra être régularisée. C'est une charge payée d'avance. Elle ne traduit généralement pas un montant récupérable sous forme d'argent liquide. Par contre, elle désigne un débours qui ne sera pas à faire.

Nous avons donc grossièrement décomposé l'actif en deux grosses masses :

- l'actif à court terme,
- l'actif immobilisé.

3.2 | LE PASSIF

La présentation traditionnelle du bilan scinde les dettes entre :

- dettes financières, c'est-à-dire les dettes négociées auprès des banques et établissements de crédit,

- et les autres, contractées auprès des partenaires commerciaux, des organismes fiscaux et sociaux, des associés...

Le regard de l'analyste financier est cependant différent de celui du législateur : il est du plus grand intérêt pour le financier de **séparer les dettes à moins d'un an des dettes à plus d'un an**. Les premières sont appelées dettes à court terme, les autres, dettes à long et moyen terme.

Peu importe en effet à l'analyste financier de savoir qui a prêté à la société. Que ce soient les fournisseurs ou le fisc, il n' y a pas de différence en termes de risque. Ce qui est dû est dû. Par contre, plus le paiement de la dette est lointain, plus l'entreprise est tranquille, donc plus faible est son risque. Ceci est important.

3.2.1 L'EXIGIBILITÉ DES DETTES

Le degré d'exigibilité d'une dette, c'est la durée pendant laquelle les fonds restent à la disposition de l'entreprise, avant le jour où, enfin, il faudra rembourser. Pendant ce temps, la dette figure au bilan. Elle en disparaîtra le jour de l'échéance, date à laquelle le montant de la dette ne sera plus exigible mais **exigé** par le créancier qui en demandera le remboursement.

SOCIÉTÉ DELACHAUX, **EXTRAIT DU RAPPORT ANNUEL 93**

■

BILAN ACTIF

		31/12/93		31/12/92
	Brut	Amort./Prov.	Net	Net
Autres immob. incorporelles	1 625 314	1 289 785	335 529	263 118
Concessions, brevets	2 784 479	938 479	1 846 000	1 220 967
Fonds commercial	97 000	97 000	0	0
Immobilisations incorporelles	**4 506 793**	**2 325 264**	**2 181 529**	**1 484 085**
Terrains	19 422 375	800 966	18 621 409	18 772 693
Constructions	23 447 147	10 688 768	12 758 379	13 519 447
Install. Techn. Mat. Out.	118 956 406	90 804 265	28 152 141	38 517 163
Autres immob. Corp.	7 957 983	5 876 613	2 081 370	2 440 746
Immobilisations en cours	173 535		173 535	0
Avances et acomptes			0	8 100
Immobilisations corporelles	**169 957 446**	**108 170 612**	**61 786 834**	**73 258 149**
Participations	93 084 270	76 650	93 007 620	92 967 555
Autres titres immobil.	50 800	50 000	800	800
Prêts	124 100	124 100	0	0
Autres immob. financières	883 408		883 408	952 011
Immobil. financières	**94 142 578**	**250 750**	**93 891 828**	**93 920 366**
TOTAL IMMOBILISATIONS	**268 606 817**	**110 746 626**	**157 860 191**	**168 662 600**
MP Approvisionnements	20 726 908	663 565	20 063 343	19 477 605
En cours product. biens	7 615 140	73 465	7 541 675	10 942 877
Produits finis	27 433 128	1 891 181	25 541 947	30 156 043
Marchandises	3 970 795	316 320	3 654 475	3 521 043
Total stocks	**59 745 971**	**2 944 531**	**56 801 440**	**64 097 568**
Acomptes avances s/cdes	384 220		384 220	491 208
Clients & Comptes rattachés	105 554 392	8 414 118	97 140 274	123 734 210
Autres créances	19 833 709		19 833 709	17 383 533
Valeurs de placement	1 284	50	1 234	6 233
Disponibilités	12 323 965		12 323 965	375 460
Charges constatées d'avance	1 814 511		1 814 511	1 734 737
Sous-total	**139 912 081**	**8 414 168**	**131 497 913**	**143 725 381**
TOTAL ACTIF CIRCULANT	**199 658 052**	**11 358 699**	**188 299 353**	**207 822 949**
Ecart conversion actif	463 048		463 048	533 672
TOTAL GENERAL	**468 727 917**	**122 105 325**	**346 622 592**	**377 019 221**

Note : Remarquez le luxe de détail, le caractère croissant de la liquidité vers le bas de bilan.

FIGURE 4

SOCIÉTÉ DELACHAUX, EXTRAIT DU RAPPORT ANNUEL 93

■

BILAN PASSIF

	31/12/93	31/12/92
Capital social et individuel	43 075 200	43 075 200
Primes d'émission de fusion	32 460 876	32 460 876
Réserve légale	4 307 520	4 296 660
Réserves statuaires ou contact.		
Réserves réglementées	25 366 708	24 466 733
Autres réserves	54 941 735	56 000 000
Report à nouveau		-5 521 661
Résultat de l'exercice	-3 094 558	-3 084 579
Provisions réglementées	1 990 982	2 143 824
Total (1)	159 048 463	164 880 375
Provisions pour risques		
Provisions pour charges	2 877 417	6 798 269
Total (2)	2 877 417	6 798 269
Emp. dettes établissements crédit	62 269 861	78 463 238
Emp. dettes financières divers	29 537 983	24 453 313
TOTAL EMPRUNTS ET DETTES (a)	91 807 844	102 916 551
Avances et acomptes reçus	1 573 802	2 330 221
Dettes fournisseurs comptes rattachés	63 872 988	65 026 642
Dettes fiscales et sociales	21 134 954	22 180 558
Dettes s/Immob. et comptes rattachés	1 522 543	4 626 230
Autres dettes	3 895 809	7 856 845
Prod. constatés d'avance	261 800	
TOTAL AUTRES DETTES (b)	92 261 896	102 020 496
TOTAL (3) (a + b)	184 069 740	204 937 047
ECART CONVERSION PASSIF	626 972	403 530
TOTAL GENERAL	346 622 592	377 019 221

FIGURE 5

51

Examinons le passif de la Société DELACHAUX, en commençant par le bas.

Sur un total de 346 millions de Francs, 184 millions sont des dettes, dont 92 millions ne sont pas dues à des établissements financiers.

De ce sous-total de 92 millions, on pourrait peut-être isoler les dettes à 3 mois de celles qui sont entre 3 et 6 mois. Bien entendu, le trésorier de l'entreprise prendra en compte cette distinction. L'analyste financier, au moins dans un premier temps, ne le fera pas. Il s'arrêtera au fait qu'il y a des dettes à moins d'un an et des dettes à plus d'un an.

Puis, en remontant le bilan, nous arrivons aux dettes financières, d'un montant de 91.8 MF. Certaines sont à moins d'un an, d'autres à plus d'un an. Enfin, au-dessus de ces dettes financières figurent les provisions et les fonds propres (714,7 MF) qui ne sont pas exigibles du tout.

3.2.2 L'ANALYSE DU PASSIF

Notre objectif est maintenant de scinder le passif en trois catégories qui méritent un traitement propre:

- Le passif à court terme,
- Les dettes à long et moyen terme,
- Les fonds propres.

❑ Le passif à court terme

Il est aussi appelé passif circulant et regroupe, sous l'un ou l'autre de ces vocables, l'ensemble des dettes dues à moins d'un an, quelle que soit la nature de ces dettes.

Ce passif circulant était, dans l'ancien plan comptable, immédiatement perceptible, puisque l'ancien plan comptable classait automatiquement les dettes selon leur durée de vie. Hélas, le nouveau plan comptable a choisi de classer l'ensemble des dettes par nature juridique plutôt que par durée.

L'analyste que vous êtes va donc devoir faire des *reclassements* afin d'attribuer à chacune des trois catégories précitées les dettes qui lui reviennent.

Dans un rapport annuel, il faudra vous reporter à l'une des annexes du bilan, dans laquelle créances et dettes sont ventilées en fonction de leur échéance.

Dans les liasses CERFA, il vous faudra sortir du bilan, et vous reporter à l'annexe du rapport annuel, ou à la page 8 de la liasse fiscale (imprimé numéro 2057-N). Là vous sera donné l'ensemble des engagements à moins d'un an : 5.27 MF dans le cas de LMR.

Afin de vous éviter de faire de la gymnastique entre les pages, il vous est parfois très obligeamment proposé une petite note : sur le bilan du groupe SAGEM (chapitre 2), la note de bas de bilan (2) vous indique que le montant des dettes à plus d'un an est de 456 MF.

EXTRAIT DU RAPPORT ANNUEL 93. SOCIÉTÉ DELACHAUX

ETAT DES ECHEANCES DES CREANCES ET DES DETTES

		Echéances	
	Montant brut	à un an au plus	à plus d'un an
CREANCES			
Créances de l'actif immobilisé			
Prêts	124		124
Autres immobilisations financières	883		883
Créances de l'actif circulant			
Créances clients et comptes rattachés	105 554	105 554	
Autres créances	19 884	19 884	
Charges constatées d'avance	1 815	1 815	
	128 260	127 253	1 007
DETTES			
Emprunts et dettes auprès des établissements de crédit (1) - (2) - (3)	62 270	22 931	39 339
Emprunts et dettes financières diverses (2)	29 538	23 537	6 001
Dettes fournisseurs et comptes rattachés	63 873	63 873	
Dettes fiscales et sociales	21 135	21 135	
Dettes sur immob. et comptes rattachés	1 522	1 522	
Autres dettes	3 896	3 896	
Produits constatés d'avance	262	262	
	182 496	137 156	45 340
(1) dont concours bancaires courants	15 855		
(2) emprunts nouveaux	5 786		
remboursements emprunts	16 895		
(3) dont :			
- à deux ans maximum à l'origine	15 855		
- à plus de deux ans à l'origine	46 415		
- à plus de cinq ans	2 153		

Note : Ce tableau, annexé au bilan, met en lumière la liquidité de l'entreprise.

FIGURE 6

❑ Le passif à long terme

Le long terme se définit aisément comme tout ce qui est d'échéance supérieure à un an. Il comporte deux parties, aisément identifiables : les dettes et les fonds propres. Mails il comporte aussi, prises en sandwich entre les deux précédentes, les provisions.

Car il serait trop beau que la frontière entre les deux notions soit très claire, et c'est sous le terme de *provisions* que sont classées les sommes que l'on ne saurait définitivement mettre d'un côté ou de l'autre.

• *Les dettes et les fonds propres*

Ces engagements à long terme, se scindent eux-mêmes en deux parties :

- une partie exigible, qu'il faudra rembourser un jour,
- une partie non exigible : les fonds propres, qui est elle-même constituée de la somme des apports des associés dans le temps.

Si chacun a son importance en termes comptables, ils constituent un bloc homogène, dénommé *capitaux permanents*.

3.3 LES PROVISIONS

Les provisions peuvent représenter des montants énormes, dont l'apparition peut bouleverser complètement la physionomie du bilan. C'est au niveau des provisions, ou d'ailleurs de l'absence de provision, que l'analyste devra poser, et se poser, le plus de questions, au risque de passer complètement à côté du problème. Car, c'est derrière les provisions que se cachent les points d'interrogation de l'entreprise.

3.3.1 CARACTÉRISTIQUES COMMUNES

Si l'examen du bilan fait apparaître plusieurs postes de provision, les provisions ont néanmoins des caractéristiques communes :

• **Fiscalité**

Le premier point commun à toutes les provisions est leur traitement fiscal: l'apparition d'une provision au bilan est la contrepartie d'une *dotation aux provisions,* au compte de résultat.

Cette *dotation aux provisions* est fiscalement considérée comme une dépense déductible des résultats de l'entreprise, et donne lieu à une diminution des impôts. Ou plutôt, à un décalage dans le temps des impôts.

• **Non liquidité**

Le terme *provision* est trompeur, et les provisions qui sont sur votre bilan n'ont rien à voir avec celles qui sont dans votre garde-manger. Non seulement il ne s'agit pas de *réserve de trésorerie* ou de *provision de liquidité*, mais encore, il y aura le plus souvent des sorties d'argent consécutives à la présence d'une provision.

• **Prudence**

Le passage d'une provision se traduit toujours par une **dotation**, qui est une dépense, au moins sur le papier. **Conséquence de cette dépense : les fonds propres en sont diminués.** La société paraît moins riche après la provision qu'avant. Moins riche de 9 milliards, dans le cas d'ELF en Janvier 95. Moins riche de 15 milliards dans le cas de SUMITOMO, suite à la décision de f*aire le ménage*[1]

---

1. *Les Echos du 15 janvier 1995.*

Premier ménage des comptes
La Banque Sumitomo affiche des pertes de 15 milliards de francs

LES LEADERS DE L'ARCHIPEL	
Résultats intérimaires à fin septembre 1994 (en milliards de yens)	
Bank of Tokyo	34,6
Sanwa	30,4
Sumitomo	24,5
Mitsubishi	16,4
Dai-ichi-Dangyo	16,2
Sakura	16,2
Fuji	13
Asahi	10,4

◆ **La Banque Sumitomo, l'une des plus grandes au Japon,** vient de décider de faire le ménage dans ses comptes. Une première dans un pays où les établissements bancaires avaient l'habitude de gérer leurs encours douteux en douceur. Cette opération, qui se traduira par une perte de près de 15 milliards, pourrait être suivie par l'ensemble de la profession, ce qui ne manquera pas de conduire à une restructuration du secteur.

FIGURE 7

3.3.2 PROVISIONS À L'ACTIF DU BILAN

Les provisions figurant à l'actif du bilan portent essentiellement sur les postes d'actif circulant, à savoir les stocks et les créances clients.

Exemple

Vos stocks ont été valorisés à 100 de leur prix de revient, et vous rapprochez cette valeur :

– des cours du marché : 90
– des frais restant à supporter jusqu'à la vente : 10

L'obligation de sincérité du bilan vous amène à constater une provision de : 100 + 10 – 90 = 20.

Une provision diminuera votre résultat, donc vos fonds propres, donc votre base imposable, donc votre impôt.

En pratique, il faut bien reconnaître que :

– les **cours** sont très volatils, quand par hasard ils existent,
– le montant des frais à apporter peut n'être pas totalement dénué de subjectivité.

En conclusion, et en pratique : **les provisions sur stocks peuvent être une cache à profit très classique.**

3.4 PROVISIONS POUR RISQUES

Certaines charges sont incertaines. Les produits que vous avez vendus sous garantie, les litiges en cours, les futurs retours d'invendus ne sont que quelques exemples de risques courus par l'entreprise.

Les ignorer totalement vous porterait à dresser un bilan non totalement sincère.

Les provisionner à 100 % témoignerait de beaucoup de pessimisme. Alors, vous allez passer une provision aussi raisonnable que possible.

Si les compagnies d'assurance disposent de bataillons d'actuaires leur permettant d'évaluer les risques de manière scientifique, la PME moyenne ne sait pas déterminer la *provision pour risque* en toute rigueur scientifique...

3.5 PROVISIONS POUR CHARGES

L'entreprise doit provisionner, en prévision de dépenses à venir, non juridiquement matérialisées par un contrat ou une facture. En raison de l'incertitude, ces dépenses figurent en **provisions** plutôt qu'en **dettes**. Ces dépenses qui vont survenir, vont donner lieu à des décaissements. Elles sont donc financièrement assimilables à des dettes. On doit donc ajouter de telles provisions aux dettes.

3.6 PROVISIONS RÉGLEMENTÉES

Définition

Ce sont des provisions ne correspondant pas à l'objet normal d'une provision et qui sont comptabilisées en application de dispositions légales.

C'est dans ce cadre que rentrent notamment, et la liste ci-dessous n'est pas exhaustive :

1. les provisions dites « pour hausse des prix »,

2. les provisions pour implantations à l'étranger,

3. les plus-values réinvesties,

4. les provisions pour investissement liées à la participation des salariés.

3.7 TRAITEMENT DES PROVISIONS

Il convient d'être extrêmement prudent sur le traitement des provisions. La distinction entre provisions « *réelles* » et provisions « sans fondement » n'est pas évidente : l'analyste externe (vous, par exemple !) ne pourra bien entendu pas faire cette distinction à coup sûr. Il devra : ou bien disposer d'informations ne figurant pas au bilan, ou alors se contenter d' approximations.

Est-ce bien important ?

Lorsque vous avez fait x milliers de kilomètres avec le même train de pneus, devez-vous considérer que votre train de pneus est aux trois-quarts usé ou seulement à moitié usé ? Si le montant des « provisions pour charges » était réellement important, en termes relatifs (5 % du total du bilan par exemple), il conviendrait alors de faire une analyse bien plus précise.

Dans le cas contraire, peu importe. Sur ce point particulier, nous nous trouvons de nouveau confrontés à la vanité de la vérité comptable...

❑ **Provision = signe de bonne santé ?**

S'il n'est pas de vérité comptable sur les provisions, il est cependant une vérité empiriquement constatée auprès des entreprises.

Plus l'entreprise est prospère, plus elle tentera de diminuer son résultat, donc ses impôts, en constituant des provisions importantes. Donc plus ses provisions manqueront de fondement, et seront des fonds propres déguisés. *A contrario*, moins l'entreprise sera prospère, ou plus elle sera déficitaire, plus elle aura tendance à ne pas provisionner des dépenses certaines afin de diminuer son déficit ou d'augmenter son profit. On pourra alors être relativement sûr que les provisions sont des dettes réelles, vraisemblablement sous-évaluées.

En conclusion, une belle entreprise aura de grosses provisions, alors qu'une entreprise en difficulté provisionnera aussi peu que possible.

❑ Provision = dette ?

L'analyse de bilans successifs, c'est-à-dire des bilans établis aux 31 décembre des années 1992, 1993, 1994, 1995, 1996, ..., est riche d'enseignements.

Si elle fait apparaître un volant stable, voire croissant de provisions, on pourra en déduire que ces provisions constituent en réalité une ressource permanente de l'entreprise et on peut, à juste titre, considérer qu'il s'agit de fonds propres.

Si au contraire les provisions apparaissant au bilan représentent une fraction très importante de l'ensemble des ressources, ou si elles ont fait un bond par rapport au dernier bilan, jouez la prudence et considérez les comme une dette.... à très court terme.

DOCUMENT : BILANS PAR GRANDES MASSES DE DELACHAUX ; MICROSOFT ; MINITEL

Afin de suivre la tradition, et d'avoir un coup d'œil synthétique, nous ferons apparaître les bilans sous forme d'histogrammes.

BILAN PAR GRANDES MASSES DE DELACHAUX

Notez la grande différence entre le bilan de la société DELACHAUX (figure 8), et le bilan par grandes masses du GROUPE DELACHAUX (figure 9), incluant les actifs, les dettes des filiales anglaises, allemandes et américaines.

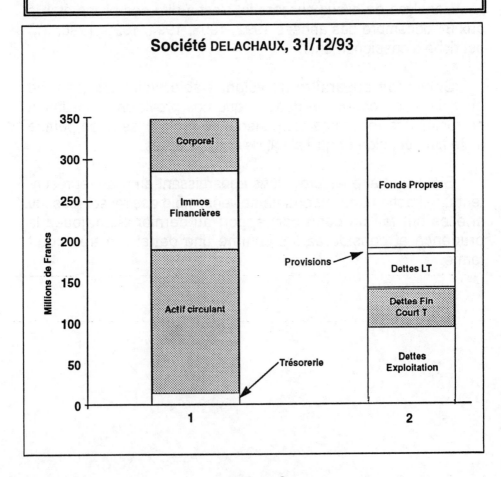

FIGURE 8

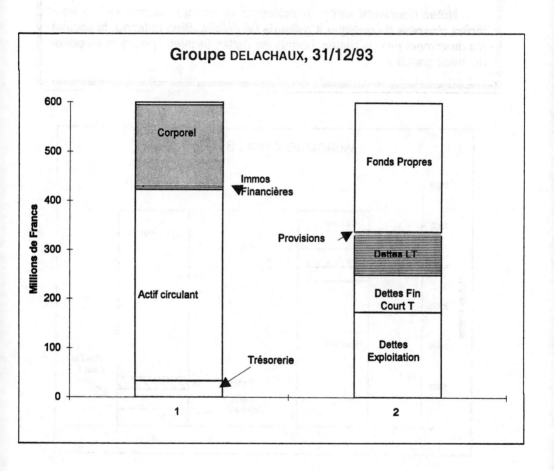

FIGURE 9

BILAN DE MICROSOFT

Notez l'insolente santé financière de MICROSOFT qui dort sur de véritables réserves de quelque 4 milliards de dollars. Bien entendu, la société n'a quasiment pas de dettes, hormis les dettes fiscales : pourquoi se priver de crédit gratuit ?

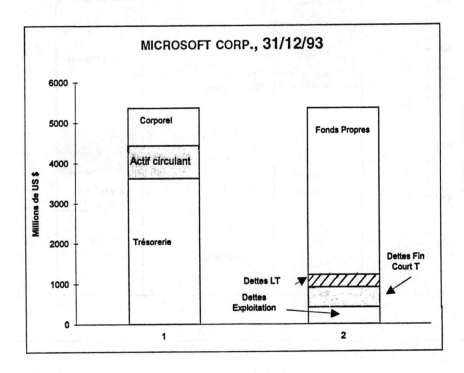

FIGURE 10

BILAN MINITEL PAR GRANDES MASSES

Les trois tableaux ci-dessous, donnant le bilan 92 de la Société LMR ont été obtenus à partir du service SCRL FINANCE. Le coût d'une telle opération n'est que de l'ordre de 3 minutes de connexion.

Grandes Masses-Actif	Montant	%
Capital non appelé(I)	0	0.0
Actif immobil.net(II)	1635	13.2
.Immob.incorporelles	170	1.4
.Immob.corporelles	1346	10.9
.Immob.financières	119	1.0
Actif circul.net(III)	10540	85.0
.Stock nets	1851	14.9
.Créances clients	8055	65.0
.Valeurs de placement	0	0.0
.Disponibilités	492	4.0
.Autres actifs	142	1.1
Comptes de régul.(IV)	222	1.8
Total Actif (I à IV)	12397	100.0

FIGURE 11

Grandes Masses Passif		Suite

Gdes Masses-Passif 1	Montant	%
Capitaux propres (I)	4966	40.1
.Capital social	1357	10.9
.Résultat exercice	690	5.6
.Réserves et écarts	2920	23.6
.Subventions invest.	0	0.0
.Provisions règlement	0	0.0
Autres fds prop. (II)	0	0.0
Prov.risq.& char(III)	0	0.0
.Provis. pour risques	0	0.0
.Provis. pour charges	0	0.0
Total I + II + III	4966	40.1

Suite Grandes Masses Passif		Suite

FIGURE 12

Gdes Masses-Passif 2	Montant	%
Total I + II + III	4966	40.1
Dettes (IV)	7431	59.9
.Dettes carac.financ.	1454	11.7
.Concours bancaires	0	0.0
.Dettes fournisseurs	1773	14.3
.Dettes fisc.& soc.	2997	24.2
.Autres dettes	1207	9.7
Comptes de régul. (V)	0	0.0
Total du Passif (IàV)	12397	100.0

Evolution Grandes Masses		Suite

FIGURE 13

ANNEXE : LE BILAN CONSOLIDÉ

Lorsqu'une société a des filiales, elle peut être appelée **société-mère** afin de la distinguer du *groupe* des sociétés qu'elle contrôle. Son bilan fera alors apparaître un volume important d'immobilisations financières, alors qu'une société industrielle aura essentiellement des immobilisations corporelles.

C'est ainsi que le bilan de la société DELACHAUX-**mère** affiche 93.9 MF de participations, montant à rapprocher des 61 MF d'immobilisations corporelles: les titres représentent 150 % des immobilisations corporelles. Il devient évident que le bilan de la **société-mère** ne donne pas une idée du *groupe* DELACHAUX. D'où l'idée de consolider.

❑ Objectifs

La consolidation permet **l'établissement de comptes uniques représentatifs de l'activité globale et de la situation** d'un ensemble de sociétés dépendant d'un centre de décision commun.

Sont consolidées uniquement les entreprises sur lesquelles la **société mère** exerce une influence notable. Si vous avez une participation de 0.001 % dans la Caisse du CRÉDIT AGRICOLE de la Basse-Marche, il n'est pas question de faire entrer cette participation dans votre *périmètre de consolidation*. Seules les Sociétés sur lesquelles la **mère** a – au moins – une influence notable, sont consolidées.

❑ Principe de la consolidation

La consolidation revient à remplacer comptablement le poste *titres*, évalué au prix d'acquisition de ces titres, par les éléments d'actif et de passif des sociétés filiales.

❏ Les trois méthodes

La méthode de consolidation choisie dépend essentiellement de l'importance du contrôle de la mère sur les filiales, comme l'illustre le tableau ci-dessous :

Intensité du contrôle	Méthode de consolidation	Participation
Contrôle exclusif	Intégration globale	> 50 %
Contrôle conjoint	Intégration proportionnelle	
Influence notable	Mise en équivalence	10 % – 50 %

1) Mise en équivalence

Exemple :

Problème

La **mère** possède 40 % d'une société, qui valait 1 000 lors de la prise de participation en l'an 40. Les 40 % représentent des titres payés 400 en l'an 40, et portés à 400 dans le bilan de la mère, depuis l'an 40.

Or, il s'avère qu'aujourd'hui, en 1995, les fonds propres de la **fille** valent 1 200.

Donc les 40 % de titres *valent* aujourd'hui 480. Les laisser à leur valeur originelle de 400 trahirait la réalité.

Solution

La *mise en équivalence* revient à réajuster ces titres de 400 (leur valeur comptable), à 480, leur valeur réelle. Puisque l'actif est ainsi gonflé de 80, il va falloir gonfler les fonds propres de 80. Ainsi apparaît, au niveau des fonds propres, un écart de consolidation de 80.

Remarque

La mise en équivalence, contrairement aux méthodes d'intégration, n'a pas fait disparaître les titres du poste *immobilisations financières*. Les titres y demeurent, mais à une valeur censée être plus proche de la réalité.

2) Intégration globale

Valable pour les sociétés largement contrôlées, cette méthode considère que le groupe possède en totalité la filiale et que les autres actionnaires, très minoritaires, sont des associés du groupe.

Principe

On additionne tous les actifs de la fille à ceux de la mère. On ajoute toutes les dettes de la fille à celles de la mère. Idem pour les fonds propres. Puisqu'en principe, les titres sont égaux aux actifs moins les dettes, la sortie des titres est compensée par l'addition des actifs (sur la partie actif) et l'addition des dettes (sur la partie passif).

Mais puisque la mère ne possède qu'une fraction X % de la fille, on isole dans les fonds propres les $(100 - X)$ % de fonds propres de la fille appartenant aux *associés* : cette *valeur* de la participation des associés apparaît sous le titre *intérêts minoritaires*.

3) Intégration proportionnelle

Lorsque la mère exploite **avec** des associés une filiale, on n'intègre les éléments du bilan de la filiale qu'en proportion de la participation détenue.

4 LE COMPTE DE RÉSULTAT

Mesurer de combien l'entreprise, donc ses actionnaires, se sont enrichis entre deux dates.

4.1 PRÉCISONS LE VOCABULAIRE

Nous allons commencer par éclaircir la terminologie en définissant quelques termes fréquemment utilisés. Les définitions ci-dessous sont parfaitement valables pour le non-spécialiste qui jette un premier coup d'œil sur les comptes

> *Charge = dépense*
> *Produit = recette = chiffre d'affaires = production*

Si, pour un médecin dermatologue, les mots *derme, épiderme et peau* sont des termes bien différents, pour *l'honnête homme du xxᵉ siècle*, ces termes sont synonymes. De même, pour l'analyste financier de KOHLBERG KRAVIS & ROBERTS, charges et dépenses peuvent être deux choses bien distinctes. Et produits, chiffre d'affaires, transfert de charges ou reprise de provision ne sauraient se confondre.

Cependant *l'honnête homme du xxᵉ siècle* n'aura pas systématiquement besoin de faire de telles distinctions. Et si vraiment l'interprétation des comptes d'une entreprise était tributaire d'une telle distinction, eh bien, vous pourriez déjà en déduire que l'affaire n'est pas aussi simple qu'il y paraît.

Aussi, dans la suite de cet exposé, utiliserons-nous chacun de ces termes comme s'ils étaient synonymes mais avec la toile de fond suivante :

– les **produits** sont une source **d'augmentation** de richesse,

– les **charges** ou dépenses sont source de **diminution** de richesse.

❑ Périodicité du compte de résultat

Contrairement au bilan qui constitue une photographie instantanée, le compte de résultat traduit **l'évolution pendant un an** des fonds propres de l'entreprise. Alors que le terme de **bilan 95** constitue une erreur de langage, il convient de parler du **compte de résultat 95**. *A contrario*, il serait absurde de parler du compte de résultat au « 31 décembre 95 ».

C'est donc **sur une période** de temps qu'est établi le compte de résultat. Dans les liasses fiscales et les rapports annuels, la période est l'année. Ce sont d'ailleurs sur des comptes annuels que se penchent les analystes financiers externes, car ils n'ont pas accès, en général, aux données intermédiaires.

Bien entendu, à l'intérieur de l'entreprise, on établit des comptes de résultat sur une base de temps beaucoup plus réduite : tous les trimestres, voire tous les mois. Ceci est d'ailleurs d'autant plus nécessaire lorsque les temps sont troublés. Si vous n'êtes pas certain de « tourner » de manière bénéficiaire, mieux vaut faire des comptes approximatifs [1] tous les mois, que d'attendre le résultat définitif qui vous sera remis par votre comptable deux mois après la clôture de l'exercice. Cela vous évitera peut-être de découvrir après-coup que vous avez perdu votre chemise, alors qu'averti à temps vous auriez pu prendre les mesures nécessaires pour limiter la perte à un morceau de ladite chemise.

❑ Compte d'exploitation ?

Le compte de résultat vient de changer de nom. Dans l'ancien plan comptable, il s'appelait **compte d'exploitation générale** ou encore **C.E.G.** Ce dernier vocable est encore largement utilisé

---

1. *Le terme* approximatif *étant ici synonyme de* **non approuvé par la profession comptable.**

bien que n'ayant plus de définition légale ni comptable. Le C.E.G. comportait un appendice, le *compte de pertes et profits*, qui lui aussi a disparu. N'allez donc pas le chercher sous ce nom. Aujourd'hui, on dit *compte de résultat*.

Il n'y a d'ailleurs pas que les noms qui aient changé. La présentation, elle aussi, a bien évolué. Le compte de résultat est aujourd'hui présenté en ligne plutôt que sous forme d'un tableau avec une partie débit et une partie crédit. Mais il ne s'agit là que d'un problème de forme, et certainement pas d'un problème de fond.

Notez cependant que, dans votre entreprise, vous devriez avoir accès quasi instantanément au résultat de votre entreprise, qui n'est jamais que la différence entre les comptes de recettes et les comptes de charges. Sur votre comptabilité, faites éditer le total des comptes de classe 7 et celui des comptes de classe 6 : de telles éditions font partie de tous les sous-programmes de balance. Vous avez un résultat, sans même consulter votre expert-comptable.

Si la forme et la dénomination du compte d'exploitation ont subi un véritable *lifting*, la réalité du compte de résultat est inchangée. Elle est restée identique à elle-même, dans sa simplicité comme dans sa finalité. **L'objectif du compte de résultat est, comme par le passé, de mesurer de combien les actionnaires se sont enrichis sur la période considérée.** Pour reprendre l'analogie de la baignoire, l'objectif est la détermination de l'élévation du niveau de l'eau.

❑ Au sujet des résultats

Dans tous les tableaux de chiffres du compte de résultat, il y en a cependant deux qui sont plus importants que les autres. Il y en a deux qui doivent être regardés avant tous les autres, vers qui l'œil doit **immédiatement** se tourner. Ce sont le **résultat d'exploitation** et le **résultat net**.

Le premier est un profit intermédiaire, avant frais financiers, impôts et éléments exceptionnels.

Le dernier était autrefois appelé bénéfice net.

Les Américains parlent, sans aucun complexe, de *Net profit*. Il faut être de culture franco-latine pour culpabiliser au son du mot *profit* et avoir banni ce vocable du langage officiel du *business* ! Ce résultat net n'est guère difficile à trouver. Il apparaît sur la dernière ligne du compte de résultat [1] : la *Bottom Line*, la ligne du bas. La dernière. Mais celle qu'on regarde en premier.

Que ce soit sur la dernière ligne de la page 4 de la liasse fiscale (en annexe du chapitre 1), ou sur la dernière du compte de résultat du rapport annuel, vous le trouverez très vite sous sa dénomination neutre et légale de *résultat net*.

4.2 UN COMPTE EN QUATRE PARTIES

Dans l'analogie avec la baignoire, nous avons précédemment fait allusion à un robinet et à une bonde. Il y en a, en fait, trois de chaque sorte. Il y a trois robinets de différents débits et de nature distincte ; il y a trois bondes de différents diamètres et placées à des niveaux inégaux.

Ces catégories apparaissent plus nettement dans **l'architecture** du compte de résultat du groupe SAGEM.

---

1. *Il apparaît aussi au bilan, dans les fonds propres.*

RÉSULTATS

Le chiffre d'affaires a atteint en 1993 FRF 13 038 124 000, en hausse de 6,4 % sur celui de 1992. La consolidation des sociétés récemment acquise (MORPHO SYSTÈMES) ou créée (SAGEM-LUCAS) a contribué pour 3,4 % à l'augmentation de 6,4 % du chiffre d'affaires consolidé de SAGEM.

Le résultat d'exploitation s'établit à FRF 980 641 000 en hausse de 8,5 %, et le résultat courant à FRF 1 057 727 000, en hausse de 15,8 %.

Le résultat net consolidé s'est élevé à FRF 534 504 000 en 1993, contre FRF 466 633 000 en 1992 soit une hausse de 14,6 %, dont FRF 423 414 000 pour la part du Groupe contre FRF 366 382 000 pour l'exercice précédent, en hausse de 15,6 %.

COMPTE DE RÉSULTAT CONSOLIDÉ

(en milliers de FRF)	1993	1992
Chiffre d'affaires net	13 038 124	12 253 884
Production stockée et autres produits d'exploitation	387 965	276 017
Achats consommés	(6 733 129)	(6 039 472)
Impôts et taxes	(345 426)	(338 770)
Charges de personnel	(4 213 075)	(4 109 992)
Dotations aux amortissements et provisions	(1 067 225)	(1 028 640)
Autres charges d'exploitation	(86 593)	(109 620)
Résultat d'exploitation	**980 641**	**903 407**
Produits financiers	281 901	234 246
Charges financières	204 815	224 337
Résultat financier	**77 086**	**9 909**
Résultat courant des sociétés intégrées	**1 057 727**	**913 316**
Produits exceptionnels	296 750	178 008
Charges exceptionnelles	235 585	159 275
Résultat exceptionnel	**61 165**	**18 733**
Participation des salariés	(145 247)	(115 400)
Impôts sur les bénéfices	(405 580)	(364 068)
Résultat net des sociétés intégrées	**568 065**	**452 581**
Quote-part dans le résultat des sociétés mises en équivalence	598	48 074
Résultat consolidé avant amortissement des écarts d'acquisition	**568 663**	**500 655**
Amortissement des écarts d'acquisition	(34 159)	(34 022)
Résultat net consolidé	**534 504**	**466 633**
Part des minoritaires	111 090	100 251
Part SAGEM	423 414	366 382
Résultat net (part SAGEM) par action (en FRF)	**117**	**101**

FIGURE 14

❑ L'exploitation

Considérons dans un premier temps les revenus d'exploitation et les charges d'exploitation.

Le mot *exploitation* est à prendre ici dans le sens de *métier de l'entreprise*. Il s'oppose résolument au mot *finance*.

L'exploitation, chez RENAULT, c'est la fabrication et la vente d'automobiles. L'exploitation chez SEB, c'est l'électroménager. Chez ELF, ce sont les produits pétroliers. Chez CARREFOUR, exploitation veut dire distribution, alors que chez AXA, exploitation veut dire encaissement de primes d'assurances et règlement de sinistres. Chez SAGEM, c'est la fabrication et la vente de produits industriels de haute technologie.

L'exploitation se traduit par le cycle :

1. Achat de matières.

2. Transformation des matières
   – par la main-d'œuvre,
   – avec des équipements,
   – sur un site industriel.

3. Stockage des produits finis.

4. Vente des produits finis.

Chacune des étapes de ce cycle se traduit pratiquement par un poste du compte de résultat. Les 5 premiers alinéas constituent une dépense. Les deux derniers sont des recettes.

Le résultat d'exploitation sera bien sûr la différence entre les produits d'exploitation et les charges d'exploitation.

❑ La finance

Si l'exploitation est l'affaire d'hommes de marketing, d'ingénieurs et de commerciaux, la finance est l'affaire des financiers, qui sont à l'origine de l'existence de produits financiers et de charges financières.

Les produits financiers ne sont pas générés par une activité industrielle mais par une **activité financière** : ils proviennent d'investissements financiers. De même que chez RENAULT les chaînes de montage de FLINS produisent des voitures, les actions RVI produisent des dividendes...

Il y a essentiellement deux sortes de produits financiers :

– le revenu des placements de la trésorerie, équivalent aux intérêts de la Caisse d'Épargne.
– le revenu des titres financiers détenus, c'est-à-dire les dividendes versés par les sociétés dans lesquelles on a des participations.

Quant aux dépenses financières, il s'agit principalement des frais financiers et autres intérêts sur emprunt. Malheureusement, dans les entreprises dont la trésorerie est tendue, la comptabilité déforme parfois l'importance des dépenses financières en classant dans le poste *commissions bancaires*, donc dans un poste d'exploitation, ces montants qui ne sont jamais que des frais financiers déguisés [1]. Vérité comptable, ont-ils dit....

In fine, le *résultat financier* s'exprimera comme la différence entre *produits financiers* et *charges financières*.

> *Résultat financier = Produits financiers – charges financières*

Alors qu'une société **industrielle** aura essentiellement des **produits d'exploitation** (le chiffre d'affaires principalement), une

---

1. *En conséquence, les vrais frais financiers de l'entreprise sont toujours plus élevés que le compte de résultat ne le laisserait penser.*

société **financière** tirera la majeure partie de ses revenus de ses produits financiers.

Au premier coup d'œil, vous pouvez donc déterminer si la société que vous analysez est :

– **essentiellement industrielle,**
– **essentiellement financière,**
– **à la fois financière et industrielle.**

❏ Dans le premier cas, les produits d'exploitation seront très importants par rapport aux produits financiers, qui devraient eux-mêmes être presqu'inexistants. En effet, l'objet d'une entreprise industrielle, qu'elle s'appelle THOMSON, RENAULT, LMR OU DELACHAUX est d'exploiter son savoir-faire industriel. Il n'est pas de toucher des dividendes ou de faire des plus-values en Bourse [1].

Tel est le cas de LMR, dont le compte de résultat est en fin de chapitre.

❏ Dans le deuxième cas, les produits financiers représente-ront l'essentiel des produits de l'entreprise. Ainsi, une société *holding* pure touchera essentiellement des dividendes.

❏ Dans le troisième cas, les produits financiers peuvent être d'un ordre de grandeur non négligeable.

❏ Le résultat courant

On appelle *résultat courant avant impôt* la différence entre résultat d'exploitation et résultat financier. Si ce terme est bien assez explicite, il convient toutefois de se rappeler qu'il est calculé avant éléments exceptionnels. Peu utilisé, ou plutôt peu cité en pratique, il constitue cependant un indicateur de gestion de premier ordre.

---

1. *A l'inverse, la réalisation de plus-values boursières par une société financière ou un particulier, qu'il s'appelle CGIP, SUEZ, DUPONT OU BALLADUR, n'a rien de choquant, bien au contraire. Rien de plus normal que d'être bien avisé. Le profit financier n'est pas une honte puisqu'il est la contrepartie du risque pris dans le cadre d'un placement. Au même titre que le profit industriel.*

❑ L'exceptionnel

Comme leur nom l'indique, on a rassemblé sous le chapeau commun *éléments exceptionnels* les charges et produits **qui ne font pas partie de l'exploitation courante**. Normalement, les montants en jeu sont faibles, au moins par rapport aux chiffres d'exploitation. S'ils ne l'étaient pas, cela prouverait que l'entreprise analysée est en pleine restructuration ou que ses dirigeants ont la guigne ou jouent au casino.

Dans cette catégorie rentrent notamment :

– les plus-values sur revente d'éléments d'actif,

– les valeurs comptables des éléments d'actif vendus,

– les sinistres,

– certaines reprises sur provisions.

Puisqu'il y a des *produits* et des *charges* on définit, en France au moins, un *résultat exceptionnel*, différence entre produits exceptionnels et charges exceptionnelles.

4.3 SYNTHÈSE

Chacune des trois catégories donne un solde. Le solde, terme comptable, indique la différence arithmétique entre les entrées et les sorties : le solde, c'est donc un résultat.

La somme de ces résultats partiels est finalement amputée de l'impôt sur les bénéfices et de la participation des salariés. Le résultat de ces additions et soustractions, c'est le **résultat net,** le profit net. C'est la propriété des actionnaires. C'est ce qui a été dégagé en contrepartie de leur mise dans la société.

C'est la rémunération de leurs capitaux et du risque qu'ils ont pris

- soit en mettant, par leurs achats d'actions, des capitaux dans l'entreprise,

- soit en maintenant les actions qu'ils détenaient antérieurement, plutôt que de les vendre pour jouir autrement de leur capital.

4.4 L'AFFECTATION DU RÉSULTAT

Est-il besoin de préciser que l'entreprise appartient à ses actionnaires ? Ceci s'applique aux entreprises privées, aux entreprises publiques comme aux entreprises d'économie mixte qui appartiennent, indirectement mais tout aussi réellement, aux citoyens et aux administrés. En démocratie, tout du moins.

❏ Démocratie économique

Ce sont donc les actionnaires qui sont en droit de décider ce qu'il va advenir du résultat. En conséquence, le résultat une fois déterminé est présenté à l' *Assemblée Générale des Actionnaires* qui vont, démocratiquement, décider de son affectation. C'est ainsi que le résultat net apparaissant dans les liasses fiscales est qualifié d'*avant affectation*.

L'affectation consiste à répartir le résultat entre dividendes et réserves.

Les dividendes vont être distribués aux actionnaires, sous forme de sonnantes et trébuchantes. L'actionnaire a, bien entendu, le droit de faire ce que bon lui semble de ce dividende :

le dépenser aux sports d'hiver, payer son loyer, dormir dessus et – pourquoi pas – le réinvestir dans la société qui vient de le lui distribuer [1]. Il le fera d'autant plus volontiers qu'il est satisfait du rendement déjà obtenu.

Le solde entre *résultat net* et *dividendes* va être ajouté au report à nouveau et autres réserves. Notez bien que ce résultat non distribué est, la plupart du temps, déjà réinvesti et que, si tel n'était pas le cas, il convient absolument qu'il le soit ; **dans tous les cas le réinvestissement doit se faire à un taux de rendement au moins égal au taux auquel l'actionnaire pourrait placer ses capitaux directement, sans passer par la société.**

Que penser d'une société qui, en 1995, ne distribue pas le résultat et va le réinvestir dans des projets qui vont rapporter 5 %, à une époque où la CAISSE D'ÉPARGNE *donne du 4,5 % après impôt, et les bons du Trésor de l'ordre de 8 %, avant impôt ?*

Lorsque la société n'appartient qu'à une seule personne, morale ou physique, une telle non-affectation peut très bien s'inscrire dans une bonne politique fiscale de groupe. De toutes façons, l'actionnaire à 99 % est chez lui et n'a pas à justifier aux tiers l'utilisation qu'il souhaite faire ou ne pas faire de ses résultats. Comme diraient les Inconnus : « cela ne nous regarde pas ! »

Lorsque, a contrario, la société a un actionnariat très dispersé, j'hésite, pour qualifier un tel comportement, entre les termes de « fascisme économique », « détournement de résultat », « vol des actionnaires » et « mauvaise gestion ».

La suite de cet exposé vous démontrera les raisons de ma sévérité.

---

1. *Certaines sociétés,* VALÉO *par exemple, proposent systématiquement à leurs actionnaires la possibilité de toucher leur dividende en action. Possibilité mais pas obligation. Alors qu'un dividende sous forme d'attribution d'action gratuite constitue un coup d'épée dans l'eau, un dividende « proposé » sous forme d'action représente simultanément un versement de dividende et une augmentation de capital.*

❏ Affectation et liasse fiscale

La liasse fiscale au 31/12/92 a été établie au plus tard au 30/5/93, tant pour des obligations fiscales que pour des obligations *sociales*, c'est-à-dire vis-à-vis des actionnaires à qui sont présentés les comptes de *leur* société. Après le vote des actionnaires, le résultat 1992 est affecté. C'est donc dans la liasse fiscale 1993 qu'apparaît l'affectation du résultat 92.

Plus précisément, c'est dans le tableau 11 (Réf. D.G.I.2058-C).

❏ Affectation et rapport annuel

A l'instar des liasses CERFA, le bilan figurant au rapport annuel est présenté aux actionnaires pour approbation, lors de **l'assemblée générale** à l'occasion de laquelle les dividendes seront votés. Le bilan apparaissant dans le rapport annuel 92 sera donc le *bilan 92 avant affectation*.

L'information financière du rapport annuel aura donc le même décalage dans le temps. Les dividendes de l'exercice 92 apparaîtront donc dans le tableau de financement de l'exercice 93.

4.5 L'AVOIR FISCAL

Bien que l'avoir fiscal ne figure pas dans les comptes de l'entreprise, il est un paramètre incontournable de la rentabilité de la société pour ses actionnaires. Et la rentabilité de la société pour ses actionnaires est le devoir fondamental du dirigeant, faute duquel on ne doit pas s'étonner de ne plus trouver d'actionnaire.

Les actionnaires, contrairement à ce qu'on peut lire dans une presse mal informée, **ont des droits, et n'ont pas de devoirs.** Ils ont des droits en contrepartie de l'investissement qu'ils ont effectué. Renflouer une entreprise mal portante ne fait certainement pas partie des *devoirs* de l'actionnaire, et chaque fois que j'entends dire que l'État va faire son devoir d'actionnaire, je frémis. Ce sont les dirigeants qui ont des devoirs et ne devraient pas avoir de droit.

L'avoir fiscal est un processus méconnu et mal compris du grand public. Tellement méconnu qu'un Premier ministre [1] a dû démissionner pour avoir utilisé en toute légalité ce procédé.

Aujourd'hui, alors que le taux d'impôt sur les sociétés est de 33,33 %, on peut dire sans ambiguïté que, *au moins dans le cas des entreprises dont le capital est dispersé* (c'est d'ailleurs le cas des très grosses sociétés, de ST-GOBAIN à ACCOR, en passant par la quasi-totalité des entreprises du CAC 40), **l'impôt sur les sociétés n'existe plus que pour les entreprises qui ne distribuent pas leur résultat.**

En effet, l'avoir fiscal auquel a droit l'actionnaire est aujourd'hui exactement égal à l'impôt versé par la société sur le bénéfice distribué.

Pour chaque franc de résultat net distribuable sous forme de dividende, 50 centimes d'I.S. ont été payés, et 50 centimes d'avoir fiscal sont à la portée de l'actionnaire, pour peu que **son** revenu ne lui soit pas confisqué par l'entreprise.

❏ Exemple de fonctionnement de l'avoir fiscal

Analysons le fonctionnement de l'avoir fiscal sur l'imposition de Monsieur DUPONT, retraité EDF, actuellement imposable dans la

---

1. *Jacques* CHABAN DELMAS, *en 1973, a été mis en cause par le* CANARD ENCHAÎNÉ *parce qu'il ne payait pas d'impôt sur le revenu. Ce qu'avait oublié de préciser le* CANARD, *c'est que l'impôt avait déjà été acquitté par les entreprises dans lesquelles JCD avait des participations.*

tranche à 25 %, qui possède un portefeuille de 200 000 Francs, réparti à 50/50 % dans deux grosses sociétés françaises, la société PINGRE peu préoccupée de ses actionnaires [1], et la société GÉNÉREUSE qui ne mérite pas réellement son nom.

En dehors de leur différence de nom, PINGRE et GÉNÉREUSE se distinguent essentiellement par une politique de dividendes différente. Leurs rentabilités respectives sont en tous points aussi médiocres : 5 %. [2]

• *La politique de* PINGRE

PINGRE distribue le minimum, c'est-à-dire rien. Et justifie cette politique par deux arguments frappants, proposé en comité de direction pour le premier, et aux médias pour le second :

1. D'abord, l'un des devoirs de l'actionnaire est de mettre la main à son portefeuille et de se priver. Il n'a qu'un droit : celui de se taire.

2. De plus, comme chacun sait, les dividendes sont imposables, et le pauvre Monsieur DUPONT verrait sa note fiscale s'alourdir.

• *La politique de* GÉNÉREUSE

La GÉNÉREUSE distribue la totalité de son résultat et profite de la bonne humeur de ses actionnaires pour faire régulièrement des augmentations de capital. Ces augmentations de capital sont d'ailleurs nécessaires, car GÉNÉREUSE, comme PINGRE, a besoin de capitaux pour investir, rembourser ses emprunts...

---

1. *Bien qu'elle prétende le contraire* urbi *et* orbi.
2. *A ce niveau de l'ouvrage, je me dois de préciser en fonction de quoi ce pourcentage est calculé : il s'agit de 5 % des fonds propres.*

	PINGRE	GÉNÉREUSE
Valeur action DUPONT	100 000	100 000
Résultat net	5 000	5 000
Dividendes	0	5 000
Résultat en réserve	5 000	0

• Conséquences sur la fiscalité personnelle des dividendes

Cette différence de politique n'est pas sans conséquence sur la fiscalité d'un des nombreux actionnaires, Monsieur DUPONT, qui est imposé dans la tranche [1] à 25 %.

Ainsi, l'actionnaire touchera le dividende, mais aussi un crédit d'impôt, *l'avoir fiscal*, égal à 50 % du dividende touché, sur lequel il sera bien sûr imposé. Il sera donc imposé sur un montant total de 150 % du dividende, pour un montant de 25 % de 150 %, soit encore **37.5 %** du dividende. Mais, puisqu'il bénéficiera d'un crédit d'impôt de **50 %** du dividende, ce sera le fisc qui lui reversera directement (par chèque ou par virement éventuellement) :

$$50 \% - 37.5 \% = 12.5 \% \text{ du dividende}$$

La GÉNÉREUSE, afin de ne pas être en reste vis-à-vis de PINGRE fera une augmentation de capital afin de *récupérer* les dividendes qu'elle a versés. Ce sont donc 5.000 Francs qu'elle va demander à ses actionnaires moyens de verser. Elle pourrait faire valoir en sa faveur qu'elle a rempli son devoir auprès de ses actionnaires. Cela dit, si Monsieur DUPONT se laisse fléchir par cet argument, il sera cependant dans une situation plus favorable que celle dans

---

1. L'exemple qui suit n'est valable que pour les tranches d'imposition inférieures à 33 %, ce qui est le cas de 90 % des contribuables.

laquelle PINGRE l'aura mis. Car, pour les actionnaires de PINGRE, 0 + 0 = 0. Grâce à la distribution de la GÉNÉREUSE, l'actionnaire aura néanmoins bénéficié d'une partie du crédit d'impôt [1], alors que la non-distribution par PINGRE n'aura même pas permis de récupérer cet avoir fiscal, qui est dans un tel cas perdu pour tout le monde... sauf pour le fisc.

IMPACT SUR REVENU DUPONT		
	PINGRE	GÉNÉREUSE
Dividende	0	5 000
Avoir fiscal	0	2 500
Total imposable	0	**7 500**
Impôt dû par DUPONT (25 %)	0	1 875
Crédit d'impôt	0	– 2 500
Impôt reversé/fisc	0	**625**
Profit net après IR DUPONT	0	**5 625**
Augmentation de capital	0	– 5 000
Reste net pour DUPONT	0	625

---

1. Si GÉNÉREUSE était une PME, l'actionnaire DUPONT, en participant à l'augmentation de capital, bénéficierait d'un nouveau crédit d'impôt, de 25 % des 5 000 Francs souscrits, ce qui porterait sa rémunération globale à 625 F + 1250 F = 1 875 F.

DOCUMENT : CHAQUE TYPE DE SOCIÉTÉ A UNE STRUCTURE DE COMPTE DE RÉSULTAT

LMR

- **Le compte de résultat de LMR, présenté sous forme d'histogramme, est classique pour une société industrielle :**
  1. de fortes consommations de matières,
  2. avec des frais de personnel importants.

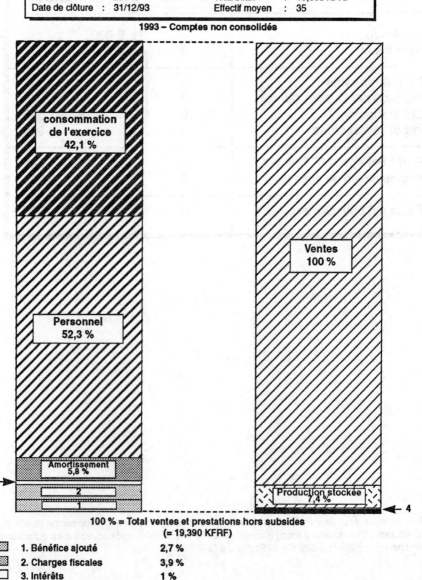

LE MODULAGE RATIONNEL NICAULT "LMR"
Illustration graphique du compte de résultat (1993)

N° SIRET	:	572227833-00017	C.A. net	:	19,390 KFRF
Code NAF	:	295 N	Total bilan	:	13,808 KFRF
Date de clôture	:	31/12/93	Effectif moyen	:	35

1993 – Comptes non consolidés

consommation
de l'exercice
42,1 %

Ventes
100 %

Personnel
52,3 %

Amortissement
5,8 %

3 →

2

1

Production stockée
1,4 %

← 4

100 % = Total ventes et prestations hors subsides
(= 19,390 KFRF)

1. Bénéfice ajouté   2,7 %
2. Charges fiscales   3,9 %
3. Intérêts   1 %
4. Production immobilisée 0,4 %

FIGURE 15

LAFARGE-COPPÉE

• *Le compte de résultat de la Société* LAFARGE COPPÉE, *la* « *holding* » *des sociétés du groupe du même nom, société* « *financière* » *paie essentiellement des intérêts.*

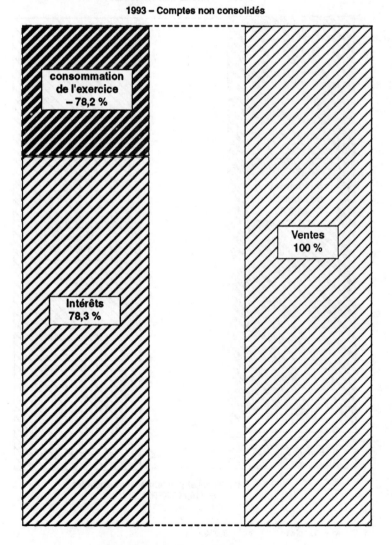

LAFARGE COPPÉE
Illustration graphique du compte de résultat (1993)

N° SIRET	: 542105572-00011	C.A. net	: 1,000 KFRF
Code NAF	: 741 J	Total bilan	: 25 529,000 KFRF
Date de clôture	: 31/12/93	Effectif moyen	: 210

1993 – Comptes non consolidés

consommation
de l'exercice
− 78,2 %

Ventes
100 %

Intérêts
78,3 %

100 % = Total ventes et prestations hors subsides
(= 1,000 KFRF)

FIGURE 16

CENTRE LECLERC

• *Le compte de résultat d'un* CENTRE LECLERC, *société de distribution, comporte essentiellement des achats (85 % du CA).*

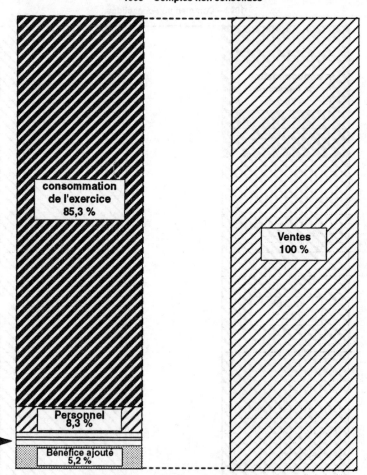

CENTRE LECLERC SA PESSAC DISTRIBUTION
Illustration graphique du compte de résultat (1993)

N° SIRET	: 470200676-00026	C.A. net	: 118,719 KFRF
Code NAF	: 521 D	Total bilan	: 65,054 KFRF
Date de clôture	: 31/12/93	Effectif moyen	: 75

1993 – Comptes non consolidés

consommation de l'exercice 85,3 %

Ventes 100 %

Personnel 8,3 %

³ ² 1 →

Bénéfice ajouté 5,2 %

100 % = Total ventes et prestations hors subsides
(= 118,719 KFRF)

1. Charges fiscales   0,9 %

2. Intérêts   0,1 %

3. Amortissement   0,2 %

FIGURE **17**

5 LES SOLDES DE GESTION

Nous avons analysé l'enchaînement comptable qui conduit à la détermination du **résultat net.** Nous allons maintenant examiner avec un œil de gestionnaire ce **compte de résultat.** En effet, si la comptabilité nous a permis de connaître le profit obtenu hier, une approche *gestion* va nous permettre de comprendre comment s'est dégagé le résultat de l'entreprise, comment ont été répartis les bienfaits de l'entreprise entre le monde économique, les collectivités, le personnel et les apporteurs de capitaux.

De plus, les enseignements tirés de cette analyse des dépenses passées permettront d'éclairer les prises de décision concernant l'avenir.

Cette deuxième approche du compte de résultat, nous allons l'entamer par l'établissement des *soldes Intermédiaires de Gestion* (SIG). Ce nom barbare indique que lesdits soldes sont des points de passage « intermédiaires », sur le cheminement gestionnaire qui part du chiffre d'affaires pour aboutir au résultat final. L'objectif final de l'analyste est la compréhension de l'entreprise. Tous les chemins mènent à Rome, et la comptabilité *générale* n'est guère que l'un d'eux. Les soldes intermédiaires de gestion en sont un deuxième.

La comptabilité analytique en est un troisième. Les analyses coûts fixes/coûts variables constituent, elles aussi,un éclairage supplémentaire destiné à mieux saisir les raisons profondes de la rentabilité ou de la non-rentabilité de l'entreprise.

Vous trouverez dans les documents de fin de volume les S.I.G. consolidés du Groupe SAGEM pour l'exercice 1993. Ce tableau est en tous points rapprochable du compte de résultat consolidé, dont il est d'ailleurs extrait. Nous allons reconstituer, pièce par pièce, chacun des soldes de gestion apparaissant dans ce tableau.

Nous allons analyser successivement les six soldes de gestion du tableau, prévus par le nouveau plan comptable pour les grandes entreprises relevant du système dit « développé ». Si ces grandes entreprises sont tenues légalement d'établir ce tableau, les petites entreprises y ont aussi recours [1].

5.1 DU *TOTAL PRODUITS* À LA PRODUCTION

Le compte de résultat comptable avait comme premier objectif de calculer l'enrichissement par l'exploitation. Pour ce faire, il additionnait, sous forme de francs, diverses sources d'enrichissement, dont le seul point commun était de *remplir la baignoire*. La comptabilité nous avait alors fait parvenir à un « total produits » d'éléments hétérogènes, dont le total n'est pas forcément un bon indicateur de l'activité sur l'exercice considéré.

Or, pour une entreprise industrielle comme SAGEM, la notion de *production*, légèrement différente de celle de *recettes* est fondamentale.

La production de l'entreprise a trois principaux volets :

❑ La production stockée

On conçoit bien que, toutes choses étant égales par ailleurs, la société est d'autant plus riche que ses stocks de produits finis ont plus augmenté [2]. L'augmentation de stocks de produits finis constitue donc un « produit ».

Illustrons, par un exemple, le caractère bénéfique de cette production stockée :

---

1. *On pourrait d'ailleurs s'interroger sur la qualité de la gestion d'une société qui se contenterait de son seul compte de résultat, sans l'éclairer à la lumière des soldes de gestion. tant ces « SIG » sont révélateurs.*
2. *Sous réserve des provisions pour dépréciation : il faut quand même que les produits soient vendables.*

Considérons le travail effectué le 30 décembre 93 entre 17 et 18 heures, par une centaine de salariés d'une usine SAT du Groupe SAGEM. A la suite de ce travail, effectué juste avant la clôture des comptes, les stocks de produits finis vont augmenter. Des livraisons pourront être effectuées, dès le 2 janvier au matin, juste après le démarrage du nouvel exercice.

Si le coût de revient de l'heure de travail est de 100 francs, on considérera que le stock de produits finis a augmenté, grâce à ce travail de :

100 heures X 100 francs/heure = 10 000 francs = 10 KF

Ne pas prendre en compte ce travail, alors que les salaires correspondants sont passés en charge – et font donc partie des salaires de 1993 – serait une erreur. Ce serait de plus une entorse à l' un des objectifs premiers du bilan : donner une image fidèle de la situation de l'entreprise.

❑ La production déstockée

D'un autre côté, si les stocks de produits finis avaient diminué, c'est à dire si l'entreprise avait vendu pendant l'exercice plus qu'elle n'avait produit, il faudrait absolument mettre en contrepartie du Chiffre d'Affaires la diminution des stocks.

La production stockée serait alors négative et se déduirait du Chiffre d'affaires pour donner le total des produits d'exploitation.

❑ La production immobilisée

La production dite *immobilisée* subit le même type de traitement. Le terme *immobilisée* est à prendre ici au sens comptable d'immobilisation.

Illustrons cette vérité première par un exemple :

Imaginons encore une équipe technique de SAGEM *qui a passé 500 heures à mettre au point une nouvelle chaîne de fabrication.*
Certes ces 500 heures ont pu coûter au groupe quelques :

500 heures x 100 F/heure = 50 000 F, soit 50 KF

Ces 50 KF feront bien sûr partie du montant des frais de personnel de l'exercice.

Mais l'entreprise est-elle réellement appauvrie de 50 KF ?

Non, puisqu'elle dispose en contrepartie d'une chaîne dont la mise au point a coûté 50 KF. L'entreprise ne s'est pas enrichie de 50 KF de chiffre d'affaires, mais elle s'est enrichie par la mise au point d'une chaîne qui n'était pas opérationnelle, et qui l'est devenue.

Il convient donc de tenir compte de cette forme d'enrichissement qui n'a pas porté sur le poste « *clients* » de l'actif, mais sur le poste *immobilisations*.

❏ Synthèse : la production

En conclusion, nous pouvons écrire la définition suivante :

Production = ventes + production stockée [1]
+ production immobilisée

❏ LA PRODUCTION SAGEM

Il est maintenant aisé de reconstituer la production du Groupe SAGEM :

---

1. *Production stockée = stock final d'en-cours − stock initial. Pour calculer cette production, il convient de soustraire les valeurs d'en-cours de deux bilans successifs.*

Groupe SAGEM	Exercice 93
Chiffre d'affaires	**13 038**
Moins diminution des stocks de produits finis	– 93
Production immobilisée	12
Production	**12 957**

5.2   LA MARGE COMMERCIALE

Si la production est un bon indicateur du volume d'activité d'une entreprise industrielle comme SAGEM ou DELACHAUX, elle ne représente rien pour une entreprise de distribution comme CARRE-FOUR qui ne produit rien, mais qui achète et qui vend les produits achetés aux industriels que sont DANONE ou FLEURY-MICHON. Aussi, dans le cas d'une entreprise purement commerciale choisit-on la marge commerciale comme indicateur de l'activité, de préférence à la production ou au chiffre d'affaires.

La notion de marge commerciale est très intuitive. Personne n'ignore que la marge, c'est le prix de vente diminué du prix d'achat, ou, mieux encore, le prix de vente diminué du coût de revient des produits vendus [1]. Pour l'entreprise qui achète des milliers de produits et vend d'autres milliers de produits, mieux vaut utiliser une autre marge que la marge de l'écolier qui a revendu ses billes.

Le montant des achats n'est plus forcément significatif puisqu'il a pu y avoir variation des stocks de marchandises, dans un sens ou dans l'autre.

Si l'entreprise a moins vendu qu'elle n'a acheté, on devra constater une augmentation des stocks, c'est-à-dire compenser le

---

1. *Il n'est pas trop difficile de le calculer, dans la distribution, en ajoutant aux frais d'achat les frais de transport sur achats, ainsi que les autres frais logistiques directement identifiables.*

plus faible niveau de vente par le plus fort niveau de stock. Dans l'autre sens, une diminution des stocks traduira un volume de chiffre d'affaires supérieur à celui des achats, et, cette fois, c'est une diminution de stock qui viendra en contrepartie d'un plus fort niveau de chiffre d'affaires.

5.3 | LA CONSOMMATION

Les achats ne sont pas significatifs : ils doivent être ajustés en fonction de la variation des stocks, pour déterminer un indicateur fondamental : les *consommations* de matières (dans l'industrie), ou de marchandises (dans la distribution).

Les matières consommées ont deux provenances possibles :

– soit elles ont été prélevées sur les stocks, qui ont de ce fait diminué,
– soit elles sont achetées auprès des fournisseurs.

Voilà pourquoi les quatre premières lignes de charges proposées par les liasses fiscales s'appellent respectivement :

– achats (de marchandises et matières premières),
– variation de stock (de marchandises et matières premières).

Aussi la définition ci-dessous de la consommation est-elle extrêmement naturelle et intuitive :

Consommation matières = achats – variation de stock

Sachant que la variation de stock s'exprime par l'équation :

Variation de stock = stock final – stock initial

On appelle marge commerciale, ou encore marge brute, la différence entre le chiffre d'affaires et la consommation :

Marge commerciale = chiffre d'affaires – consommation matières

C'est pour cette raison que CARREFOUR, dans son rapport annuel dont est extrait le tableau ci-après, mentionne sa marge commerciale, sans faire seulement allusion à une quelconque production, ni même faire apparaître explicitement les niveaux de stock de début et de fin d'année. Enfin, vous noterez dans ce compte de résultat la présence d'un poste « frais généraux », dont la définition n'est sans doute pas citée dans le LEFEBVRE. Il s'agit, à l'évidence, de la somme des frais de personnel, des « autres achats et charges externes » et des « impôts et taxes ».

Compte de résultats consolidés

en millions de francs	Premier semestre 1994	Premier semestre 1993
Ventes hors taxes	**61 341**	**57 643**
Prix de revient des ventes	(50 650)	(48 147)
Marge Brute commerciale	**10 691**	**9 496**
Frais généraux	(8 534)	(7 792)
Amortissements et provisions	(1 648)	(1 362)
Autres produits et charges d'exploitation	598	648
Résultat avant impôts	**1 107**	**990**
Impôts sur les bénéfices	(327)	(398)
Résultat courant des sociétés intégrées	**780**	**592**
Résultat des sociétés mises en équivalence, net de l'amortissement des survaleurs	130	134
Résultat courant	**910**	**726**
Intérêts hors Groupe	(140)	(161)
Résultat courant - Part du Groupe	**770**	**565**
Résultat exceptionnel - Part du Groupe	**101**	**1 098**
Résultat net - Part du Groupe	**871**	**1 663**

FIGURE 18

5.4 LA VALEUR AJOUTÉE

La Valeur Ajoutée est un concept issu de la comptabilité nationale. C'est sur la valeur ajoutée qu'est assise la TVA, taxe sur la valeur ajoutée.

La Valeur Ajoutée mesure l'apport de l'entreprise au **monde économique**, en retranchant de la production (ou du chiffre d'affaires, lorsqu'il est plus significatif) l'ensemble des consommations externes. « Monde économique extérieur » signifie le monde des entreprises, par opposition au monde du travail (les salariés), des collectivités (*via* les taxes) et par opposition au monde financier (prêteurs et actionnaires).

Dans ces consommations figurent non seulement les consommations de matières premières qui nous avaient permis de calculer la marge commerciale, mais aussi les autres achats, effectués à l'extérieur de l'entreprise, et regroupés dans le poste comptable *Autres achats et charges externes*.

Font partie de ces autres achats, les dépenses de loyers, d'électricité, de téléphone, de déplacement. Mais font aussi partie des consommations externes les frais de personnel temporaire [1] et les loyers de crédit-bail [2].

❑ Expression de la Valeur Ajoutée

Arithmétiquement, la Valeur Ajoutée se calcule à partir de l'équation ci-après :

Valeur ajoutée = production – consommations externes

---

1. *Cette distinction de la comptabilité générale entre frais de personnel interne et externe est, la plupart du temps, sans intérêt, voire dangereuse pour l'analyste externe.*
2. *De la même manière, cette classification d'un loyer en charge externe ne met pas en évidence le fait qu'un crédit-bail est plus une opération de financement qu'une opération d'exploitation. Donc une charge financière.*

❏ Signification et limites de la Valeur Ajoutée

Le terme de *Valeur Ajoutée* est parfois considéré comme un synonyme de rentabilité. A tort. La Valeur Ajoutée mesure ce que l'entreprise reverse à son personnel, aux collectivités et à ses bailleurs de fonds. Or, l'objectif de l'entreprise n'est pas de dégager de la valeur ajoutée bénéficiant aux diverses collectivités, mais de dégager du résultat pour ses actionnaires.

Montrons, concrètement, comment *Valeur Ajoutée* et *Résultat* peuvent s'opposer :

Donnons l'exemple classique d'un entrepreneur qui a le choix entre :

– une sous-traitance externe, au coût de 50,
– la production, avec son personnel, au coût de 60.

pour un contrat représentant 10 % de matières, pour produire un CA de 100.

La première solution est évidemment la plus économique, et dégagera une valeur ajoutée de (100 – 10 - 50) = 40, et une marge « nette » de 40. La seconde solution dégagera une valeur ajoutée de (100 – 10) = 90, donc bien plus importante, mais se traduira par une marge nette de 30 (100 – 10 – 60), inférieure à la marge nette de la première option.

❏ La Valeur Ajoutée SAGEM

Appliquons cette définition au Groupe SAGEM en reprenant les consommations externes du compte de résultat, pour arriver à la Valeur Ajoutée :

Groupe SAGEM	Exercice 93
Production Consommation en provenance des tiers	**12 957** - 6 733
Valeur ajoutée	**6 224**

5.5 L'EXCÉDENT BRUT D'EXPLOITATION : l'E.B.E.

L'Excédent Brut d'Exploitation, dont nous parlerons en citant seulement son sigle, EBE, s'obtient essentiellement en retranchant à la Valeur Ajoutée les impôts et taxes et les frais de personnel. Autrement dit, lorsqu'on est arrivé à l'EBE, presque toutes les dépenses d'exploitation de l'entreprise ont été couvertes.

Arrivé à ce niveau, on corrige les éléments de recettes et de dépenses de second ordre qui se sont traduits par des flux financiers.

Notamment :

– *Les subventions d'exploitation* que l'entreprise s'est vue accorder parce qu'elle avait procédé à des recherches innovatrices, à des embauches... Ces subventions ne pouvaient bien sûr être prises en compte au niveau de la production, puisque ces fruits tombés du ciel sont des effets secondaires de l'activité.

– *Certaines provisions* [1], ou variations de provisions assimilables à des flux financiers.

---

1. *Ainsi, les provisions passées sur les comptes clients, résultant du non-paiement par un client, doivent être retranchées de la valeur ajoutée, puisque celle-ci a été établie en considérant que le chiffre d'affaires était encaissable. Or, si le client a été « provisionné », c'est qu'il n'a pas payé, et n'est pas sur le point de le faire. La dotation peut alors être considérée comme un « flux » annulant le « flux » du chiffre d'affaires correspondant.*

Seul l'analyste interne à la Société peut réellement faire la part des choses à ce niveau et distinguer quelles sont réellement les provisions à considérer et celles à ne pas prendre en compte.

Doit-on pour autant baisser les bras si on ne dispose pas de toute l'information ? Evidemment non, les montants en jeu devant être relativement faibles par rapport aux charges identifiables que sont les frais de personnel et les impôts et taxes.

Si par hasard tel n'était pas le cas, il y aurait sans doute quelque loup dans la bergerie.

❑ Expression de l'EBE

Algébriquement, l'EBE se calcule donc à partir de la formule ci-dessous :

> *EBE = valeur ajoutée – impôts et taxes – frais de personnel + subventions + variations de certaines provisions*

❑ Interprétation de l'EBE

L'EBE est un indicateur remarquable, au moins à deux points de vue :

- – D'abord, c'est un solde **d'exploitation** sur lequel les décisions financières n'ont pas pesé. Il est en effet calculé avant la prise en compte des considérations financières et fiscales qui déterminent les montants des impôts et des amortissements.

- – Enfin, il traduit un **flux financier**, c'est-à-dire le volume des liquidités qui ont été dégagées par l'exploitation. C'est avec ces liquidités que vont être payés de leurs risques banquiers et actionnaires. C'est avec ces liquidités que l'entreprise pourra financer ses nouveaux investissements : L'EBE, c'est du *cash*.

❑ L'EBE SAGEM

Groupe SAGEM	Exercice 93
Valeur ajoutée 93	**6 224**
Personnel	− 4 213
Impôts et taxes	− 345
Subventions	44
Variation de provisions	36
EBE	**1 746**

5.6 LE RÉSULTAT D'EXPLOITATION

Nous avons commenté sa genèse dans le chapitre précédent. Aussi nous contenterons-nous ici de le redéfinir sous forme d'équation, et de rappeler que, comme son nom l'indique, il se calcule avant prise en compte des éléments financiers ou exceptionnels. Il s'agit réellement du résultat de l'exploitation.

Il se déduit de l'EBE par :

1. Soustraction des dotations aux amortissements,

2. Soustraction de certaines dotations aux provisions [1],

---

1. *Ces dotations sont des charges calculées, qui sont entrées en comptabilité sans qu'un flux financier ait eu lieu.*

3. Soustraction des **autres charges** qui n'auraient pas été prises en compte [1],

4. Addition des autres produits qui n'auraient pas été pris en compte,

5. Addition des reprises sur provisions [2].

Le Résultat d'Exploitation apparaît explicitement dans la liasse fiscale, ce qui permet de vérifier que nous ne nous sommes pas trompés dans la cascade de déductions à laquelle nous venons de nous livrer.

❑ Le Résultat d'Exploitation SAGEM

Comme précédemment, nous allons appliquer sans attendre cette méthodologie à l'exercice 93 du Groupe SAGEM :

Groupe SAGEM	Exercice 93
EBE	**1 746**
– Dotations aux amortissements	– 445
– Dotations aux provisions	– 622
+ Reprise sur provision	406
– Variations de provisions	– 36
+ Produits annexes	18
– Autres charges	– 86
Résultat d'exploitation	**981**

---

1. *Ce sont toutes les dépenses annexes à l'exploitation et qui vont des étrennes versées au facteur à toutes les petites dépenses qu'on n'a su où caser.*
2. *Ces reprises, qui sont l'opposé des dotations devenues sans objet, traduisent un enrichissement, certes, mais sur le papier ; aucun flux financier n'est associé à la reprise. De plus amples explications sont données au chapitre 8.*

5.7 LE RÉSULTAT COURANT AVANT IMPÔT

A partir du Résultat d'Exploitation, le tableau des soldes de gestion se déroule identiquement au Compte de Résultat du Plan Comptable.

Nous sommes maintenant parvenus à la fin de l'analyse des dépenses d'exploitation. Nous devons prendre en compte les dépenses financières, ou plutôt leur solde : le résultat financier dont nous avons déjà parlé.

Lui aussi a déjà été calculé dans la liasse fiscale où il est affecté du numéro 2.

❏ Expression du Résultat Courant

Le Résultat Financier se soustrait du Résultat d'Exploitation pour donner le Résultat Courant avant impôt, qui est la dernière ligne de la page 3 du compte de résultat de la liasse fiscale.

❏ Le Résultat Courant SAGEM

Groupe SAGEM	Exercice 93
Résultat d'exploitation Résultat financier	980 + 77
Résultat courant	**1 057**

5.8 RÉSULTAT NET

Le résultat net se calcule en déduisant du résultat courant toutes les charges non encore prises en compte dans la détermination des soldes intermédiaires. C'est ainsi qu'on peut ajouter, à ce niveau, les quote-parts des résultats des sociétés non consolidées.

❑ **Le Résultat Net SAGEM**

Groupe SAGEM	Exercice 93
Résultat courant	1 057.70
Résultat exceptionnel	27.00
Quote-part filiales, non consolidée	0.60
Participation des salariés	– 145.20
Impôt/Sociétés	– 405.60
Résultat net	**534.50**

EXERCICES

Exercice 1 : compléter le tableau des SIG

Vous avez en fin de volume le Compte de Résultat de la société LMR. *Dressez les grandes lignes de ses soldes de gestion de l'exercice 92.*

Exercice 2 : SIG Groupe DELACHAUX

De quelles informations souhaiteriez-vous disposer afin de dresser le tableau des SIG du Groupe DELACHAUX ?

6

BILAN ET COMPTABILITÉ

L'objectif de cet ouvrage n'est certes pas de vous transformer en comptable. Cependant, en analyse financière, il faut très souvent avoir recours à des « écritures extra-comptables » afin de donner une tournure plus réaliste aux états financiers analysés. C'est pourquoi ce petit passage sur les plates-bandes de votre comptable est réellement indispensable.

Nous n'avons fait que survoler, implicitement, le principe de la **comptabilité en partie double.** Ce principe est entièrement contenu dans l'équation fondamentale qui décrit l'égalité entre l'actif et le passif. Cette égalité, qui est une constatation et non un résultat, peut s'écrire sous plusieurs formes équivalentes

$$\textit{Actifs = dettes + fonds propres}$$

ou encore :

$$\textit{Fonds propres = actifs - dettes}$$

6.1 LA PARTIE DOUBLE

Puisque cette égalité compte **deux** membres, il s'en suit que **chaque fois** qu'un des membres est modifié par un *événement commercial*, industriel ou financier, **l'autre** membre est modifié en conséquence. D'où la dénomination **partie double.** Enfin, chaque fois qu'un **événement** est sans effet sur l'un des membres de l'équation, il est forcément sans effet sur l'autre.

Le terme *événement* est à prendre ici dans le sens le plus générique : un événement peut être, parmi beaucoup d'autres possibilités :

• Le règlement d'un fournisseur,
• L'achat de matières,

- Une vente,
- La mobilisation d'une créance,
- La constatation qu'un équipement s'est dévalorisé,
- La découverte qu'il faudra tirer très fort l'oreille d'un client pour qu'il paie.

Nous allons faire le lien entre comptabilité et finance, afin de dissiper les doutes que vous pourriez avoir.

6.2 QUELQUES ÉVÉNEMENTS SIMPLES

Les deux premiers événements cités peuvent être qualifiés de simples, puisqu'ils ne concernent pas les fonds propres.

❑ Règlement fournisseur

Contrairement au dicton populaire « *qui paie ses dettes s'enrichit* », régler un créancier n'enrichit, ni n'appauvrit. Le règlement d'une dette n'a aucun impact sur les fonds propres. Certes la caisse (à l'actif du bilan) diminue. Mais, en contrepartie, la dette diminue du même montant.

L'actif et le passif sont touchés dans les mêmes proportions, et l'équation précédente reste vérifiée, sans impact sur le côté gauche de l'équation qui représente le compte de résultat.

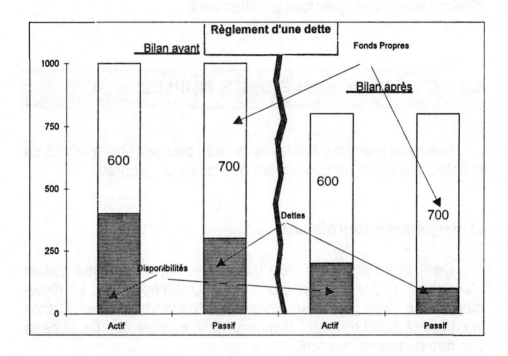

FIGURE 19

❑ Achat de matières

Cette transaction est – elle aussi – sans effet sur le côté gauche de l'équation ; pardon, sur le compte de résultat. L'entreprise n'est ni plus ni moins riche après un achat de matières, contrairement encore au *bon sens* populaire. Si l'achat a été payé comptant, ce qui était en banque est désormais en stock. Si l'achat est réglé à crédit, le compte « fournisseurs » s'est gonflé d'un montant identique à celui des stocks.

❑ Vente

L'interprétation comptable d'une vente est guère plus complexe que les deux exemples précédents :

- Vous vendez 100 ce qui valait 80.
- Vous vous enrichissez donc de 20, et le premier membre de l'équation va augmenter de 20.

Simultanément, vos stocks vont se dégarnir de 80, et vos disponibilités vont augmenter de 100.

L'équation qui s'écrivait :

$$\text{Fonds propres}_{initiaux} = (actifs - dettes)_{initiaux}$$

va donc se mouvementer de la manière suivante :

$$\text{Fonds propres}_{initiaux} + 20 = [actifs_{initiaux} + (100-80)] - dettes$$

Elle sera donc, grâce au ciel, toujours vérifiée.

Cette transaction élémentaire modifie le bilan initial (premier tableau ci-après) pour le transformer (deuxième tableau ci-après).

111

Bilan avant la vente			
Immobilisations	400	Fonds propres	700
Stocks	180		
Clients	20		
Disponibilités	400	Dettes	300
Total	**1 000**		**1 000**

Bilan après la vente			
Immobilisations	400	Fonds propres	700 + 20 = 720
Stocks	180 − 80 = 100		
Clients	20 + 100 = 120		
Disponibilités	400	Dettes	300
Total	**1 020**		**1 020**

6.3 LES AMORTISSEMENTS

La présence (ou plutôt l'apparence de la présence) simultanée d'amortissements au bilan et au compte de résultat peut être une source de confusion pour le néophyte. En réalité, il n'y a pas simultanément d'amortissements sur ces deux états financiers qui sont reliés entre eux par le principe de la baignoire ou, de manière plus noble, par l'équation précitée.

Ainsi l'amortissement a pour objectif de **constater la dépréciation** des immobilisations dans le temps. Le terme *amortisse-*

ment fait d'ailleurs partie du vocabulaire courant. On dit d'une vieille voiture qui a beaucoup roulé qu'elle est bien amortie.

Si ladite voiture avait été acquise pour 50 KF, et si aujourd'hui elle ne vaut plus que 10 KF, la traduction de cette réalité du langage courant en langage comptable pourra être Illustrée dans le tableau ci-dessous :

Langage comptable		Langage courant
Valeur comptable brute	50 000 F	Prix d'achat
Amortissements pratiqués	– 40 000 F	Dévalorisation
Valeur comptable nette	10 000 F	Valeur réelle

❑ Caractère financier de l'amortissement

Illustrons le caractère financier de l'amortissement par un exemple pris dans la vie de tous les jours, le véhicule automobile. Sous le seul effet du temps, les actifs se dévalorisent. La voiture neuve devient, très vite, voiture d'occasion. Chacun sait qu'une voiture neuve perd une partie non négligeable de sa valeur dès qu'elle est sortie du garage. Elle est achetée 100 le premier janvier. Imaginons que, quelques heures plus tard, sa valeur vénale ne soit plus que de 80.

Sous l'effet de cette **dévalorisation,** l'entreprise s'appauvrit. Elle est moins riche de 100 – 80 = 20. Donc ses fonds propres diminuent de 20. Cette **diminution** des fonds propres, qui apparaît sur le bilan, a sa contrepartie sur le compte de résultat, la **dotation** aux **amortissements..**

Mais cette charge de 20 est une dépense tout à fait particulière à au moins deux points de vue.

D'abord, ce n'est pas une charge **constatée** par une facture ni par une fiche de paye. C'est une charge **calculée** à partir du bon sens et de la réglementation.

De plus, contrairement aux autres dépenses, elle ne se traduit par **aucun décaissement.** Si on payait le personnel 20, il y aurait un **flux** financier de 20. Le montant du compte en banque diminuerait de 20. Quand on constate un amortissement de 20, il ne s'agit que d'un jeu d'écritures ; on ouvre son livre de comptes mais le chéquier reste au coffre et le compte en banque est inchangé.

> **L'amortissement est une charge non décaissée**

C'est pour cette raison que l'excédent brut d'exploitation a été défini avant la prise en compte des dotations aux amortissements. C'est pour cette raison que nous avons pu écrire que l'EBE correspond à un flux financier. C'est pour cette raison que EBE s'appelle « excédent d'**exploitation** » : il se calcule en effet avant toutes les charges financières, dont font partie ces dotations.

❑ Traitement comptable de l'amortissement

Il sera basé sur la très fondamentale équation :

> **Fonds propres = actifs – dettes**

Le membre de gauche de l'équation est diminué de 20. Il faut donc que le membre de droite diminue lui-même de 20.

Les actifs, et plus précisément le poste « immobilisation », vont décroître de 20. Plutôt que de diminuer directement ce poste, la comptabilité recommande de regrouper ces amortissements dans un compte dit :

> « amortissement sur immobilisation »

On soustraira du montant global des immobilisations, dites *brutes,* la totalité de ces amortissements ; le résultat de la soustraction donnera le montant des immobilisations que l'on qualifiera alors de *nettes.*

❏ Exemple de traitement comptable

Appliquons ceci à SAGEM sur le bilan au 31/12/93 déjà évoqué. SAGEM acquiert, le 1er janvier à 9 heures, un robot pour un montant de 100 MF. Son bilan s'en trouvera modifié :

Immobilisations brutes SAGEM

Report du 31/12 à 24 h	1 012.54
Robot acquis le 1/1 à 9 h	100.00
Immos brutes le 1/1 à 9 h	1 112.54

A la minute où le robot est installé, on pourra constater sa dévalorisation, qui se traduira dans le compte de résultat et le bilan de la société par les conséquences décrites dans les tableaux ci-après :

Extrait du compte de résultat entre 9 h et 9 h 01

Dotation aux amortissements sur robot   20

Extrait du bilan du 1/1 à 9 h 01

	Brut	Amortissements	Net
Immobilisations	1 112.54	20.00	1 092.54

Vous avez bien sûr constaté qu'aucun mouvement sur la trésorerie n'avait eu lieu.

CONCLUSION

Les amortissements apparaissant au bilan **représentent le cumul,** depuis la nuit des temps, des **dotations** aux amortissements passées chaque année.

6.4 LES PROVISIONS

Revenons maintenant sur les provisions qui ont, à l'instar des amortissements, le mauvais goût de figurer, apparemment du moins, à la fois au bilan et dans le compte de résultat.

Elles sont, de plus, présentes des deux côtés du bilan, à l'actif et au passif.

- A l'actif, elles s'appellent *provisions* et ce mot apparaît juste après le terme *amortissements*

- Par contre, au passif, elles sont dénommées *provisions pour risques* ou provisions pour charges. De même, au compte de résultat, il y a une ligne pour chacune d'entre elles.

❑ **Les provisions au passif du bilan**

Contrairement aux amortissements qui sont définitifs (hélas pour votre voiture), **les provisions ne sont que temporaires** : elles doivent nécessairement être reprises un jour ou l'autre.

Cependant, dans une entreprise en régime de croisière, on est régulièrement amené à prendre de nouvelles provisions. Si on « provisionne » à peu près autant qu'on « reprend », le bilan portera un volume de provisions relativement constant, donnant ainsi une impression de pérennité des provisions.

Oui, le solde peut être régulier ; pour autant, il y a un flux de provisions compensant un flux de reprises...

❑ Les provisions sur actifs

Commençons par les provisions pour dépréciations d'actifs, qui trouvent leur place à l'actif du bilan. Ces provisions sont, aux actifs (participations, stocks, comptes-clients...), ce que les amortissements sont aux immobilisations.

Elles ont été *passées* pour prendre en compte la **différence** entre la valeur comptable du poste considéré et sa valeur « réelle ». Aussi leur fonctionnement est-il identique à celui des amortissements :

Nous allons illustrer ce fonctionnement par un exemple :

Votre société, CRÉANCIÈRE SA a vendu 100 F de marchandises le premier décembre de l'année 1994 à son client, la société DÉBITEUR SA, qui n'a pas payé tout de suite.

CRÉANCIÈRE SA a donc une créance sur DÉBITEUR de 100 F. Cette créance fait partie des actifs de « CRÉANCIÈRE SA ». Elle figure bien sûr au bilan, au niveau des comptes clients sous le chapeau duquel sont totalisés tous les montants dus à CRÉANCIÈRE SA par ses clients.

Imaginons maintenant que, lors de l'établissement du bilan final de CRÉANCIÈRE SA le premier janvier à 9 heures, vous vous interrogiez sur la capacité de DÉBITEUR SA à payer cette dette. « On » vous a dit que DÉBITEUR SA a été relancé trois fois par courrier et par téléphone. De plus, les difficultés financières de DÉBITEUR SA sont aujourd'hui notoires. Aussi estimez-vous que, dans le meilleur des cas, vous n'allez récupérer que 60 % de cette créance.

Lorsque vous arrivez à cette conclusion, il vous faut la traduire dans l'équation :

Fonds propres = actifs – dettes

Il vous faut traduire que vous êtes moins riche de 40 % de 100 F, donc que vous êtes plus pauvre de 40 F. Le membre de gauche de l'équation est diminué de 40 F.

Le membre de droite aussi. C'est le compte du client DÉBITEUR SA qu'il faut diminuer de 40 F.

Comme pour les amortissements, plutôt que de diminuer directement le compte de DÉBITEUR SA, vous allez augmenter le compte de *provisions sur créances–clients* de 40 F La somme des comptes clients, parfois appelée « comptes clients brut » sera à rapprocher des *provisions sur comptes client*.

La différence entre ces deux comptes, parfois appelée *compte client net* représente ce qui sera très probablement encaissé de la part des clients.

La constatation d'insolvabilité potentielle du client DÉBITEUR SA, en vertu de l'équation de définition des fonds propres, pourra se traduire sur les états financiers comme indiqué ci-après :

Extrait du compte de résultat entre 9 h et 9 h 01

Dotation aux provisions/Client DÉBITEUR SA   40.00 F

Extrait du bilan du 1/1 à / h 01

	Brut	Provision	Net
Client DÉBITEUR SA	100.00 F	40.00 F	60.00 F

❑ Provisions pour risques et charges

Ces provisions constatent les risques prévisibles à la clôture de l'exercice, risques qui ne concernent pas des dépréciations exceptionnelles d'actifs. Nous avons précédemment analysé le caractère parfois ambivalent (mi-fonds propres, mi-dettes) de ces provisions.

Nous nous proposons maintenant d'étudier leur fonctionnement, en utilisant comme toile de fond les comptes de notre fournisseur préféré d'optronique.

Reprenons donc le cas de SAGEM et penchons-nous une nouvelle fois sur son bilan de fin 1993. Imaginons que, juste après l'établissement de ce bilan c'est-à-dire le 1er janvier 94 à 9 heures, un directeur zélé s'aperçoive que telle usine nécessitait une remise en état de manière impérative. Cette impérieuse nécessité avait échappé à la perspicacité des services de l'entreprise ! Il faudra d'urgence effectuer un montant de travaux de 100 KF.

Quelles seront les conséquences de cette constatation sur le bilan établi à 9 h 01 ?

Comme précédemment, l'urgence de cette réparation se placera de part et d'autre du signe = de l'équation :

Fonds propres = actifs – dettes

La diminution des fonds propres, provenant du fait que l'usine est en plus mauvais état qu'on ne l'avait pensé, se traduira dans une ligne du compte de résultat :

Extrait du compte de résultat entre 9 h et 9 h 01

Dotation aux provisions pour charges	100.00 KF

Extrait du bilan du 1/1 à 9 h 01

Provisions pour charges sur USINE LANNION	100.00 KF

6.5 LA REPRISE SUR PROVISION

La provision a été faite pour prendre en compte une charge à venir. Vient le jour où il faut enfin régler cette charge, c'est-à-dire enregistrer la facture correspondante dans le Compte de Résultat. La provision est devenue **sans objet.**

Allons-nous purement et simplement ajouter une ligne de dépense, entérinant de ce fait un appauvrissement de l'entreprise ?

Certes non. La provision a déjà été passée pour constater cet appauvrissement. Il convient surtout de ne pas passer une deuxième fois en dépense ce qui a déjà été *dépensé* et précisément constaté par la prise de provision.

Aussi la prise en compte de la dépense doit-elle s'accompagner d'une reprise de la provision.

Cette reprise de provision sera classée en produit d'exploitation, au même titre que les ventes, la production immobilisée ou la production stockée.

Analysons les écritures correspondant à cette reprise de provision sur l'exemple précédent.

Imaginons que la remise en état, que nous avions envisagée précédemment, puisse se faire par enchantement le 1/1/94 entre 9 h 05 et 9 h 10 et que, l'enchantement persistant, la facture correspondante soit à enregistrer dès 9 heures 10.

Extrait du compte de résultat entre 9 h 05 et 9 h 10

	Débit	Crédit
Reprise sur provision		100.00 KF
Remise en état USINE LANNION	100.00 KF	
Résultat	0 KF	

Extrait du bilan du 1/1 à 9 h 10

	Débit	Crédit
Provisions pour charges au 31/12		1 506 KF
Provision USINE LANNION, 1/1 à 9 h 00		100 KF
Reprise provision USINE LANNION	100 KF	
Provision au 1/1 à 9 h 10		1 506 KF

Il n'est pas étonnant que le résultat global de cette opération soit proche de zéro, puisque l'objectif même du *provisionnement* était de faire apparaître la dépense – donc l'appauvrissement de l'entreprise – avant même qu'elle ne se matérialise par une facture à payer.

Lorsque la provision a été initialement prise, elle a été passée sur un montant prévisionnel. Et, bien entendu, prévision n'est pas prophétie. Aussi les entreprises ont-elles, au niveau des provisions, quelques marges de manœuvre dans leur appréciation du volume des provisions à passer : l'actualité récente, d'ELF à MITSUBISHI BANK en passant par PÉCHINEY, est là pour en témoigner.

7 LE BILAN FINANCIER

Nous avons déjà fait une première analyse, relativement grossière, en dressant le bilan par grandes masses. Ce premier regard nous a fait entrevoir la silhouette de cette personne (morale) qu'est l'entreprise. Cette première analyse est d'ailleurs très souvent révélatrice. Il n'est pas nécessaire de s'appeler Sherlock Holmes pour constater que, fin 93, RENAULT est une entreprise légèrement sous-capitalisée, mais en voie de redressement. Point besoin d'être grand clerc non plus pour constater que MICROSOFT n'était pas, fin 93, au bord du dépôt de bilan.

Cependant, dans les cas *intermédiaires*, il n'est pas inutile d'aller au-delà du bilan par grandes masses. Aussi allons-nous maintenant procéder à une analyse plus approfondie et ne plus nous contenter des seules grandes lignes.

Certes, ces grandes lignes subsisteront dans notre mémoire, mais nous allons détailler notre analyse et même tenter de deviner la réalité sous l'habillage. Et chaque fois que nous aurons une bonne raison de « rétablir notre vérité», nous ferons tomber l'habillage superflu ou rétablirons l'habillage nécessaire. Le terme « habillage » ne doit pas être pris ici de manière négative. Si « habillage » est le terme consacré, en analyse financière, à quelques opérations faites en cours ou en fin d'exercice, afin de présenter le bilan sous un meilleur jour, on peut bien sûr habiller un bilan en tout bien tout honneur, et il n'est guère dans l'intention de l'auteur de faire l'apologie de pratiques frauduleuses.

Nous allons constituer, à partir du bilan comptable, ce qu'il est convenu d'appeler *bilan financier*. Ce bilan porte le qualificatif de **financier** pour bien le distinguer de celui établi dans le **strict** respect des **normes** comptables et appelé abusivement *bilan* comme si ce bilan était unique ! Comme si l'approche comptable constituait la seule appréciation possible des finances de l'entreprise.

Pour atteindre notre objectif, nous partirons des informations comptables et nous les agrémenterons d'informations extra-comptables, chaque fois que nous en aurons la possibilité. Notamment, tous les éléments figurant en annexe des comptes, qu'il s'agisse des feuillets 8 et 11 de la liasse fiscale, ou qu'il s'agisse des notes de « pied de bilan » ou des annexes figurant en aval des comptes dans le rapport annuel.

Mais il nous faudra souvent aussi recourir à des **sources complètement externes à la société**.

Il conviendra notamment de consulter, et la liste ci-dessous n'est pas limitative :

❑ des cabinets immobiliers lorsque le haut de bilan comporte une part importante d'actifs immobiliers dont la valeur vénale peut être très éloignée de la valeur comptable [1] ; ou dès lors que les constructions représentent une fraction importante des fonds propres.

❑ la presse spécialisée (du WALL STREET JOURNAL aux ÉCHOS en passant par le TRÉGOR, le PETIT BLEU et le FINANCIAL TIMES) pour connaître et éventuellement évaluer les options stratégiques qui ont pu être prises, être au courant des informations locales qui ne seraient pas parvenues jusqu'aux oreilles averties des salons parisiens.

❑ le registre des protêts du tribunal de commerce local pour vérifier si l'entreprise a fait face à tous ses engagements, notamment fiscaux.

❑ les principaux clients pour connaître la qualité de leur relation avec l'entreprise, et leur propre santé financière.

❑ le service d'information de la Chambre de Commerce locale ; les CCI sont au carrefour des informations économiques et mettent à la disposition des entreprises leurs propres bases de données, et un accès privilégié à un grand nombre de bases de données, locales, nationales et internationales.

---

1. *Demandez aux actionnaires de* SUEZ *ou de* PARIBAS *combien il leur en a coûté de ne pas avoir pris cette précaution.*

Cet outil d'information est aussi puissant que peu cher et méconnu du grand public.

Muni de toutes ces informations (nous devrions dire de ces seules informations), l'analyste va pouvoir se livrer aux retraitements, opérations qui consistent à remplacer une valeur comptable de bilan ou de compte de résultat par une valeur plus financière. Chaque retraitement sera un pas supplémentaire vers la clarté financière. Mais un seul pas, bien modeste, qui ne saurait en aucun cas nous faire parvenir à la réalité complexe et insaisissable, résultant d'une infinité de paramètres.

Une fois les comptes *retraités,* l'analyste les classera dans une des catégories du tableau ci-après, proposé par Michel ALBOUY, l'un des grands théoriciens français de la finance, dans la revue *BANQUE*. Ce tableau constitue l'architecture autour de laquelle s'articule le bilan financier.

Actif Immobilisé	Capitaux Permanents
Immobilisations incorporelles Immobilisations corporelles Immobilisations financières	Fonds Propres corrigés Dettes à long et moyen terme corrigées
Actifs Circulants	**Passif Circulant**
Stocks (matières et en-cours) Comptes clients Créances hors exploitation Liquidités	Dettes d'exploitation Dettes hors exploitation corrigées Dettes financières court terme

La forme de ce bilan financier nous permettra d'appréhender les principaux paramètres de l'équilibre financier de l'entreprise : fonds de roulement, besoin de fonds de roulement, structure capitalistique.

7.1 LES POSTES DU BILAN FINANCIER

Si nous connaissons dès à présent la plupart de ces postes, il convient maintenant de se demander ce qu'ils représentent au juste, et, pour certains d'entre eux, comment ils ont été valorisés. Ou, plus exactement, si leur valeur comptable est réaliste, pour vous. Chaque fois qu'elle ne le sera pas, il faudra la corriger – dans un sens ou dans un autre –, en fonction des besoins de l'analyste.

Ainsi, l'analyste ne posera pas, et ne se posera pas, les mêmes questions lorsqu'il est en situation de :

- prêteur à court terme,
- prêteur à long terme,
- fournisseur potentiel,
- salarié potentiel,
- acquéreur en situation minoritaire,
- acquéreur en situation majoritaire.

Selon son optique, l'analyste augmentera ou diminuera [1] les éléments d'actif et de passif considéré, avec, bien entendu, une contrepartie sur les fonds propres : partie double oblige.

❑ Immobilisations Incorporelles

Ce sont les investissements faits par l'entreprise, qui ne sont pas physiquement matérialisables. En font notamment partie les brevets d'invention, les frais de recherche, les noms déposés (sur lesquels ont été réalisés des investissements publicitaires importants : PERRIER, COURVOISIER, CHANEL, JAGUAR), les fonds de commerce... Que valent ces immobilisations ? De l'or, parfois ; bien souvent, pas grand chose. Une seule certitude : il n'y a pas de règle générale, et la méfiance est de rigueur.

---

1. *Pour avoir plus de détails, se reporter au chapitre « Évaluation de l'entreprise ».*

> **Exemple** : *il est de coutume, dans l'industrie pharmaceutique par exemple, de ne pas « immobiliser » les frais de recherche et développement. Aussi, si vous présentez les comptes d'un laboratoire en vue d'une cession il vous faudra recapitaliser, raisonnablement, les frais de recherche sur les produits en cours d'élaboration.*

❑ Immobilisations corporelles

Les immos corporelles regroupent l'ensemble des investissements physiques, matériellement visibles et vérifiables. C'est dans ce tiroir qu'on classera les usines, le mobilier, les équipements, les véhicules, les ordinateurs...

Chaque ligne constitutive de ces immobilisations doit correspondre à une facture de fournisseur et doit pouvoir être *tracée* dans l'entreprise.

Il faut cependant se garder de prendre pour argent comptant les chiffres apparaissant dans ces postes, censés représenter des montants *« hard »*.

> **Exemple** : *vous êtes sollicité, en tant que banquier, pour un engagement de 1 MF sur la SIPM (Société Industrielle de Plounevez-Moëdec), au bilan de laquelle vous trouvez :*
>
> • *Terrains* = 0
> • *Constructions* = 2 MF
>
> *Allez-vous vous interroger sur l'existence d'immeubles en lévitation ? Il n'en existe pas et, très probablement, la SIPM a construit sur des terrains qui ne lui appartiennent pas. Si tel est le cas, vous devrez « consolider » le propriétaire du terrain et la SIPM, ou considérer que ces constructions valent réellement « 0 Franc ».*

❑ Immobilisations financières

C'est sous ce terme que seront regroupées toutes les sommes « immobilisées », c'est-à-dire placées pour longtemps (en pratique plus d'un an), que ce soit en actions de filiales, en prêts consentis dans le Groupe ou à des sociétés tierces.

Les sociétés financières, notamment les holdings, auront d'importantes immobilisations financières, alors que les sociétés industrielles seront musclées en immobilisations corporelles.

S'il s'agit de participations dans des sociétés cotées en Bourse, il est très aisé de rétablir les valeurs réelles des participations : il suffit pour cela d'ouvrir son journal ou de brancher son Minitel. Ce cas est toutefois rarissime. La PME de base a d'autres opportunités d'investissement que l'acquisition de titres ALCATEL...

Elle peut avoir, pour des raisons bien compréhensibles, isolé la production dans une filiale, l'importation dans une seconde, la distribution dans une troisième. Autrement dit, notre PME peut avoir constitué un petit « groupe ».

Dans un tel cas, l'analyse des comptes de la société-mère peut devenir sans objet, et il faudra absolument avoir recours à des comptes consolidés, car les titres apparaissant en immobilisations financières peuvent avoir des valeurs réelles très différentes de la valeur comptable. De plus, les éléments d'actif et de dettes se *cachant* derrière les titres peuvent réserver bien des surprises, bonnes ou mauvaises.

L'objectif de l'analyse financière est de voir aussi clair que possible, d'essayer de comprendre l'entreprise. Aussi convient-il absolument de mettre en évidence tous les éléments d'actifs et de passif pris en compte, c'est-à-dire cachés, derrière les titres.

> **Exemple :** *dans le tableau ci-après, les données fin 93 de la* SAGEM, *société-mère, et du groupe* SAGEM, *ont été mises côte à côte. Il apparaît clairement dans ce tableau que les chiffres de la société-mère ne donnent qu'une image tronquée de la réalité industrielle de la* SAGEM *puisque derrière les « 986 » millions de titres consolidés se cachent près de 4.7 milliards d'actifs de toutes sortes, dont, notamment, 0.6 milliard d'immobilisations corporelles.*

	SAGEM 93	Groupe SAGEM 93	Différence
Incorporelles	26.1	321	295
Corporelles	366.6	1 012	645
Financières	1 656.0	670	− 986
Total Immob. nettes	**2 048.7**	**2 003**	**− 46**
Autres actifs	3 845.7	8 611	4 765
Total actifs	5 894.4	10 614	4 720

❏ Actifs d'exploitation

Sous le terme *actifs d'exploitation* ou encore *actifs circulants* sont rassemblés les actifs qui rendent possible l'exploitation, essentiellement :

1. les stocks (avec éventuellement une composante pour les matières, les en-cours, et les produits finis), parfois appelés « valeurs d'exploitation »,
2. les comptes clients,
3. les autres créances.

Ces postes comptables présentent des caractéristiques communes.

Le chef d'entreprise a tendance à oublier leur existence, alors qu'ils existent bel et bien et qu'ils sont, la plupart du temps, indispensables :

- Comment fabriquer sans un minimum de pièces détachées qui sont comptabilisées en stock de matières premières ?

- Comment fabriquer instantanément, sans passer par le stade de produits semi-finis qualifiés d'*en-cours* ?

- Comment vendre sans accorder de crédit à ses clients, comme le veut la coutume dans nos pays où l'offre de produits est supérieure à la demande ? Les crédits correspondant aux ventes non encaissées sont rassemblés dans le compte « clients ».

- Comment éviter de faire des avances au fisc, principal bénéficiaire du poste « autres créances », au titre de la TVA déductible ?

Le chef d'entreprise dispose de certains moyens pour diminuer ces montants. Il peut, dans certains cas travailler en flux tendus[1], c'est-à-dire se faire livrer par ses fournisseurs, le matin même, les matières dont il a besoin pour la journée. Il réduira ainsi au minimum ses stocks de matières. De la même manière, il pourra « financer » ses comptes-clients par des procédés de financement adéquats.

Quoiqu'il en soit, il reste au bilan un montant incompressible d'actifs circulants, variant avec la saisonnalité de l'activité de l'entreprise, en fonction de ce que les financiers appellent le **cycle d'exploitation**.

Ne soyez cependant pas trop crédule. Ainsi que nous l'avons vu précédemment, stocks et clients sont la plus classique et la

---

1. *Très à la mode dans l'industrie automobile, les flux tendus ont été un pôle de réflexion des constructeurs et de leurs sous-traitants.*

plus vaste cache à profits et pertes, dissimulés aux yeux du fisc et des actionnaires. Ce n'est pas, bien sûr, parce que vous voyez 3.14 en stocks qu'il y a en réalité 3.14.[1]

❑ Créances hors exploitation

Ce sont les créances qui ne relèvent pas directement de l'exploitation : par exemple les avances faites au personnel, les cautions déposées lors d'une location de courte durée... Dans une entreprise en régime de croisière, le montant relatif de ces créances devrait être extrêmement limité. Si tel n'était pas le cas, méfiance !

❑ Liquidités

Sous ce terme sont regroupées bien sûr les *disponibilités* figurant au bilan, c'est-à-dire l'ensemble des soldes créditeurs des comptes en banque et les sommes dormant dans les caisses de l'entreprise. Il convient de leur ajouter tous les placements à court terme faits par l'entreprise. On a alors ce qu'il est coutume d'appeler la trésorerie.

Lorsque ces liquidités sont importantes, on parle parfois de *trésor de guerre.* Lorsque les titres BOUYGUES et TF1 ont été atta-qués en automne 88, la presse économique a mis à la une les *dix milliards* de Robert MaxwelL et le *milliard* de Bernard Tapie. Ces deux personnes ne passaient pas à l'époque pour des gestion-naires modèles en dépit de la profondeur de leurs poches. Malgré leur trésor de guerre, l'un et l'autre sont passés à la trappe...

Je reste persuadé qu'**une entreprise « normale » n'a pas besoin de disposer d'un trésor de guerre.** Sauf, éventuelle-

---

1. A la limite, on peut faire apparaître au niveau des stockks le montant que l'on veut ; il suffit pour cela de mettre en place un système de comptabilité ou un programme de production qui vous fasse parvenir au niveau financier de stock, donc de résultat, désiré.

ment à court terme. Si vraiment la société ne sait que faire de son argent, qu'elle le rende aux actionnaires. Eux sauront en faire l'usage qui leur convient. L'entreprise appartient aux actionnaires, ne l'oublions pas. Elle n'appartient pas à ses gestionnaires et ne saurait justifier son existence par sa capacité à faire tourner les capitaux que ses actionnaires ont bien voulu mettre, ou laisser, à sa disposition. Faire tourner, c'est l'opposé de *laisser dormir*.

Prenons l'exemple de la LYONNAISE DES EAUX. Contrairement à ce qu'écrivent certains de mes confrères, LA LYONNAISE n'est pas le *groupe de Jérôme* MONOD. LA LYONNAISE est, à une modeste échelle, mon, notre, votre groupe. Et Monsieur MONOD est donc mon, notre, votre salarié. Il n'est pas chez lui. Il est chez nous. Si nous investissons 10 000 Francs en actions LYONNAISE, plutôt que de partir aux sports d'hiver, c'est parce que nous pensons que, grâce à son savoir-faire industriel et commercial, LA LYONNAISE fera fructifier nos capitaux en compensation du séjour à la montagne que nous ne ferons pas. Au cas où LA LYONNAISE irait placer ces 10 000 Francs en Sicav monétaires, elle abuserait de nous et ne remplirait plus son rôle. Je, nous, vous savons où trouver la CAISSE D'ÉPARGNE et n'avons aucunement besoin de LA LYONNAISE pour placer nos économies à la CAISSE D'ÉPARGNE, rebaptisée pour l'occasion Trésor de guerre.

Par contre, lorsque le volume de liquidité est raisonnable, il est coutume de considérer ces disponibilités, au même titre que les stocks ou les clients, comme un actif d'exploitation. En effet, pour que l'entreprise puisse tourner harmonieusement, il faut un volume de liquidité minimum, pour assurer l'échéance du 10, celle du 25, et la paie à la fin du mois. Ce minimum dépend de la taille et du train de vie de l'entreprise. Il n'est pas identique pour SAGEM et pour DELACHAUX, pour les mêmes raisons qu'un ROCKEFELLER ne saurait se contenter de l'argent de poche d'un DUPONT (sauf s'il est de NEMOURS).

Mais ce minimum varie aussi avec la saisonnalité de l'exploitation : ainsi, en forte saison, on aura besoin d'un *fond de caisse* plus important qu'en morte saison.

❑ Fonds propres corrigés

Ce sont les fonds propres apparaissant aux bilans, mais *corrigés* pour prendre en compte les réalités financières ignorées par la comptabilité. Corrigés à la baisse pour tenir compte du fait que certains actifs sont gonflés ; corrigés à la hausse pour tenir compte que d'autres sont manifestement sous-évalués. Bien entendu, ces corrections, qui sont la conséquence des analyses critiques faites précédemment, seront intimement liées à la personnalité de l'analyste et à ses besoins.

❑ Dettes à long et moyen terme

Elles sont composées des dettes financières (celles qui ont été contractées auprès de la communauté financière : banques, établissements de crédit), et des dettes ou engagements envers les tiers dont la vocation première n'est pas le financement des entreprises : associés, maison-mère, créanciers d'un moratoire. Ces dettes ont plusieurs caractéristiques :

– leur échéance est supérieure à un an,
– elles proviennent d'une négociation explicite.

❑ Dettes d'exploitation

Ce sont les dettes qui sont directement liées au cycle d'exploitation. Ces dettes se renouvellent en permanence, parallèlement au volume d'activité,à l'instar des actifs d'exploitation : elles épousent parfaitement la saisonnalité des ventes de l'entreprise. **Elles ne résultent pas le plus souvent d'une négociation financière, mais d'une pratique commerciale ou réglementaire.**

Ainsi, les crédits accordés par les fournisseurs sont l'exemple même de la dette d'exploitation. Car cette dette *roule* de commande en commande. Les dettes *fiscales et sociales*, qui regroupent les sommes dues au fisc au titre de la TVA et aux organismes sociaux (URSSAF, ASSEDIC, Caisses de retraite), se renouvellent chaque mois ou chaque trimestre. Plus l'entreprise a fait de chiffre d'affaires dans sa pleine saison, plus ces dettes sont – momentanément – importantes. Puis, quand vient la morte saison, le chiffre d'affaires décroît, entraînant dans son reflux les dettes d'exploitation.

❏ Dettes hors exploitation

On regroupe dans ce poste l'ensemble des dettes qui ne sont pas liées au cycle d'exploitation, mais qui ne sont pas non plus des dettes envers la communauté financière. En feront notamment partie les dividendes à distribuer, les dettes envers les fournisseurs d'immobilisations, la part impôt sur les sociétés non encore versée au titre de l'exercice passé.

7.2 | LES RETRAITEMENTS

Bien entendu, vous allez devoir systématiquement corriger certains postes comptables qui font l'unanimité des analystes financiers.

❏ Les non-valeurs

Le premier des redressements va porter sur les non-valeurs.

Les charges constatées d'avance, introduites à l'actif du bilan, sont une non-valeur, dans la mesure où elles ne sont pas susceptibles d'être cédées.

> *Ainsi pour* DELACHAUX, *il y a pour 1.8 MF de charges constatées d'avance et 463 KF d'écart de conversion. Ces sommes représentent-elles des actifs « réalisables » ? Si la réponse est négative, ce qui est généralement vrai, il convient de « retraiter » le bilan en éliminant ces non-valeurs. On devra diminuer l'actif de ce montant. Et puisqu'on diminue l'actif, il faudra diminuer le passif pour que l'équation qui traduit l'équilibre fondamental reste vérifiée.*
> *Quel élément du passif faut-il dévaluer de ce montant ? Les dettes ? Certainement pas. Ce qui est dû est dû. Ce sont donc les fonds propres qu'il faut diminuer de ce montant.*

En font partie les régularisations qui ne constituent en aucun cas des actifs, et qui ne se traduiront jamais sous forme de liquidités.

Tel est le cas des primes d'émission des obligations. Ces primes proviennent, par exemple, de ce qu'on a obtenu 95 francs contre une promesse de payer 100 francs. Les 5 francs de différence ont été comptabilisés sous forme de « prime ».

A ce chapitre, on peut encore ajouter le *capital souscrit et non appelé*, c'est-à-dire les promesses d'apports de capitaux faites par les actionnaires, lorsque le capital initial n'a pas été totalement libéré. Certes, les actionnaires sont tenus de *libérer* cette partie des fonds propres. Il y a cependant fort à parier que, si besoin était, il serait nécessaire de tirer les oreilles des actionnaires afin qu'ils fassent ce qui est réellement, et dans ce cas uniquement, leur devoir. Nécessaire, mais non suffisant....

Sur la quasi-totalité des bilans enfin, on trouve un poste *frais d'établissement*. Sous cette étiquette sont regroupées les dépenses engagées lors de la constitution de la société. Ces frais sont, à l'instar des primes d'émission sus-citées, des non-valeurs, des actifs fictifs.

Dans la mesure où elles ne sont pas susceptibles de générer de profit, ni d'être cédées contre des espèces sonnantes et trébuchantes, elles n'ont pas de valeur financière. On les éliminera donc complètement du bilan financier, en diminuant d'une valeur correspondante le montant des fonds propres.

❏ L'affectation du résultat

Si l'entreprise se bat pour faire un profit, ce profit n'est pas seulement destiné à figurer au bilan et en dernière ligne du compte de résultat, où il fait d'ailleurs excellent effet. Ce profit est destiné a être affecté ; il aura concrètement deux destinations :

– l'entreprise en conservera une partie,
– le reste sera distribué aux actionnaires.

La partie non distribuée du profit passera comptablement en réserves. Mais fi de la comptabilité ! Pour nous, financiers, cette partie restera dans les fonds propres de l'entreprise, donc en haut du bilan.

Quant à la partie distribuée, elle portera plusieurs noms : dividendes, résultats distribués, bénéfices distribués, et bien d'autres encore.

Quel qu'en soit le nom, cette partie distribuée sera un élément à *redescendre* en bas de bilan dans le poste « dettes hors exploitation » : en effet, cet argent quittera très prochainement les comptes de la société pour les poches des actionnaires.

Voilà pourquoi on parle de bilan « **avant affectation des résultats** », et de bilan « **après affectation des résultats** ». Les bilans que vous analyserez seront le plus souvent établis avant affectation des résultats. On porte en général, en haut du passif, une mention précisant que le résultat n'a pas été affecté.

> **Exemple :** *dans le cas de la* SAGEM, *maison-mère bien sûr, la différence entre les fonds propres avant et après affectation est de 79 millions. Soit très exactement le montant des dividendes votés au titre de l'exercice 93.*

SA SAGEM, décembre 93			
	Avant répartition	Après répartition	Différence
Fonds propres	1 807.0	1 728.0	79
Autres dettes	44.5	123.5	− 79

Source : Rapport annuel 93.

❑ Le retraitement des provisions

Le terme de provisions faisant désormais partie de notre vocabulaire, nous allons retracer un tableau rapide de chacune d'entre elles, et du retraitement dont elles peuvent faire l'objet lors de l'établissement du bilan financier.

• *Les provisions pour dépréciation d'actifs*

Ces provisions portent principalement sur les stocks et sur les clients. Nous avons analysé leur mécanique dans le chapitre 6 et avons constaté qu'elles avaient été soustraites des actifs sur lesquelles elles portaient. Ouf ! Il n'y aura pas de retraitement à effectuer. Bien que dans ces provisions se cachent souvent les profits ou les pertes que l'entreprise veut dissimuler.

• *Les provisions pour risques et charges*

Reprenons les termes qu'utilise le Plan Comptable Général pour les définir.

Ces provisions sont destinées à couvrir les risques et les charges que les événements, survenus ou en cours, rendent probables, nettement précisés quant à leur objet, mais dont la réalisation est incertaine.

Nous avions déjà cité le caractère hybride de ces provisions. Sont-elles des dettes ? Sont-elles des fonds propres ? On peut avoir des points de vue opposés.

Du point de vue juridique, les provisions ne représentent pas des engagements, au sens légal du terme. Mais elles représentent des engagements de fait, et doivent en conséquence, figurer au passif du bilan, sous l'étiquette « dette ».

Cependant, si on a une optique financière, on peut aussi se ranger à l'avis très raisonnable de B. SOLNIK [1], un maître à penser de la finance française, et considérer que, si d'année en année, on constate un volant régulier de provisions au bilan de l'entreprise, ces provisions constituent une ressource permanente pour l'entreprise et peuvent être assimilées à des fonds propres.

• Les provisions réglementées

Ces provisions, qui apparaissent en haut du bilan, sont inscrites dans les fonds propres de l'entreprise. Elles ont été constituées en vertu de textes fiscaux particuliers, comme la provision pour hausse des prix et la provision pour investissement.

Ce sont donc des cadeaux temporaires du fisc aux sociétés, et en aucun cas des charges incertaines.

Le provisionnement permet à la société de diminuer son résultat fiscal, donc de diminuer son impôt. Il faudra, hélas, reprendre, c'est-à-dire supprimer, la provision quelques années plus tard. Ce faisant, on augmentera son résultat imposable... donc son impôt.

---

1. *Cf.* « Gestion Financière », *par Bruno Solnik (Nathan 1992).*

Grâce à ces provisions réglementées, l'entreprise aura repoussé une partie de son impôt dans le temps, et obtenu de la part du fisc un crédit gratuit sur cette partie d'impôt.

Ce qui a été prêté n'a pas été donné. L'impôt qu'il faudra payer est une charge parfaitement certaine, et parfaitement connue. Cette part d'impôt, vous devez donc la sortir des fonds propres et la passer en dette.

Ces provisions seront reprises, tranche par tranche, année après année en fonction des textes en vigueur, et elles généreront des impôts de 33 % de chacune des tranches reprises.

SYNTHÈSE : RETRAITEMENT DES PROVISIONS DE LA SOCIÉTÉ SAGEM

Exemple : *on peut désormais calculer les fonds propres corrigés de la SA SAGEM au 31/12/93.*

SA SAGEM, décembre 93			
	Au bilan	Fonds propres corrigés	Dettes corrigées
Fonds propres après répartition	1 728	1 728	
dont provisions réglementées ➔	25.6	– 8.5	8.5
Provisions pour risques	263.2	250	13.2
Provisions pour charges	528.6	500	28.6
Dettes à long et moyen terme	**278**		278
		2 469.5	**328.3**

❏ Expression des fonds propres corrigés

Nous venons d'apporter moult amendements aux fonds propres figurant au bilan, à la suite desquels nous obtenons les fonds propres dits *corrigés*.

Nous pouvons les définir à partir de l'équation suivante :

FONDS PROPRES CORRIGÉS =

+ *Fonds propres figurant au bilan avant affectation,*
– /+ *Corrections à porter sur évaluations comptables,*
– *Non-valeurs,*
– *Partie du résultat à distribuer en dividendes,*
+ *Partie stable des provisions pour risques et charges,*
– *Impôts payables ultérieurement sur reprise de provisions réglementées.* [1]

7.3 | LES ÉLÉMENTS HORS-BILAN

Nous nous sommes jusqu'à présent cantonnés aux éléments du bilan comptable, sans nous préoccuper de données que la comptabilité n'a pas jugé utile de faire figurer dans le bilan. Ces éléments sont dits *hors bilan*. Le généraliste que nous voulons être s'attardera à deux familles d'éléments hors bilan :

– les financements court terme basés sur des créances,
– les *leasings*.

---

1. *Ce « crédit » porte actuellement sur le tiers de la provision.*

❑ Les effets escomptés et non échus

L'escompte est un moyen de financement historique. Rappelez-vous vos cours d'histoire du secondaire et la douloureuse épopée du banquier John LAW. À quelle fin les agioteurs louaient-ils le dos des bossus de la rue Quincampoix ? À l'escompte de leurs effets !

Ces effets représentaient des créances figurant au compte-clients de leur bilan. Mais revenons à la fin de notre siècle et parlons au présent plutôt qu'à l'imparfait.

Lorsqu'il *escompte* ses effets, le chef d'entreprise les *vend* contre des liquidités. Les sommes escomptées sont sorties du compte-clients pour entrer dans les comptes-liquidités. Elles ne sont plus au bilan.

Cependant, elles pourraient y figurer, car l'escompte n'est pas une cession de créance, contrairement à l'affacturage. Si le client dont nous avons escompté un effet ne paie pas, le porteur de l'effet se retournera contre nous. Nous sommes donc engagés jusqu'au paiement de la créance.

L'escompte n'est pas une cession de créance. C'est une avance, garantie par la créance. Donc, quand nous escomptons un effet de 100, nous contractons en réalité une dette de 100. Il faut donc corriger le bilan financier en ajoutant :

– au passif le montant du prêt contracté contre cet effet, dans le poste *dettes financières à court terme,*

– à l'actif le montant de cette créance, non encore échue, dans le poste *clients.*

A l'échéance de la créance, le client paiera les 100 qu'il nous devait et ce versement éteindra notre dette.

Le traitement comptable de l'escompte a donc tendance à donner une fausse image du compte-client en le diminuant artificiellement de la partie qui a été escomptée. De manière très symétrique, puisque le bilan est équilibré, ce traitement sous-évalue également le montant des financements à court terme. Le retraitement, en rétablissant ces effets de part et d'autre du bilan, nous fait faire un pas vers la vérité financière.

De manière pratique, c'est hors bilan qu'on trouvera les montants escomptés.

Ils seront :

– soit au pied du bilan,
– soit dans les annexes de la liasse fiscale (annexe 11),
– soit encore dans les notes de renvoi du rapport annuel.

❏ Le crédit-bail (leasing)

Acquérir un bien en *leasing* équivaut à le faire acheter par une tierce personne, communément appelée bailleur (un établissement financier la plupart du temps), et à le lui louer pendant la durée de vie de ce bien.

En anglais, le terme *leasing* est appliqué sans distinction à la location d'une usine comme à celle d'un appartement. Sa traduction française, crédit-bail, exprime bien sa **dualité.** Dans le terme « crédit-bail », il y a bien **le mot « crédit » qui trahit la vraie nature de ce faux bail.**

Le *leasing* est en fait un achat déguisé. Déguisé d'une part puisque le propriétaire du bien loué n'en est pas, et n'en sera jamais, l'utilisateur. Déguisé d'autre part, puisque le locataire du bien, dénommé dans le contrat de *leasing crédit-preneur* utilise exactement le bien comme s'il en était propriétaire et se comporte en tant que tel.

Mais c'est aussi un mode de financement.

Le preneur n'a pas acheté l'équipement, qui ne figure donc pas dans les actifs de son bilan comptable.Il ne l'a pas acheté. Il n'a pas à le payer. Il n'a pas contracté de dette pour l'acquérir.

Mais il le loue et paye son loyer, sur une base trimestrielle par exemple. Y-a-t-il une grosse différence entre un versement de loyers et un remboursement d'emprunt par échéances régulières ? Oui et non. La différence au niveau comptable est très nette. Financièrement elle l'est beaucoup moins.

Certes, le chèque de location va arriver à une agence de la filiale de *leasing* de la BANQUE B, la SOCIÉTÉ B-BAIL, alors que ,s'il y avait eu achat et emprunt, le même chèque serait arrivé à un guichet de la BANQUE B.

Aussi, pour l'établissement du bilan financier, nous appellerons un chat un chat et un *leasing* un engagement, donc une dette. Nous ajouterons aux actifs purement comptables les biens financés en *leasing*.

Et aux dettes purement comptables les engagements de *leasing* correspondant aux équipements que nous avons mis à l'actif.

Comme pour l'escompte, c'est dans les annexes que nous trouverons les engagements de crédit-bail. Hélas, le législateur n'aime pas les mathématiques et stipule que doit apparaître en annexe le montant des « redevances restant à payer ».

En toute logique, ces loyers devraient être actualisés. En conséquence, ce montant à payer est très supérieur à la dette correspondante... De plus, les loyers sont fiscalement déductibles. Pour chaque versement de 100 F, l'entreprise réalisera une économie d'impôt de 33.33 F. Ce sont donc les deux tiers des loyers qu'il faut prendre en compte. Cette conséquence fiscale heureuse ne vaut bien sûr pas pour la valeur résiduelle qu'il faut comptabiliser dans son intégralité [1].

Exemple : *la* SA SAGEM *a d'importants engagements en crédit-bail, tant pour les redevances restant à payer que pour les valeurs résiduelles des actifs qu'elle a ainsi financés. Ces valeurs résiduelles, dont la plus grosse part est due à plus de cinq ans, ont une valeur « actuelle » sensiblement plus faible que leur valeur nominale. Aussi, les 825 (715 + 110) millions reportés dans les deux tableaux ci-dessous représentent-ils sensiblement plus que leur valeur actuelle... L'analyse financière n'est pas une science exacte. La prise en compte des leasings, même approximative, donne une image « plus sincère » du bilan que celle qu'on aurait obtenue en les passant sous silence.*

	Redevances à payer	Redevances nettes d'IS	Valeur résiduelle	Total
Immobilier	694	463	109	572
Matériel SAGEM	14	9	0.9	10
Autres matériels	7	5	0.5	5
	715	477	110.4	587

Immobilisations nettes	367	Dettes à long terme	278
Biens en *leasing*	587	Engagements *leasing*	587
Total Immobilisations	954	Total Dettes	865

---

1. *En pratique, certaines banques intègrent, à l'actif et au passif, 60 % des engagements de paiements, pour tenir compte des – éventuelles – économies d'impôts et de l'actualisation à pratiquer.*

| (en milliers de FRF) | Contrats en cours au 31.12.1993 | | |
| | | Crédit-bail mobilier | |
	Crédit-bail immobilier	Matériels SAGEM en location Crédit-bail adossé	Autres matériels
Valeur d'origine	**519 452**	**42 574**	**49 815**
Amortissements			
Cumul exercices antérieurs	41 888	18 536	27 118
Exercice	20 761	8 270	17 061
Total	**62 649**	**26 806**	**44 179**
Redevances payées			
Cumul exercices antérieurs	146 876	28 209	35 771
Exercice	55 736	13 102	16 267
Total	**202 612**	**41 311**	**52 038**
Redevances restant à payer			
à 1 an au plus	58 387	8 690	7 404
à + 1 an et 5 ans au plus	233 099	5 849	0
à + 5 ans	402 909	0	0
Total	**694 395**	**14 539**	**7 404**
Valeur résiduelle			
à 1 an au plus		874	499
à + 1 an et 5 ans au plus		99	0
à + 5 ans	109 437		
Total	**109 437**	**973**	**499**

FIGURE 20

❑ Expression des dettes corrigées

Pour le long terme, le calcul rapide des *dettes corrigées* sera le suivant :

DETTES CORRIGÉES =

+ *Dettes au bilan,*
+ *1/3 des provisions réglementées,*
+ *Partie décaissable des provisions pour risques,*
+ *Partie non récurrente des provisions pour charges,*
+ *60 % des engagements de leasing.*

7.4 LE BILAN FINANCIER SAGEM

Il est maintenant possible de rassembler dans un tableau toutes les informations, redressements et rétablissements précédemment analysés. Ce tableau synthétise le passage des données purement comptables aux données financières.Il constitue le dernier pas avant le *bilan financier* proprement dit.

SA SAGEM, éléments d'actif au 31/12/93

	Valeur comptable	Valeur financière
Immobilisations incorporelles	26	26
Immobilisations corporelles	367	367
Biens en *leasing*		587
Autres immobilisations	1 656	1 656
Actif immobilisé	**2 049**	**2 636**
Stocks et en-cours	756	756
Clients	1 617	1 486
Actifs hors exploitation	432	432
Liquidités	1 171	1 171
Actif circulant	**3 976**	**3 845**

SA SAGEM, éléments de passif au 31/12/93

	Valeur comptable	Valeur financière
Fonds propres	1 938	1 938
dividendes		− 79
provisions/clients		− 131
impôts sur provisions réglementées		− 9
Emprunts subordonnés		500
Partie stable des provisions sur risques		250
Provisions/charges		500
Fonds propres corrigés	**1 938**	**2 970**

	Valeur comptable	Valeur financière
Dettes à long terme	278	278.0
Impôts sur provisions réglementées		8.5
Provisions pour charges		13.2
Provisions pour risques		28.6
Leasing		587.1
Dettes corrigées		**873.6**

	Valeur comptable	Valeur financière
Dettes d'exploitation	2 408	2 408
Dividendes		79
Dettes sur immobilisations	42	42
Autres dettes	102	102
Passif hors exploitation		223
Dettes financières court terme		7

SA SAGEM, **Bilan financier au 31/12/93**

Le bilan financier donne, avec une douzaine de chiffres, un profil de l'entreprise. Il est évident que cette synthèse a fait passer à la trappe grand nombre de détails...

Actif Immobilisé		Capitaux Permanents	
Immobilisations incorporelles	26	Fonds Propres corrigés	2 970
Immobilsations corporelles	954	Dettes à L/M terme corrigées	3 843
Immobilisations financières	1 656		
Actifs Circulants		**Passif Circulant**	
Stocks (matières et en-cours)	756	Dettes d'exploitation	2 408
Comptes clients	1 486	Dettes hors expl. corrigées	223
Créances hors exploitation	432	Dettes financières court terme	7
Liquidités	1 174		

8 LES FLUX FINANCIERS

Le tableau des soldes intermédiaires de gestion nous a conduits du chiffre d'affaires au résultat, par une cascade de soldes intermédiaires dont nous avons reconnu le bien fondé. Le *résultat* qu'il nous délivre, la *bottom line* des américains, est une notion fondamentale puisqu'elle est à la base des distributions de dividendes, et sert de fondement aux évaluations boursières [1].

Le *résultat* traduit l'enrichissement tel qu'il est **mesuré par la comptabilité.** Ce résultat est sensible à toutes les manipulations: certaines, au niveau fiscal, ont pour objectif de diminuer [2] l'impôt sur les sociétés, dans le cadre légal bien entendu [3]. D'autres manipulations sont destinées à tromper les actionnaires... On peut jouer sur les amortissements, passer un maximum de provisions, réglementées ou non (pour des charges incertaines), afin de diminuer ou d'augmenter – selon le besoin – son résultat .

De plus, le compte de résultat a mis dans le même sac les dépenses décaissées (frais de personnel, par exemple) et les dépenses *calculées* (dotations aux amortissements). En conséquence, son solde, le *profit* ne représente pas un flux financier : le résultat ne se retrouve pas en caisse.

Enfin, si le plan comptable est l'œuvre de la profession comptable c'est quand même la Direction Générale des Impôts qui l'a parrainé et la pratique comptable française est hélas plus préoccupée d' **orthodoxie fiscale** que de **logique financière.**

Nous venons de remettre en cause le caractère économique du résultat net. De plus, il ne faut pas confondre **rentabilité** et liquidité. Et d'ailleurs, à la fin des années 70, nous avons pu voir des centaines d'entreprises parfaitement bénéficiaires, donc apparemment rentables, déposer leur bilan parce qu'elles n'étaient pas solvables. **Rentabilité et solvabilité sont deux notions distinctes** et d'ailleurs souvent antagonistes.

---

1. *A en croire certaines personnes bien informées. Voir Chapitre* **Évaluation de l'entreprise.**
2. *Faute morale ; faute juridique ; faute rationnelle : l'impôt est, au mieux, repoussé dans le temps.*
3. *Bien à tort, d'ailleurs, compte tenu de l'avoir fiscal.*

Ce paradoxe vient du fait que le bénéfice mesuré par la comptabilité n'est qu'un des aspects de la *bonne santé* de l'entreprise. C'est pour cette raison, entre autres, que lorsque les chefs d'entreprise sont interviewés dans les journaux économiques à la radio ou à la télévision, ils sont parfois plus discrets sur leurs résultats que sur leurs investissements rendus possibles par ce qu'ils désignent sous le nom de *cash-flow*, qui n'a pas la connotation péjorative qu'a le terme *profit*. Ce terme barbare, qui ne figure même pas dans le petit Larousse, recouvre pourtant une notion financière fondamentale.

8.1 | LE CASH FLOW

Littéralement flux (flow) de **liquidités,** le cash-flow mesure de combien les disponibilités de l'entreprise ont augmenté pendant l'exercice. S'il y avait en caisse χ au début de l'année, et s'il y a Y à la fin de l'année, il n'est pas nécessaire d'être grand clerc ou expert-comptable pour déterminer que le cash-flow a été de $Y - \chi$. Il n'y a aucune manipulation qui puisse altérer cette vérité première, dont les deux composantes, Y et χ, sont parfaitement visibles sur deux bilans successifs, vérifiables [1] par confrontation aux relevés bancaires.

Ce serait trop simple s'il n'existait qu'une seule définition pour ce flux de liquidité, dont la traduction française officielle est :

Marge brute d'autofinancement

Nous continuerons toutefois à l'appeler cash-flow car cet anglicisme est plus proche de la réalité financière que les trois lettres de MBA.

---

1. *Au rapprochement bancaire près.*

Traduit littéralement, le cash-flow, c'est l'ensemble des fonds générés par l'activité de l'entreprise. Il se mesure sur une période de temps, comme le compte de résultat et non pas à une date donnée comme le bilan.

On peut encore le définir comme la différence entre :

> *Produits se traduisant par des encaissements*
> *et*
> *Charges se traduisant par des décaissements*

❑ Expression du cash-flow

Si dans un premier temps nous négligeons le décalage dans le temps qui peut exister entre :

> *ventes et encaissements*

ainsi que le décalage entre :

> *achats et décaissements*

et si nous faisons abstraction des variations de stock, nous pouvons écrire la première définition du cash-flow :

> *(1) CASH-FLOW = RÉSULTAT NET*
>
> > *+ dotations aux amortissements,*
> > *+ dotations aux provisions pour risques*
> >   *et charges,*
> > *– reprises sur provisions.*

En effet, le compte de résultat additionne des fruits et des légumes, tant au niveau des recettes que des produits. Alors qu'il y a des recettes sonnantes et trébuchantes comme le chiffre d'affaires, il y a des recettes *jeu d'écriture* comme les reprises de provisions. Alors qu'il y a des dépenses sonnantes et trébuchantes, comme les frais de personnel, il y a des dépenses *calculées* comme les dotations aux amortissements.

Il convient donc de corriger le résultat net, qui est la différence entre les produits et les dépenses. en lui rajoutant les dotations qui sont des *dépenses jeu d'écriture*, et non des dépenses décaissées.

Exemple : dans le rapport annuel 1993 du groupe DELACHAUX, on peut lire les éléments suivants :

	Exercice 1993
Bénéfice net	14.5
Dotation aux amortissements	30.9
Retraitements divers	− 4.6
Marge brute d'autofinancement	40.8

8.2 L'AUTOFINANCEMENT

Le terme **autofinancement** est employé souvent, à tort et à travers. Commençons par dire ce qu'il représente, puis nous verrons ce qu'il n'est jamais, malgré ce qu'on entend dire bien souvent.

❑ Définition de l'autofinancement

L'autofinancement se définit comme la différence : MBA moins dividendes. Il est parfois appelé **Capacité d'autofinancement,** ou encore **CAF.**

Il mesure donc le volume de liquidités disponible, du fait de l'exploitation, après la prise en compte de la rémunération des actionnaires.

❏ Ce que l'autofinancement n'est pas

J'entends parfois des chefs d'entreprise narrer leurs flux financiers de la manière suivante : « *J'ai investi 10 millions dans cet atelier, entièrement autofinancés.* » Or, à l'examen des comptes de l'entreprise, je m'étonne de constater un résultat nul, et un cash-flow de 3 millions. Cette constatation soulève au moins deux questions :

Comment l'industriel a-t-il financé son atelier ?

Tout simplement en puisant dans ses disponibilités, qui ont pu diminuer de 10 millions, ou même rester inchangées. Dans un tel cas il y a forcément quelque créancier de l'entreprise qui augmentera ses en-cours. Bien souvent, ce seront des fournisseurs dont l'avis n'a pas été d'ailleurs sollicité.

Il est parfois plaisant de voir des comptes traduisant un paiement des fournisseurs décalé de 3 mois à 4 mois, un cash-flow négatif, sur fonds de discours d'autofinancement...

Qu'entend l'industriel par « autofinancer » ?

L'industriel a voulu dire qu'il n'avait pas eu recours à un emprunt bancaire. Il a utilisé le terme *autofinancement* dans le sens de la différence entre le montant investi et le montant de l'emprunt associé [1].

---

1. *Associé à tort, d'ailleurs, à l'investissement. Car vous n'empruntez pas pour acheter votre voiture ou votre appartement. Vous empruntez parce que vous avez besoin d'argent. L'affectation d'un emprunt à un emploi est financièrement factice, même si elle semble juridiquement justifiée. De plus, elle est excessivement dangereuse car elle peut mener à des décisions erronées.*

J'ai, hélas, ainsi rencontré beaucoup d'entreprises qui ont déposé leur bilan suite à de tels *autofinancements*...

8.3 LE CASH-FLOW LIBRE

Dans une deuxième étape de l'analyse, on affinera l'approche précédente en constatant que toutes les ventes n'ont pas été forcément encaissées.

En effet, si vous avez beaucoup vendu sur le mois de décembre, vous aurez dégagé, sur le papier du moins, un résultat important. Mais, entre la constatation comptable de ces ventes (dans le compte de résultat), et leur apparition en banque, beaucoup d'eau coulera sous le Pont Mirabeau. Aussi, dans un premier temps, c'est sur le compte clients – et non sur le compte en banque – que vont se traduire ces ventes.

Il faut donc retirer du cash-flow la variation de ces sommes à percevoir.

De même, tous les fournisseurs n'ont pas forcément été réglés, ce qui se traduit par une élévation du compte fournisseurs. En toute logique, nous devons donc ajouter au cash-flow cette augmentation du crédit que nous accordent les fournisseurs.

Enfin, tous les achats n'ont pas forcément été consommés, ce qui entraîne une variation des stocks. Cette non-consommation est sans incidence sur le résultat puisque les achats ont été corrigés par la variation de stocks. Cependant, ils ont vraisemblablement [1] été payés. Il faut tenir compte de ces matières achetées, mais non consommées, en les soustrayant du cash-flow.

---

[1]. *Peu importe d'ailleurs, car s'ils ne l'ont pas été, il y a une ressource correspondante sur le compte fournisseurs.*

Nous allons définir le *cash-flow libre* [1], parfois appelé *cash-flow réel* en corrigeant la MBA de ces variations, qu'il est coutume d'écrire avec la lettre Δ de l'alphabet Grec, prononcée « delta ». [2]

---

(3) CASH-FLOW LIBRE =

> *CASH-FLOW*
> − Δ *(Clients)*
> − Δ *(Stocks)*
> + Δ *(Fournisseurs)*

Dans le cas du groupe DELACHAUX, l'estimation du flux réel dégagé par l'exploitation bénéficiaire, corrigée par les résultats d'une gestion plus *serrée* du compte-clients, apparaît dans le tableau ci-dessous :

	Au 31/12/92	Au 31/12/93	Variation
Stocks	147.5	156.7	9.2
Clients	230.2	196.7	− 33.5
Fournisseurs	114.2	116.3	2.1
		Total	− 26.4
		MBA	40.8
	moins Variation Bas de bilan		− 26.4
		Cash-flow libre	67.2

Le cash-flow réel de DELACHAUX est finalement de l'ordre de 67 MF, soit plus de quatre fois supérieur au résultat ! De plus, la seule action sur les comptes clients et fournisseurs se traduit par un impact positif sur la liquidité de 36 MF (− 33.5 − 2.1), soit encore près de trois fois le résultat net.

---

1 *De l'anglais* free cash-flow. *Une demi-concession à Monsieur* TOUBON.
2 *Ainsi,* Δ *(Clients) = Comptes clients 31/12/n − Compte clients 31/12/n-1.*

Conclusion : compte tenu de l'écart qui peut exister entre *résultat comptable* et le montant des liquidités réellement engrangées, il a paru nécessaire d'établir un état financier spécial : c'est précisément le tableau emploi-ressources, auquel sont astreintes les grosses entreprises.

L'exemple de DELACHAUX montre bien que cet éclairage supplémentaire est loin d'être superflu..

8.4 LE TABLEAU DE FINANCEMENT

Bien qu'il ait plusieurs dénominations (tableau de financement, ou de flux, ou emplois-ressources...), et plusieurs présentations possibles, le tableau de financement a deux **objectifs bien définis :**

1 – Expliquer par les flux financiers les variations de trésorerie entre deux dates.
2 – Expliquer la différence entre deux bilans dressés à un an d'intervalle.

Vous avez ci-contre, à titre d'exemple, un modèle de tableau de financement proposé par le LAMY FISCALO-COMPTABLE, l'une des bibles du monde de la gestion.

Variation du fonds de roulement net global	Exercice N			Exercice N – 1
	Besoins 1	Dégagement 2	Solde 2 – 1	Solde
Variation « Exploitation » : – Variations des actifs d'exploitation : Stocks et en-cours .... Avances et acomptes versés sur commandes... Créances clients, comptes rattachés et autres créances d'exploitation *(a)* .... – Variations des dettes d'exploitation : Avances et acomptes reçus sur commandes en cours............................... Dettes fournisseurs, comptes rattachés et autres dettes d'exploitation *(b)*				
Totaux......................	X	X		
A) Variation nette « Exploitation » *(c)*.......			= X	= X
Variation « Hors exploitations » : – Variations des autres débiteurs *(a) (d)* ...... – Variations des autres créditeurs *(b)*...........				
Totaux......................	X	X		
B) Variation nette « Hors exploitation » *(c)*			= X	= X
Total A + B : Besoin de l'exercice en fonds de roulement .... *ou* Dégagement net de fonds de roulement dans l'exercice...			– X – X	– X – X

FIGURE 21

8.5 LA LOGIQUE DES TABLEAUX DE FLUX

De même que tous les chemins mènent à Rome, de même le compte de résultat peut se présenter sous sa forme la plus comptable et sous une forme un peu plus élaborée avec les soldes de gestion, les gestionnaires se sont penchés avec insistance sur l'analyse des flux financiers, afin de mieux comprendre l'entreprise.

Aujourd'hui, si vous parcourez les rapports annuels des entreprises, vous pourrez constater la forme non standardisée de ces tableaux de flux.

Le principe de base du tableau de flux est issu du sens commun : il se résume parfaitement dans le tableau ci-dessous.

	Emploi	Ressource
Augmentation d'un actif	X	
Diminution d'un actif		X
Augmentation d'une dette		X
Diminution d'une dette	X	

Toute augmentation d'actif constitue un emploi. En contrepartie, il est inévitable qu'il y ait un actif qui diminue ou une dette qui augmente. Toute diminution d'actif constitue une ressource. Symétriquement, toute augmentation de dette constitue une ressource, et toute diminution de dette constitue un emploi.

> *Ainsi, si vous acquérez un nouveau tour à commande numérique de 500 KF, vous allez augmenter vos immobilisations de 500 KF. Il est inévitable que d'autres postes du bilan soient mouvementés suite à cette acquisition.*
>
> *Si vous achetez ce tour « cash », c'est votre trésorerie qui va diminuer de 500 KF, et l'équilibre du bilan se modifiera de la manière suivante :*
>
> *Emploi = Augmentation des Immos = 500 KF,*
> *Ressources = Diminution de la trésorerie = 500 KF.*
>
> *Si vous contractez un emprunt « pour » financer ce tour, votre trésorerie sera globalement inchangée et l'équilibre du bilan se modifiera de la manière suivante :*
>
> *Emploi =   Augmentation des Immos = 500 KF,*
> *Ressources =   Augmentation de la dette = 500 KF.*

Dans tous les cas, le total des emplois est forcément égal au total des ressources.

❑ Le tableau de flux du Plan Comptable Général

Si vous n'êtes pas familier des notions de fonds de roulement et de besoins en fonds de roulement, je vous conseille de lire le chapitre suivant, afin de mieux saisir les développements sur la présentation préconisée par le Plan Comptable Général.

Le tableau de financement est organisé autour de la variation du fonds de roulement qui est calculée de deux manières : par le haut du bilan, puis par le bas du bilan.

> *VARIATION DU FONDS DE ROULEMENT =*
>
> *Variation des ressources durables*
> *– Variation des emplois durables*

Chacune des composantes ci-dessus peut se scinder en ses composantes élémentaires. On arrive alors à la définition classique ci-dessous [1].

VARIATION DU FONDS DE ROULEMENT =

    Résultat Net
+ Dotations
− Reprises
+ Variations des dettes financières
− Dividendes
− Investissements nets

Par le bas du bilan, la variation du fonds de roulement s'analyse comme la variation des besoins en fonds de roulement à laquelle on ajoute la variation de la trésorerie :

    Variation des actifs circulants
− Variation des dettes non financières
+ Variation de trésorerie

= Variation du fonds de roulement.

Exemple de tableau de financement

Le tableau de financement du Groupe SAGEM, ci-après, a été établi selon ce modèle, *recommandé* par le P.C.G. Notez qu'il est cependant plus complexe, ou mieux détaillé que je ne l'ai développé ci-dessus.

---

1. *Dans laquelle les éléments positifs sont des ressources, alors que les éléments négatifs constituent des emplois.*

TABLEAU DE FINANCEMENT

(en milliers de FRF)	1993
VARIATION DU FONDS DE ROULEMENT	
RESSOURCES	
Capacité d'autofinancement de l'exercice	1 281 485
Cessions ou réductions d'éléments de l'actif immobilisé	31 708
Augmentation des capitaux propres	17 346
Variations de périmètre	112 108
TOTAL RESSOURCES	**1 442 647**
EMPLOIS	
Acquisitions d'immobilisations corporelles et incorporelles	421 998
Acquisitions d'immobilisations financières	461 835
Diminution des dettes financières	143 235
Dividendes versés	92 279
TOTAL EMPLOIS	**1 119 347**
AUGMENTATION DU FONDS DE ROULEMENT	**323 300**
UTILISATION DE LA VARIATION DU FONDS DE ROULEMENT	
Augmentation des stocks	185 533
Augmentation des créances	87 639
Augmentation des fournisseurs et autres dettes	(410 566)
Variation du besoin en fonds de roulement	**(137 394)**
Augmentation des valeurs mobilières de placement et des disponibilités	484 634
Augmentation des concours bancaires courants et soldes créditeurs de banques	(23 940)
Variation de la trésorerie	**460 694**
VARIATION DU FONDS DE ROULEMENT	**323 300**

FIGURE **22**

PRÉSENTATION DES TABLEAUX PRÉCONISÉE PAR LE P.C.G.

a) Présentation en compte

Emplois	Exercice N	Exercice N – 1	Ressources	Exercice N	Exercice N – 1
			Capacité d'autofinancement de l'exercice		
Distributions mises en paiement au cours de l'exercice..............			Cessions ou réductions d'éléments de l'actif immobilisé :		
Acquisitions d'éléments de l'actif immobilisé :			. Cessions d'immobilisations		
– Immobilisations incorporelles			Incorporelles		
– Immobilisations corporelles......................			Corporelles		
– Immobilisations financières			. Cessions ou réductions d'immobilisations financières		
			Augmentation des capitaux propres		
Charges à répartir sur plusieurs exercices (a)			. Augmentation de capital ou apports		
Réduction des capitaux propres (réduction de capital, retraits)..............................			. Augmentation des autres capitaux propres		
Remboursements de dettes financières (b) ...			Augmentation des dettes financières (b) (c)		
Total des emplois..............			Total des ressources		
Variation du fonds de roulement net global (ressource nette)	X	X	Variation du fonds de roulement net global (emploi net)	X	X

(a) Montant brut transféré au cours de l'exercice
(b) Sauf concours courants et soldes créditeurs de banques.
(c) Hors primes de remboursement des obligations.

DOCUMENT DE SYNTHÈSE

Suite du tableau

Variation du fonds de roulement net global	Exercice N Besoins 1	Exercice N Dégagement 2	Exercice N Solde 2 – 1	Exercice N – 1 Solde
Variation « Trésorerie » :				
– Variations des disponibilités.......................				
– Variations des concours bancaires courants et soldes créditeurs de banque ...				
Totaux	X	X		
C) Variation nette « Trésorerie » (c)...........			= X	= X
Variation du fonds de roulement net global (Total A + B + C) :				
– Emploi net...			–	–
ou				
– Ressource nette			–	–

(a) Y compris charges constatées d'avance selon leur affectation à l'exploitation ou non
(b) Y compris produits constatés d'avance selon leur affectation à l'exploitation ou non.
(c) Les montants sont assortis du signe (+) lorsque les dégagements l'emportent sur les besoins et du signe (–) dans le cas contraire.
(d) Y compris les valeurs mobilières de placement.
Nota – Cette partie II du tableau peut être adaptée au système de base. Dans ce cas, les variations portent sur l'ensemble des éléments : aucune distinction n'est faite entre « exploitation » et « hors exploitation ».

b) Présentation en liste

Calcul de la variation du fonds de roulement net global	Exercice N – 1	Exercice N
Ressources durables :		
–Capacité d'autofinancement de l'exercice		
– Cessions ou réductions d'éléments de l'actif immobilisé		
Cessions d'immobilisations :		
. incorporelles		
. corporelles		
Cessions ou réductions d'immobilisations financières..........		
– Augmentation des capitaux propres :		
Augmentation de capital ou apports		
Augmentation des autres capitaux propres		
– Augmentation des dettes financières (a) (b)......................		
Total des ressources (I)	X	X

FIGURES 23 / 24

❑ Le tableau anglo-saxon des flux

La présentation anglo-saxonne, que nous allons vraisemblablement adopter sous peu, est plus détaillée.

Elle utilise bien évidemment la logique de base : toute augmentation d'actif est un emploi, toute augmentation de dette est une ressource. Mais, au lieu de synthétiser sur un unique tableau l'ensemble des flux de l'entreprise, elle prévoit un sous-total pour chacune des grandes sous-familles de flux, à savoir :

1 – les flux d'exploitation,
2 – les flux de financement,
3 – les flux d'investissement.

Elle se décompose donc, à l'instar du compte de résultat comptable, en trois volets correspondant bien à un centre de responsabilité de l'entreprise .

• *Le flux d'exploitation*

Il s'agit bien sur du cash-flow libre qui prend en compte :

1 – la ressource, à savoir le cash-flow,
2 – l'emploi, c'est-à-dire les nécessaires augmentations des actifs circulants, diminuées des variations de dettes d'exploitation.

• *Le flux de financement*

C'est le solde des opérations de financement, qui est la différence entre :

1 – la ressource, à savoir les emprunts contractés et les augmentations de capital [1],

---

1. *Les « vraies » augmentations de capital, en numéraires, par opposition aux augmentations de capital par incorporation de réserves qui ne sont que des jeux d'écriture.*

2 – les emplois, c'est-à-dire, les emprunts remboursés.

Alors qu'il suffit de regarder les deux colonnes du bilan, au niveau des dettes financières, pour connaître la différence entre les emprunts contractés et les emprunts remboursés, il est impossible, sans données internes, de connaître les uns et les autres. L'un des objectifs du tableau de flux est précisément de donner le détail des uns et des autres, informations que l'analyste externe ne peut déduire du bilan.

Ainsi, dans le cas du groupe DELACHAUX, (dont le bilan se trouve dans les documents de fin de volume), seuls les chiffres gras apparaissent dans le bilan. Il y a plusieurs manières de passer de 86.3 MF à 78.4 MF de dettes. Dans le tableau ci-dessous, qui constitue le volet *financement* du tableau de flux anglo-saxon, nous avons envisagé deux hypothèses possibles qui traduisent une activité financière fort différente pour les mêmes conséquences en terme de bilan.

	Hypothèse 1	Hypothèse 2
Dette à moins d'1 an au 31/12/92 (1)	**86 301**	**86 301**
Emprunts contractés en 93 (2)	50 000	5 000
Emprunts remboursés en 93 (3)	– 57 868	– 12 868
Dettes à + d'1 an au 31/12/93 (4) = (1) + (2) + (3)	**78 433**	**78 433**
Solde financier (5) = (4) - (1)	– 7 868	– 7 868

La partie *financement* du tableau de financement anglo-saxon permet de lever le doute et de donner un aperçu de l'activité financière de l'entreprise pendant l'exercice, alors que le tableau des flux du PCG ne nous aurait donné que le solde de ces opérations financières : 7868.

• *Le flux d'investissement*

De la même manière, le tableau de flux du PCG ne fait apparaître que l'investissement net. Celui-ci peut, en première approximation, s'estimer par l'équation :

> *Investissement net = Immos nettes année n*
>
> *– Immos nettes année n-1*
> *+ Dotations aux amortissements de l'exercice*

Ainsi, pour le groupe DELACHAUX, on peut aisément estimer l'ordre de grandeur des investissements réalisés sur l'exercice 1993 :

Immos Nettes au 31/12/93	(1)	177 009
Immos Nettes au 31/12/92	(2)	–184 276
Dotations exercice 93	(3)	30 951
	(4)=(1+2+3)	23 684

Ici encore, l'investissement net, estimé par ce calcul, peut masquer une intense activité d'investissement et de désinvestissement. Car il y a plusieurs moyens de faire un investissement net de 23.6 MF. Par exemple en investissant 23.6 MF et en ne désinvestissant rien. Ou encore en investissant 33.6 MF et en désinvestissant 10 MF...

Un tableau des opérations d'investissement **et** de désinvestissement permettra de lever le doute et, une fois encore, de mieux comprendre l'entreprise.

9

ÉQUILIBRE DU BILAN

Lorsqu'une entreprise ne peut plus faire face à ses échéances, elle dépose son bilan.

Ne plus faire face à ses échéances, c'est, par exemple, se trouver le 29 du mois dans les conditions suivantes :

- des disponibilités nulles : rien en caisse en langage commun,
- aucune possibilité de trouver d'argent frais,
- la paie de 10 millions de francs à verser au 30 du mois.

L'entreprise est dite alors *insolvable*, ou encore *illiquide*. On peut très bien arriver à une telle situation avec des capitaux propres très conséquents. On peut très bien être richissime et insolvable. On peut très bien recevoir l'huissier dans un appartement donnant sur le champ de Mars dont les murs sont couverts de VAN GOGH et de GAUGUIN, de même que le bateau de haute mer peut s'échouer sur le banc de sable à la sortie du port.

Lorsqu'il y a dépôt de bilan, il n'y a plus que des perdants. Qu'ils s'appellent fournisseurs. organismes sociaux, État, banques ou salariés, ils pâtiront tous de la déroute de l'entreprise. Aussi, les financiers ont-ils formalisé un instrument destiné à prévenir une éventuelle déroute prochaine : le *fonds de roulement*, que nous appellerons par la suite FDR.

9.1 LE FONDS DE ROULEMENT (FDR)

Il est défini à partir de l'équation ci-dessous :

Équation 9.1 : FDR = actif à court terme — passif à court terme

Le FDR permet de mesurer l'équilibre financier résultant de la confrontation entre les actifs à court terme, qui figurent au bas de l'actif, et le passif à court terme. Le FDR est donc une notion de court terme, de bas de bilan. Ne s'agit-il pas d'éviter l'écueil de la sortie du port ?

Le « bas du bilan », en langage financier, est en effet constitué d'actifs qui se transformeront en liquidités en moins d'un an (actifs à court terme) et des engagements [1] à moins d'un an (passif à court terme).

❑ Comment, en première analyse, interpréter un FDR négatif ?

Si le FDR est négatif, il y a moins d'actifs à court terme que d'engagements à moins d'un an. L'entreprise ne serait pas à même de rembourser immédiatement ses dettes à court terme, si par hasard on le lui demandait. De là à penser qu'il est probable qu'on lui demande de rembourser immédiatement les dettes figurant à son bilan, il n'y a qu'un pas, vite franchi, et « on » a vite fait d'assimiler *fonds de roulement* négatif à instabilité financière.

Un peu abusif quand même.

❑ Comment, en première analyse, interpréter un FDR positif ?

Au contraire, plus le fonds de roulement est élevé, plus les dettes à court terme semblent susceptibles d'être honorées par la réalisation de l'actif circulant. Donc, en déduit-on, plus l'équilibre financier semble assuré.

---

1. *Le bilan comptable proprement dit ne donne pas les dettes à court terme, que vous trouverez en annexe, et/ou sur la page 8 cadre B de la liasse* CERFA.

Compte tenu de ces constatations, le caractère positif du FDR a été considéré comme un *must*, comme un impératif sur lequel il était hors de question de revenir. Certains banquiers en avaient fait une condition *sine qua non* pour accorder des crédits à l'entreprise. « *En dehors d'un FDR positif, point de salut !* » entendait-on toujours et partout. Il reste vrai que les très belles entreprises industrielles ont des fonds de roulement importants et que les très vilaines ont des fonds de roulement très négatifs.

❏ Le calcul du fonds de roulement

Le FDR est une notion essentiellement financière et c'est à partir du bilan financier qu'il faudra le calculer plutôt qu'avec les données comptables du bilan tout court. Il ne viendrait pas à l'esprit d'inclure dans le fonds de roulement les primes de remboursement d'obligations, figurant en bas de bilan, dont on sait que ce sont des non-valeurs.

Appliquons la définition de l'équation 9.1 sur la société MODÈLE dont le bilan financier par grandes masses apparaît ci-dessous :

Société MODÈLE / Bilan au 31/12/199n			
Actif Immobilisé	100	Fonds Propres	60
Actifs Circulants	120	Dettes à long terme	60
		Dettes à court terme	100
Total	220	Total	220

$$FDR = 120 - 100 = 20$$

Mais le fonds de roulement peut aussi se calculer par le haut de bilan. En effet, chacune des deux composantes de bas de bilan peut s'exprimer en fonction du total du bilan et de sa partie haute. Si le calcul algébrique est élémentaire, sa constatation graphique l'est plus encore.

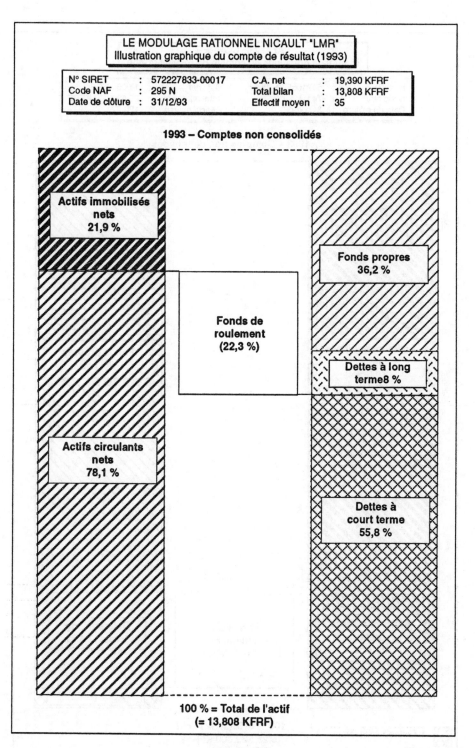

LE MODULAGE RATIONNEL NICAULT "LMR"
Illustration graphique du compte de résultat (1993)

N° SIRET	:	572227833-00017	C.A. net	:	19,390 KFRF
Code NAF	:	295 N	Total bilan	:	13,808 KFRF
Date de clôture	:	31/12/93	Effectif moyen	:	35

1993 – Comptes non consolidés

Actifs immobilisés
nets
21,9 %

Fonds propres
36,2 %

Fonds de
roulement
(22,3 %)

Dettes à long
terme 8 %

Actifs circulants
nets
78,1 %

Dettes à
court terme
55,8 %

100 % = Total de l'actif
(= 13,808 KFRF)

FIGURE 25

173

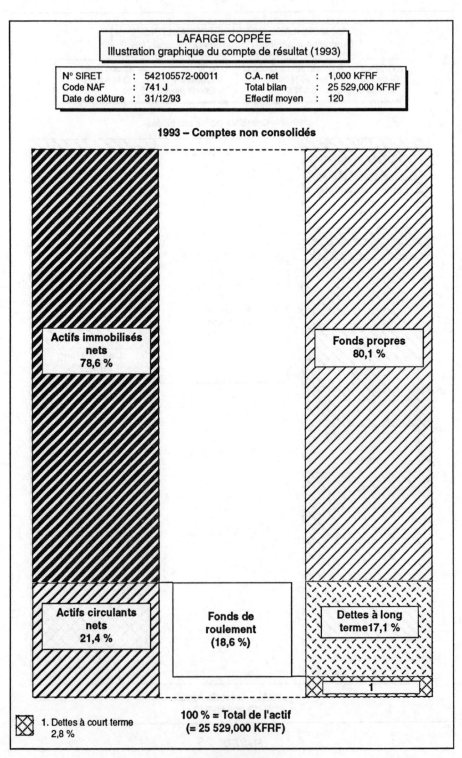

FIGURE 26

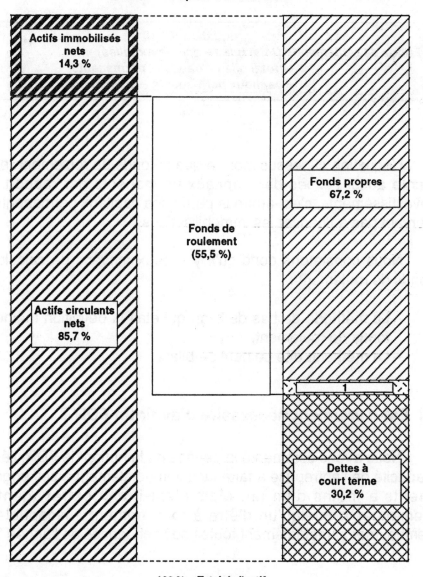

CENTRE LECLERC SA PESSAC DISTRIBUTION
Illustration graphique du compte de résultat (1993)

N° SIRET	:	470200676-00026	C.A. net	: 118,719 KFRF
Code NAF	:	521 D	Total bilan	: 65,054 KFRF
Date de clôture	:	31/12/93	Effectif moyen	: 75

1993 – Comptes non consolidés

Actifs immobilisés
nets
14,3 %

Fonds propres
67,2 %

Fonds de
roulement
(55,5 %)

Actifs circulants
nets
85,7 %

1

Dettes à
court terme
30,2 %

1. Dettes à long terme
2,6 %

**100 % = Total de l'actif
(= 65,054 KFRF)**

FIGURE **27**

> **Équation 9.2 :**
> **Actif à court terme = total bilan – actif immobilisé**

> **Équation 9.3 :**
> **Passif à court terme = total bilan – capitaux permanents**

> **Équation 9.4 :**
> **Fonds de roulement = (total bilan – actif immobilisé)**
> **– (total bilan – capitaux permanents)**
> **= capitaux permanents – actif immobilisé**

L'équation ci-dessus montre que le fonds de roulement représente aussi l'excès des capitaux permanents par rapport aux investissements, c'est-à-dire la partie des capitaux permanents ne servant pas à financer les immobilisations.

Nous constatons donc qu'il y a deux moyens de calculer le fonds de roulement :

- La méthode de bas de bilan qui était la définition même du fonds de roulement.
- La méthode dite de haut de bilan.

❑ Est-il vraiment nécessaire d'avoir un FDR ?

Nous avons commenté la genèse de la notion de FDR, lié à la capacité de l'entreprise à faire face immédiatement à ses engagements à moins d'un an. Mais n'est-il pas extravagant de demander à quelqu'un d'être à tout moment susceptible de rembourser immédiatement toutes ses échéances de l'année ?

Imaginons que nous appliquions cette règle de manière universelle.

Prenons un français moyen, dont le revenu mensuel est de 10 000 francs, endetté de telle sorte que ses échéances mensuelles sont de 3 300 francs, le tiers de son salaire. Etablissons quelques dettes à court terme figurant sur son bilan du premier janvier au matin :

1 – Il y a un poste de dettes à court terme de 3 300 x 12, soit 39 600 francs, soit 4 mois de salaire,
2 – Il y a un poste « impôt sur le revenu » de 8 000 Francs,
3 – Il y a un poste « taxe d'habitation » de 4 000 Francs.

Si son bas de laine est en-deçà du total de 52 000 Francs, son fonds de roulement sera négatif. Notre français moyen doit-il aller déposer son bilan ? La profession bancaire va-t-elle lui tourner le dos s'il a moins de cinq mois de salaire sur son compte en banque ?

La réponse à ces questions est bien évidemment : NON.

Certes, avoir un FDR positif est signe apparent de stabilité. Mais on peut se contenter, comme notre français moyen, d'avoir un équilibre apparemment moins stable, en engrangeant à la fin de chaque mois au moins de quoi faire face aux échéances du mois suivant, **en faisant tourner ses actifs à court terme plus vite** que ses dettes à court terme.

On peut même vivre dans le déséquilibre.

Notre bonne vieille terre est-elle en équilibre sur sa trajectoire par rapport au soleil ? Heureusement que non, car nous serions morts de froid depuis très longtemps sans cette accélération centripète de quelques milliers de km/s^2, grâce à laquelle nous décrivons une orbite presque circulaire au lieu de nous éloigner à vitesse constante de l'astre du jour.

Ainsi, le groupe CARREFOUR, dont vous avez ci-dessous des extraits des bilans 92 et 93 a un fond de roulement parfaitement négatif, ce qui ne l'empêche pas de jouir d'une insolente bonne santé financière.

	décembre 1992	décembre 1993
Fonds Propres	12 615	15 231
Dettes à long terme	5 264	4 433
Capitaux permanents	17 879	19 664
Immobilisations	– 29 548	– 30 251
Fonds de roulement	– 11 669	– 10 587

9.2 LE BESOIN EN FONDS DE ROULEMENT

De même que les terriens survivent très agréablement au déséquilibre de leur planète, certaines entreprises n'ont guère besoin d'un équilibre marqué du sceau d'un FDR positif.

Tel est le cas bien connu de la Distribution.

Imaginez-vous à la tête d'une grande surface, le 20 décembre 1995.

Vous savez que vos clients vont acheter pour 100 000 Francs de bûches de Noël, entre le 20/12 et la fin de l'année. Aussi allez-vous passer commande à votre fournisseur de 90 000 Francs de bûches, que vous réglerez à 90 jours fin de mois, c'est-à-dire le 31 mars. Vous allez encaisser les 100 000 Francs immédiatement, mais attendrez néanmoins 3 mois avant de régler votre fournisseur.

Avez-vous besoin d'un fonds de roulement ? Non !

Les capitaux dont vous avez besoin pour vos menues dépenses, vous les prendrez « sur » ces 100 000 Francs.

Mais ceci ne durera qu'un temps, me direz-vous, car il faudra les rembourser. En pratique, oui. En réalité non. Car vous savez que vos clients vont vous acheter pour 100 000 Francs d'œufs de Pâques. Aussi allez-vous commander 90 000 Francs d'œufs de Pâques à un autre fournisseur, vendre immédiatement ces œufs et « utiliser » le produit de cette vente pour payer votre fournisseur de bûches de Noël. Vous devrez donc, fin mars, 90 000 Francs à votre chocolatier, que vous réglerez, en Juin... « avec » le produit des ventes de glaces que vous aurez achetées au fournisseur de bûches que vous vendrez « comptant » à vos chers clients...

Vous n'avez donc pas besoin de fonds de roulement. Votre besoin en fonds est même « négatif ».

❑ Le besoin de financement du cycle d'exploitation

En deux mots, la règle d'équilibre n'est pas d'avoir un FDR positif, mais d'avoir un FDR au moins égal à ses besoins en FDR. Afin de déterminer l'utilité réelle du FDR, reprenons – en le détaillant – le bilan de la société MODÈLE.

Imaginons que cette société soit merveilleusement gérée et que le bilan que vous avez sous les yeux soit le résultat d'une remarquable gestion des stocks, des clients, des fournisseurs, ainsi que de tous les postes d'actif et de passif.

Société MODELE / Bilan au 31/12/199...			
Actif Immobilisé	100	Fonds propres corrigés	60
Stocks	30	Dettes long terme	60
Clients	30	Dettes d'exploitation	40
Dépôts	50	Det. hors exploitation	40
		Financements courts	20
Disponibilités	10		
Total	220	Total	220

Pour que notre société puisse fonctionner harmonieusement, elle doit avoir un volant minimum de stocks : c'est précisément ce minimum qui figure au bilan : 30.

De même, pour respecter la tradition commerciale, elle doit faire crédit à ses clients. Sans ce crédit, elle ne pourrait plus vendre. Aussi doit-elle faire à ses clients un prêt permanent de 30, qui figure lui aussi au bilan.

Enfin, en contrepartie, elle est traitée avec les mêmes égards par ses fournisseurs qui lui accordent un crédit de 40. L'exploitation contraint donc l'entreprise à avoir en permanence à son bilan :

— Des emplois de 30 correspondant aux stocks,
— Des emplois de 30 correspondant aux clients,
— Une ressource de 40 figurant au crédit fournisseurs.

Si on synthétise ces 3 chiffres en les sommant, on arrive a un total de 20, (30 + 30 − 40). Ce total représente un besoin pour l'entreprise. Si l'entreprise est en régime de croisière, les postes considérés ne vont pas changer, et le *besoin* va donc perdurer.

Ce « besoin » doit être financé par les capitaux permanents de l'entreprise, dont une partie a déjà permis de financer les immobilisations et n'est donc, de ce fait, plus disponible.

Seule la partie non utilisée des capitaux permanents pour le financement des immobilisations permet de financer ce besoin. Cette partie encore « liquide », c'est le fonds de roulement. Ce besoin financier s'appelle donc très naturellement, **besoin en fonds de roulement**. Nous l'abrégerons en **BFDR** (ou **BFR**) sigle aussi classique en finance que SNCF sur les voies ferrées. Puisqu'il est lié à l'exploitation de l'entreprise, on précise cette dénomination en la qualifiant de besoin en fonds de roulement d'exploitation. Vous rencontrerez aussi le terme de besoin de financement du cycle d'exploitation.

• *Évolution du besoin en fonds de roulement*

Un tel besoin, lié à l'exploitation, va évoluer parallèlement à la saisonnalité des ventes et à l'évolution à long terme du chiffre d'affaires.

• *BFR et saisonnalité* [1]

Si, en morte saison, on fait la moitié du chiffre d'affaires de la forte saison, on ne sera pas étonné de voir le BFR diminuer d'autant. Il faut moins de stocks en basse saison qu'en haute saison. Il n'est pas nécessaire de prêter beaucoup d'argent à ses clients, puisque précisément le chiffre d'affaires instantané est divisé par deux. En un mot, le BFR est au plus bas.

---

1. *La date d'établissement du bilan n'est pas neutre dans la détermination du BFR. Ainsi, un bilan établi à la fin de la morte saison d'une entreprise sera radicalement différent d'un bilan établi à la fin de la haute saison. Avant de porter un jugement péremptoire sur le niveau du BFR, assurez-vous de la saisonnalité – ou de l'absence de saisonnalité – des ventes, afin de savoir si le BFR que vous « lisez » au bilan correspond au BFR maximum, au BFR moyen, ou au contraire au BFR minimum.*

En conséquence, alors qu'en morte saison l'entreprise se trouve souvent déficitaire, elle jouit au contraire d'une trésorerie confortable. Puisque le FDR, stable par définition, n'a plus à s'investir dans le bas de bilan.

C'est l'inverse qui prévaut bien sur en pleine saison. Les clients achètent à tour de bras. L'entreprise, contrainte et forcée, leur consent des crédits importants ; elle a constitué des stocks afin de ne pas compromettre « sa » saison : en un mot, le BFR est au plus haut de l'année. La trésorerie peut être exsangue alors que le compte de résultat mensuel est largement bénéficiaire.

• *BFR et croissance*

Si le volume d'activité de l'entreprise croît de 10 % par an, on peut s'attendre à voir le BFR croître de près de 10 % lui aussi d'une année sur l'autre. Et bien entendu, il ne passera pas instantanément de 100 à 110. Il croîtra lentement mais sûrement, asphyxiant parfois l'entreprise sans même qu'elle s'en rende compte tant elle est sous le charme de la croissance de son chiffre d'affaires et des résultats mirifiques qui en découlent... sur le papier.

• *Moralité du BFR*

Si votre entreprise marche fort, si votre secteur d'activité est en pleine expansion, si votre compte en banque est confortable, c'est maintenant que vous devez prévoir des financements, même si vous n'en avez pas besoin aujourd'hui. Vous êtes en bonne position pour démarcher les banquiers.

Dans quelques mois, quand vos ventes auront augmenté de 50 %, quand votre résultat aura explosé, il sera peut-être trop tard pour trouver du financement dans de bonnes conditions parce que votre BFR aura lui aussi explosé... et fait exploser votre trésorerie.

❏ Les besoins hors exploitation

Nous venons de régler le cas des stocks, clients et fournisseurs. Abordons maintenant les créances et dettes hors exploitation, qui figurent de part et d'autre du bilan de la société MODELE. Si ces éléments ne sont pas directement liés au cycle d'activité de l'entreprise, ils constituent néanmoins :

- une immobilisation temporaire de capitaux de 50 du côté actif,
- une ressource temporaire de 40 côté passif,

donc un solde de 10. Ce solde doit lui aussi être financé. Et financé par quoi sinon la partie encore disponible des capitaux permanents? Cette partie encore disponible, c'est le FDR, déjà diminué des besoins en fonds de roulement d'exploitation. Aussi ce solde qui constitue un besoin pour l'entreprise s'appelle-t-il, vous l'aviez deviné, **besoin en fonds de roulement hors exploitation.** Il n'a pas le même comportement d'évolution saisonnière que son *alter ego*. Mais il convient néanmoins de ne pas le négliger, tant au niveau de l'analyse du passé, qu'à celui de l'analyse prévisionnelle.

9.3 LA TRÉSORERIE

Les derniers postes que nous n'avons pas encore cités dans cette analyse descendante du bas de bilan, ce sont les disponibilités (10) ; les financements à court terme (20). La société a donc en caisse moins qu'elle ne doit aux banques à court terme. On peut encore une fois synthétiser ces deux chiffres en constatant leur solde : – 10. Ce solde, c'est la trésorerie qui s'avère ici être négative.

Cette trésorerie ne constitue pas un besoin *a priori.* Aussi n'a-t-elle pas à être financée par le fonds de roulement, dont elle fait cependant partie, comme l'atteste l'équation 9.1 :

> *(9.1) : FDR = actif à court terme − passif à court terme*

Réaménageons cette équation, en développant les sous-totaux de bas de bilan.

> *(9.2) : Actif à court terme = Stocks*
> *+ Clients*
> *+ Créances hors-exploitation*
> *+ Disponibilité*

> *(9.3) : Passif à court terme = dettes CT d'exploitation*
> *+ dettes hors-exploitation.*
> *+ financements à court terme*

Portons ces valeurs dans l'équation (9.1) :

> *(9.4) : FDR = (stock + clients − dettes d'exploitation)*
> *+ (créances hors exploitation*
> *− dettes court terme hors exploitation)*
> *+ (disponibilités − financements à court terme)*

Sur la première ligne, nous reconnaissons le besoin en FDR d'exploitation sur la deuxième ligne, le BFR hors exploitation et sur la troisième la trésorerie. Nous pouvons ainsi réécrire l'équation (4) de la manière suivante :

> *(9.5) : FDR = besoin en FDR d'exploitation*
> *+ besoin en FDR hors exploitation*
> *+ trésorerie*

La somme des deux premières lignes s'appelle besoin en fonds de roulement. La relation (5) se résume encore sous les formes :

> *(9.6) : FDR = BFDR + trésorerie*
> *(9.7) : Trésorerie = FDR − BFDR*

Cette relation est fondamentale. Car elle indique l'importance que doit avoir le fonds de roulement de l'entreprise. La définition du FDR par le haut de bilan montre que l'entreprise est maître de fixer son FDR au niveau de son choix.

Comment doit être fait ce choix ? En fonction des besoins en FDR, que l'entreprise subit en partie.

9.4 LA GESTION DU BFR

Le BFDR est dicté par le marché aval (la coutume des clients), le marché amont (le bon-vouloir des fournisseurs) et les contraintes technologiques (pour les stocks). On peut, on doit gérer son BFDR. Mais on ne fait pas ce qu'on veut.

❑ Gestion du BFR dans l'industrie

On ne fabrique pas instantanément un fax ou un modem. Voilà pourquoi SAGEM immobilisait quelques 2 milliards au 31/12/93, au titre des stocks et en-cours. Pour vendre ses fax et ses modems, il faut faire crédit à ses clients : pas moins de 3.6 milliards dans le cas de SAGEM au 31/12/93. On ne vend pas à SAGEM sans accorder un généreux délai de paiement : les très altruistes fournisseurs de SAGEM avaient un en-cours de 1.7 milliard, auquel il convient d'ajouter :

• les organismes fiscaux et sociaux pour 1.3 milliard,
• des avances clients pour 1.6 milliard.

Au total, la SAGEM semble avoir un BFR de l'ordre de 1.3 milliard. Elle a néanmoins réussi à contenir ce besoin financier en le faisant plutôt décroître de 0.2 milliard en dépit d'une croissance du chiffre d'affaires. Une telle gestion, serrée, n'est sûrement pas le fruit du hasard.

SAGEM		
Chiffres en MF	**Décembre 1992**	**Décembre 1993**
Stocks	1 803	1 938
Clients	3 569	3 790
Créances exploitation	270	305
Acomptes clients	−1 429	−1 642
Fournisseurs	−1 503	−1 726
Fiscale et social	−1 321	−1 296
Besoin en FDR	1 389	1 369

Si l'industriel maîtrise mal ses besoins en fonds de roulement, en laissant ses stocks grossir plus qu'il ne le faudrait, en ne bridant pas suffisamment ses clients, en se laissant étrangler par ses fournisseurs (ce n'est pas le cas de CARREFOUR !), il verra son BFDR augmenter plus vite que ses ressources. Il lui faudra alors, pour rester solvable augmenter son FDR en augmentant ses fonds propres et ses emprunts à long terme. Mais si banquiers et actionnaires n'apportent pas de concours supplémentaire, ce sera le dépôt de bilan.

La croissance, même rentable, est donc dangereuse pour l'industriel puisqu'elle génère des besoins financiers supplémentaires instantanés.

❑ Gestion du BFR dans la distribution

Une situation opposée prévaut dans la distribution. Analysons-la par le bas de bilan de CARREFOUR.

On ne fournit pas CARREFOUR sans lui accorder un généreux délai de paiement : les très altruistes fournisseurs de CARREFOUR avaient un en-cours sur le N°1 de la distribution de quelque 23 milliards (de francs, pas de centimes !) au 31/12/93. Certes, tous les clients ne paient pas cash, et il faut même garnir les rayons d'œufs de Pâques et de crèmes glacées. Cependant, tous comptes faits, le « système » permet à CARREFOUR de disposer d'un *fonds de caisse* de l'ordre de 10 milliards, en progression de 0.3 milliard entre fin 92 et fin 93. Cet accroissement de 0.3 milliard a été rendu possible par la croissance du chiffre d'affaires.

CARREFOUR		
Chiffres en MF	**Décembre 1992**	**Décembre 1993**
Stocks	8 420	8 631
Clients	293	271
Créances exploitation	3 944	3 853
État; impôts et taxes	1 471	1 364
Fournisseurs	– 23 286	– 23 586
Besoin en FDR	– 9 158	– 9 467

Cette situation est-elle saine ? CARREFOUR dira que oui, et ses fournisseurs ne partageront sans doute pas le même avis. Il ne nous appartient pas de les départager. Restreignons-nous donc à l'équilibre financier et demandons-nous ce qu'il adviendrait si le CA venait à diminuer. Ce qui n'est pas forcément une hypothèse d'école. Les créanciers de CODEC et FÉLIX POTIN ont payé pour le savoir : lorsque le CA décroît, la « ressource fournisseurs » décroît encore plus vite. L'entreprise voit alors le crédit fournisseurs se dérober littéralement sous ses pieds...

En conclusion, pour l'industriel comme pour le distributeur, il n' y a guère de choix. Il doit garder une trésorerie structurellement positive, faute de se retrouver sous une épée de Damoclès. A cette fin, il devra structurer son bilan de telle sorte que son FDR soit au moins au niveau de son BFDR.

10 ANALYSES FINANCIÈRES PAR LES RATIOS

Les ratios financiers ont pour objectif de rapprocher deux grandeurs qui n'ont isolément aucune signification, mais qui, mises face à face, permettent de porter un jugement financier.

Ainsi, quelles conclusions pouvez-vous tirer sur la corpulence d'une personne pesant 80 kilos ? S'il s'agit d'un joueur de basket-ball mesurant 1m90, il est plutôt fluet. Si au contraire il s'agit d'une dame mesurant 1m50, 80 kilos sont synonymes d'embonpoint.

Les ratios sont aux grandeurs financières ce que la perspective est à la géométrie plane.

Prenons un exemple :

La société A a 5,2 MF de dettes et 420 KF de frais financiers et la société E a 52 MF de dettes et 4 200 KF de frais financiers. Le poids réel de ces dettes et la capacité des entreprises A et B à y faire face ne peut guère s'apprécier qu'en **comparant les dettes de chacune à leurs actifs et à leur cash-flow.** C'est à de tels rapprochements que sert l'analyse financière par les ratios.

DU BON USAGE DES RATIOS

Un ratio pris **séparément,** même s'il est plus parlant qu'un simple chiffre, n'a qu'une utilité restreinte. Pour porter un diagnostic financier, on doit systématiquement utiliser les ratios de l'entreprise A dans l'un des contextes suivants :

- Examen d'une **batterie de ratios** reliés les uns aux autres (par exemple, la batterie DUPONT DE NEMOURS),
- **Évolution dans le temps** d'une série de ratios,
- **Comparaison** des ratios obtenus avec les objectifs affichés par les dirigeants,

- **Comparaison** aux ratios **d'entreprises** significatives du même secteur d'activité,
- **Détermination d'un objectif** à atteindre.

De telles comparaisons peuvent se faire entre A et B (MOULINEX et SEB, ou RENAULT, PEUGEOT et CHRYSLER) ou entre A et les sociétés du même secteur rassemblées dans une banque de données, comme la Centrale des Bilans de la Banque de France, le tableau de bord financier des Sociétés répertoriées dans les collections de l'INSEE, ou encore la Centrale des Bilans du CRÉDIT NATIONAL, dont quelques extraits sont en annexe. Ces banques de données ont l'avantage d'être relativement exhaustives et très abordables (quelques dizaines de francs).

Elles sont bien sûr moins précises. puisque synthétiques, que les études sectorielles DAFSA et les dossiers PRECEPTA qui ne se cantonnent pas aux seules données financières et dont le coût d'acquisition se compte en milliers de francs.

Enfin, il faut être extrêmement prudent, même lorsqu'on se livre à des comparaisons sectorielles.

On peut comparer RENAULT et PEUGEOT, sociétés de taille équivalente. Mais sont-elles au même niveau d'intégration verticale ? PEUGEOT n'est-elle pas la maison mère d'ECIA, équipementier bien connu et coté en Bourse, réalisant sans doute une partie de son activité pour la maison-mère ? Peut-on ignorer que RENAULT sous-traite réellement à des équipementiers indépendants ce que PEUGEOT confie à ECIA. Et, bien évidemment, les activités d'ECIA se retrouvent dans les comptes consolidés de PEUGEOT, ce qui *fausse* en partie la comparaison des comptes de RENAULT et de PEUGEOT.

On peut, encore, comparer CASINO à CARREFOUR, bien que la première ait quelque activité de fabrication et la dernière ne fasse que de la distribution. Mais on ne peut pas comparer la société BÉTON-DU-COIN PÈRE & FILS au groupe BOUYGUES. La différence de taille et la possibilité d'accès au marché financier pour l'un, et pas pour l'autre, sont des inégalités telles que ces sociétés, pourtant du même secteur, ne vivent pas en réalité sur la même planète.

Enfin, si vous analysez une entreprise cotée en bourse, il vaut mieux utiliser pour les fonds propres la valeur boursière des fonds propres, c'est-à-dire la capitalisation boursière de l'entreprise plutôt que la valeur comptable des fonds propres. En effet, la capitalisation boursière a été établie par quelques centaines d'analystes financiers qui, avant vous, et vraisemblablement avec plus d'informations que vous, ont effectué tous les retraitements possibles concernant le passé, pris en compte une partie du carnet de commandes. Bref, **leur** valeur des fonds propres et **leur** valeur de la dette cotée de l'entreprise ont de grandes chances d'être plus près de la réalité que les valeurs que vous extraierez des bilans comptables.

Les ratios peuvent se classer en six grandes familles :

- les ratios de liquidité,

- les ratios d'activité,

- les ratios d'endettement,

- les ratios de rentabilité,

- les ratios d'exploitation,

- les ratios boursiers.

10.1 LES RATIOS DE LIQUIDITÉ

Le risque ultime de l'entreprise, c'est la défaillance. Que ce soit pour FÉLIX POTIN, le COMPTOIR DES ENTREPRENEURS ou encore MAJORETTE, les analystes financiers ont pu se mordre les doigts de n'avoir pas pressenti suffisamment tôt le manque de liquidité de leurs « analysés ». Afin de *prévenir*, il est de coutume de regarder l'entreprise à la lueur de quelques ratios, dits de *liquidité*.

❏ Le ratio de liquidité générale

La première considération de l'analyste de bilan a souvent trait à la liquidité de l'entreprise, donc à son fonds de roulement : différence entre l'actif à court terme et le passif à court terme.

Le ratio de liquidité générale, défini ci-dessous, permet de mesurer la solvabilité liée au FDR :

$$\text{Ratio de liquidité générale} = \frac{\text{Actifs à court terme}}{\text{Dettes à court terme}}$$

Dès que le FDR sera positif, ce ratio sera supérieur à 1 ; et plus le fonds de roulement sera important, plus le ratio sera élevé.

Y-a-t-il une norme pour ce ratio ? Oui, il convient qu'il soit supérieur à 1 pour les entreprises industrielles et entreprises de services.

❏ Le ratio de liquidité réduite

Ce ratio constitue une variante du précédent. Usant de leur prudence légendaire, les banquiers émettent des doutes sur la valeur réelle des stocks et calculent la liquidité en ne gardant au numérateur que les créances et les disponibilités.

$$\text{Ratio de liquidité réduite} = \frac{\text{Actifs à court terme - stocks}}{\text{Dettes à court terme}}$$

Exemple : *La liquidité du Groupe* SAGEM, *mesurée au 31/12 1992 et 1993 est non seulement satisfaisante, mais en amélioration.*

Groupe SAGEM		
	1992	**1993**
Actifs circulants	7 558	8 439
Dettes à court terme	4 987	5 124
Liquidité générale	1.52	1.65
Actifs circulants – Stocks	5 755	6 501
Dettes à court terme	4 987	5 124
Liquidité réduite	1.15	1.27

❑ Le ratio de fonds de roulement

Cependant, comme le fonds de roulement mesure l'équilibre de l'entreprise à travers le besoin en FDR, lui-même lié au cycle d'exploitation, on rapporte le FDR au chiffre d'affaires pour avoir une idée relative de l'importance du FDR, avec le ratio :

> *FDR / chiffre d'affaires quotidien moyen*

qui s'écrit encore :

> *FDR x 360 / chiffre d'affaires annuel*

et qui se prononce **FDR en Jours de chiffre d'affaires.**

Ce ratio est fondamental et on le rapproche du ratio dit de **besoin en FDR en Jours de chiffre d'affaires.** En effet, compte tenu des délais de fabrication qui se mesurent en jours, des délais d'encaissement, des créances clients ou des délais de paiement des achats qui se comptent aussi en jours, on utilise fréquemment l'unité :

> ### Jour de chiffres d'affaires

pour étalonner fonds de roulement et besoin en fonds de roulement.

Exemple : *L'étude des bilans 92 et 93 montre que le fonds de roulement du Groupe SAGEM est passé de 45 jours à 52 jours de chiffre d'affaires.*

Groupe SAGEM		
	1992	**1993**
Capitaux propres	3 179	3 529
Dettes à long terme	266	426
Capitaux permanents	3 445	3 955
Immos nettes	−1 895	−2 073
Fonds de roulement	1 550	1 882
Chiffre d'affaires	12 253	13 038
CA/quotidien	34.0	36.2
FDR/CA quotidien	45.5	52.0

10.2 | LES RATIOS D'ACTIVITÉ

Ces ratios vont permettre de comprendre, parfois de constater l'efficacité de la gestion des actifs de l'entreprise. Ils permettent notamment de déterminer si les montants apparaissant au bilan sont trop élevés, trop faibles ou au contraire au bon niveau.

❑ La rotation des stocks

Les stocks représentent un montant non négligeable et souvent un terrain d'affrontement entre collègues de fonctions différentes. Le financier est obsédé par un niveau de stocks trop élevé, pour lesquels il faut trouver un financement, et qui peuvent être à l'origine de provisions qui vont *plomber* son bilan. Son homologue de la fabrication rêve de stocks imposants qui lui permettraient de fabriquer en grandes séries continues et de ne plus avoir de souci de rupture. Souhaitons que les ratios de rotation permettent de les départager.

Ces ratios peuvent se calculer par rapport au chiffre d'affaires ou par rapport aux achats. Il est évident qu'il est à la fois plus logique et plus parlant de comparer :

- les stocks de matières premières aux achats de matières premières,
- les stocks de marchandises aux achats de marchandises,
- les stocks d'en-cours et de produits finis à la production.[1]

Enfin, la rotation des stocks peut être approchée de plusieurs manières :

- ou bien on calculera « combien de fois les stocks tournent » dans l'année,
- ou bien on rapprochera les stocks du chiffres d'affaires,
- ou bien on calculera ce que les stocks représentent en jours d'achat ou de CA.

Ces trois méthodes donnent bien entendu des résultats arithmétiques différents mais néanmoins financièrement liés. Ainsi, faire tourner douze fois dans l'année est équivalent à avoir 30 jours de stocks.

---

1. *Le terme production est ici à prendre dans le sens « solde de gestion », c'est-à-dire **production vendue + production stockée + production immobilisée**. Cependant, il convient d'être prudent car le chiffre d'affaires est mesuré en prix de vente incorporant une marge, alors que les stocks sont chiffrés au prix de revient.*

En France, pays dans lequel les achats apparaissent explicitement dans le compte de résultat, il est donc aisé d'avoir une rotation des stocks calculée sur les achats. Par contre, s'il s'agit de comparer RHONE-POULENC à ICI, le géant britannique de la chimie, il vaudra mieux rapprocher les stocks du chiffre d'affaires, ou, mieux du *cost of goods sold* [1] car vous aurez du mal à trouver le montant des achats de ICI.

Selon les nécessités de la cause, selon les ratios dont vous disposez déjà pour les avoir acquis dans telle ou telle banque de données, vous estimerez les stocks à partir de l'une des relations suivantes :

Rotation des stocks = chiffre d'affaires/stocks

Nombre de jours d'achats en stocks = stocks/(Achats/360)

Nombre de jours de consommations en stocks = stocks/consommation quotidienne

Stocks/CA

Y-a-t-il une norme à ces ratios ? Oui. Pas une norme unique, mais des normes sectorielles dictées par le bon sens. Il serait souhaitable que les yaourts vendus par CARREFOUR ne restent pas en stock plus de huit jours, que les fax de la SAGEM n'aient pas plus de quelques semaines, et que les jantes de DELACHAUX n'aient pas plus de deux mois.

---

1. *Prix de revient des ventes, qui inclut les consommations matières, les amortissements, les frais de personnel de fabrication...*

Exemple : *l'analyse des bilans 92 et 93 du groupe* SAGEM, *dans lesquels sont regroupés stocks de matières et d'en-cours, fait apparaître un niveau stable et raisonnable de stocks*

Groupe SAGEM		
	1992	**1993**
Stocks et en-cours	1 803	1 938
Achats consommés	6 039	6 733
Chiffre d'affaires	12 253	13 038
Achat quotidien	16.8	18.7
Stocks / CA	15%	15%
Rotation des stocks	6.8	6.7
Nbre jours d'achat en stocks	107	104

❑ Le délai d'encaissement des créances-clients

Il est destiné à mesurer la durée moyenne du crédit-clients et permet de se faire une idée de l'efficacité de la gestion du crédit-client. Car si les financiers sont obnubilés par ces clients qui paient trop lentement, ou à qui les commerciaux accordent des crédits trop longs, les commerciaux, eux, souhaitent s'occuper le moins possible de ces basses contingences qui freinent et polluent l'efficacité de leur action. Les commerciaux abondent dans le sens du client et, du fait qu'ils sont souvent commissionnés sur le chiffre d'affaires, préfèrent leur accorder des délais que des remises qui diminueraient directement leurs commissions.

Le ratio de rotation des créances clients permet de faire la part des choses. Il doit bien entendu se calculer à partir des créances-clients figurant au bilan, corrigées des effets escomptés et non échus et corrigées des créances cédées en affacturage. De plus, puisque les dettes des clients sont portées au bilan avec la TVA correspondante, on ajoutera la TVA aux ventes afin d'avoir un rapport homogène. Il ne rimerait à rien de diviser un compte client **grevé de sa TVA** par un montant de ventes hors taxes.

Rotation créances clients = clients / CA quotidien moyen TTC

qui s'écrit encore :

Rotation des créances clients = clients x 360 / CA annuel TTC

Enfin, certaines banques de données vous fournissent systématiquement le ratio :

Clients /CA

dont la traduction en français serait : combien il faut investir en compte-clients pour faire un franc de chiffre d'affaires .

❏ Le délai de règlement des fournisseurs

Ce délai ne déclenche pas, en général, de diatribes dans l'entreprise. On peut d'ailleurs regretter que les fournisseurs ne soient pas toujours traités avec les égards qui leur seraient dus. Quoi qu'il en soit, leur délai moyen de règlement peut s'exprimer en rapprochant les achats, ramenés à leur base TTC, du compte fournisseurs, exprimé avec la TVA correspondante.

Délai règlement Frs = Frs / achat quotidien moyen TTC

qui s'écrit encore :

Délai moyen règlement Frs = Frs x 360 / Achats annuel TTC

Y-a-t-il une norme à ce délai ? Oui, de 30 à 60 jours.

Certes, une entreprise qui réglerait ses fournisseurs immédiatement aurait un délai de règlement égal à 0. C'est un cas peu fréquent mais possible, qu'on rencontre dans le cadre d'une stratégie d'achats bien pensée. On trouve, plus généralement, des durées comprises entre 2 et 3 mois.

Que doit-on penser d'une société dont le ratio de règlement des fournisseurs serait de 120 jours ? Certains en déduisent qu'une telle entreprise dispose d'acheteurs redoutables. L'auteur pense qu'il n'y a pas lieu de se glorifier d'un tel chiffre. Car un ratio de 120 jours est très supérieur aux normes culturelles. Donc un tel ratio traduit deux cas de figure très différents :

- Ou bien l'entreprise n'est pas à même de régler ses fournisseurs, auquel cas elle est en grand danger.

- Ou bien l'entreprise *écrase* ses fournisseurs. Dans ce cas elle devra en changer tôt ou tard, car ses fournisseurs *écrasés* deviendront tôt ou tard non compétitifs. Notre société sera atteinte par la non-compétitivité de ses fournisseurs actuels. Son image de marque risque de se dégrader. Dans sa recherche de nouvelles sources d'approvisionnement, elle sera précédée par sa réputation d'*écraseur* et elle courra le risque de vérifier l'adage « qui manie l'épée périra par l'épée ».

D'un point de vue purement financier, il est d'ailleurs étonnant de voir de grosses entreprises, cotées en Bourse, *écraser* leurs petits fournisseurs. Je ne reviendrai pas sur l'aspect éthique, qui pourtant me paraît fondamental, et je me placerai sur le seul côté financier. Lorsqu'une entreprise comme CARREFOUR, qui a accès au marché financier dans d'excellentes conditions, qui peut emprunter à court terme au niveau du Pibor [1], préfère se financer

---

1. *Le Pibor représente le taux interbancaire, c'est-à-dire le* plancher *des taux, auquel n'ont accès que les très gros et très sûrs emprunteurs.*

auprès de ses fournisseurs, elle emprunte indirectement par le biais de ses fournisseurs, dans les pires conditions. Nul doute que les frais financiers de ses fournisseurs sont inclus dans leurs prix de vente, et, indirectement, CARREFOUR emprunte donc implicitement à Pibor + 3 %...

Exemple : *les quatre premières lignes du tableau ci-dessous sont extraites des bilans et comptes de résultat de MAJORETTE, le fabricant de voitures miniatures. Les deux dernières lignes du tableau traduisent bien la dégradation entre 1987 et 1989 de la santé financière de la société qui avait de plus en plus de problèmes à régler ses fournisseurs : le montant de 182 jours est réellement excessif.*

Groupe MAJORETTE				
	1987	1988	1989	1990
Chiffre d'affaires	504	518	724	704
Valeur ajoutée	293	278	394	349
Consommations	211	240	330	355
Fournisseurs	55	96	167	109
Achat quotidien	0.59	0.67	0.92	0.99
Délai règlement	94	144	182	111

❑ Besoin en Fonds de Roulement et Chiffre d'Affaires

Nous avons précédemment commenté le bien-fondé de la notion de BFDR, liée au décalage entre le règlement des fournisseurs, la durée d'écoulement des stocks, et le paiement des clients.

Illustrons par un exemple :

La fabrication et la vente du schmilblic demandent :

10 jours de fabrication,
5 jours de livraison,
60 jours de délai de règlement client,

Chaque schmilblic immobilisera des capitaux pendant 10 + 5 + 60 = 75 jours.

Si, en contrepartie, les fournisseurs accordent un crédit de 50 jours, ces 50 jours seront mis à l'actif du produit dont on considérera qu'il aura nécessité un financement de seulement 25 jours. Ce financement nécessité est précisément le besoin en fonds de roulement.

D'où la coutume de mesurer le BFDR en jours de chiffre d'affaires avec le ratio :

> **BFDR / chiffre d'affaires quotidien moyen**

❑ La rotation des immobilisations

L'entreprise a investi en usines et équipements de toutes sortes pour réaliser son chiffre d'affaires. En divisant le chiffre d'affaires par les immobilisations nettes, on obtient le ratio de rotation des immobilisations, qui indique le montant de ventes réalisé avec 1 franc d'immobilisation.

> **Rotation des immobilisations = chiffres d'affaires / Immos**

❏ La rotation des actifs

Le ratio de rotation des actifs est une variante du précédent. Il divise les ventes par le montant de tous les actifs (des immobilisations aux disponibilités), donc par le total du bilan. Il mesure donc le niveau du chiffre d'affaires réalisé par la mise en œuvre de 1 franc, réparti sur l'ensemble des postes du bilan :

> **Rotation des actifs = chiffre d'affaires / total actif**

Y-a-t-il une norme pour ces deux ratios ? La réponse est bien évidemment non. Cependant plus ces ratios sont faibles, plus l'industrie est *capitalistique*, donc lourde, plus elle aura de besoins, donc de problèmes, dans le domaine financier.

Entre un CENTRE LECLERC et une centrale nucléaire, il y a pléthore de cas intermédiaires . Aussi, c'est plus à des fins de comparaison inter-sectorielle que des normes seront développées. Ce qui n'exclut pas, sur un secteur donné, qu'il y ait des spécificités propres à chaque entreprise et une évolution dans le temps.

Ainsi, dans tous les métiers, il existe des *règles d'or*, le plus souvent non écrites : ces ratios de rotation font l'objet de telles règles.

Bien souvent, l'évolution de ces ratios traduit les heurs et malheurs de l'époque.

Ainsi, les tableaux ci-dessous illustrent parfaitement la guerre des prix et la crise de l'industrie automobile entre la guerre du Golfe (juillet 90) et la prime BALLADUR (1994), à travers les ratios d'un constructeur, PEUGEOT, et d'un fabricant de pneus, CONTINENTAL.

PEUGEOT					
Année	CA	Actifs	Immos	CA/Actifs	CA/ Immos
1989	153	107.3	45.2	1.43	3.38
1990	160	115.5	52.8	1.39	3.03
1991	160.1	121.9	58.8	1.31	2.72
1992	155.4	129	62	1.20	2.51
1993	145.4	126.6	61.4	1.15	2.37

CONTINENTAL					
Année	CA	Actifs	Immos	CA/Actifs	CA/ Immos
1989	8 382	5 406	1 998	1.55	4.20
1990	8 8551	6 168	2 853	1.39	3.00
1991	9 377	6 649	3 416	1.41	2.75
1992	9 690	7 058	3 554	1.37	2.73
1993	9 369	7 132	3 813	1.31	2.46

Par contre, ces chiffres varient bien évidemment d'un secteur d'activité à l'autre, et le tableau qui suit montre que, de tout le secteur automobile, ce n'est pas forcément MAJORETTE [1] qui a la partie la plus facile !

Il ne s'agit d'ailleurs pas réellement d'une boutade. Les constructeurs automobiles, ainsi que les gros équipementiers, sont très peu intégrés verticalement. Ainsi, RENAULT achète à l'extérieur une grosse part de son chiffre d'affaires . Ce recours à la sous-traitance est si important que RENAULT pourrait presqu'être

---

1. Clin d'œil ! Ces chiffres, issus du rapport 87 annuel de MAJORETTE, traduisent la déconfiture d'alors, de ce fabricant de modèles réduits.

qualifié de société d'assemblage : qu'est-ce qu'une Safrane sinon une caisse RENAULT, montée sur des pneus CONTINENTAL, autour de jantes DELACHAUX, garnie de sièges EBF, d'un tableau de bord REYDEL, équipée d'un démarreur VALÉO. RENAULT réalise donc du chiffre d'affaires avec les immobilisations de ses sous-traitants. A l'opposé, une MAJORETTE est entièrement fabriquée chez MAJORETTE. De là, peut-être, l'explication de la différence entre le 1.01 F de CA réalisé pour chaque franc immobilisé chez MAJORETTE et le 1.77 F de CA réalisé par Renault pour chaque franc d'immo.

1993					Rotation des	
	Secteur	CA	Immos	Actifs	Immos	actifs
MAJORETTE	Automobiles miniatures	704	697	1 338	1.01	0.53
RENAULT	Construction Automobile	170	96	213	1.77	0.80
PEUGEOT	Construction Automobile	145	61	127	2.37	1.15
VALEO	Equipementier automobile	20	8	17	2.56	1.18
EBF	Sièges autos + bagages	10.7	2.7	7.2	3.96	1.49
ECIA	Sièges autos + bagages	6.9	2.3	5.3	2.97	1.29
SYLÉA	Liaisons électriques/autos	2.9	0.9	2.2	3.11	1.27
REYDEL	Equipement automobile	2.1	0.3	1.1	6.15	1.86
WAELES	Pièces de fonderie /autos	0.8	0.2	0.5	3.65	1.42
SAGEM	Electronique	12.9	2.07	10.6	6.23	1.22
CARREFOUR	Distribution	123	30	53	4.10	2.32
BÉNÉTEAU	Bateaux de plaisance	654	132	596	4.95	1.10

10.3 LES RATIOS D'ENDETTEMENT

Venons en maintenant à l'étude de la structure du financement qui peut s'éclairer à la lueur d'au moins deux ratios : le **ratio d'endettement** et le **ratio d'endettement à long terme**.

❑ Ratio d'endettement global

Le *Ratio d'endettement global* se définit par la relation :

Total dettes / total actifs

qui mesure la part des dettes dans l'ensemble des actifs de l'entreprise, donc dans l'ensemble des ressources, puisque – par définition – l'actif est égal au passif. Plus ce ratio sera élevé, plus l'entreprise sera endettée, ce qui n'est pas forcément un mal en soi, aux yeux des prêteurs, pour peu que l'entreprise puisse faire face à ses échéances. L'endettement n'est pas non plus un mal en soi, aux yeux des actionnaires, si les actifs utilisés rapportent au moins autant que les capitaux qui les financent [1].

Il est de tradition, en France, que ce ratio soit inférieur à 80 %. Au-delà de cette limite, les sociétés sont considérées comme très endettées et auront à priori des difficultés à contracter de nouvelles dettes.

❑ Endettement à long terme

Le *Ratio d'endettement à long terme*, compare les dettes à long terme aux fonds propres, sous la forme :

Dettes à long terme / fonds propres

Là encore, il y a une norme culturelle, qui varie d'ailleurs d'un pays à l'autre. Chez nous, français, on considère que 100 % est une limite supérieure qu'il est malséant de dépasser.

---

1. *Globalement, donc en moyenne, bien sûr.*

Les ratios que nous venons de décrire éclairent la structure du financement, et non la solvabilité à long terme [1] de l'entreprise. Il importe, après avoir constaté la structure de l'endettement, d'étudier comment les engagements correspondants seront honorés.

Il est évident que, puisque c'est avec le résultat net, ou plutôt avec le cash-flow, que les dettes sont remboursées, il doit y avoir des relations précises entre dettes, résultat et cash-flow. Aussi, le ratio :

> ***Dettes à long et moyen terme / cash-flow annuel***

qui indique le nombre d'années de cash-flow nécessaires au remboursement de la dette à long terme, est fondamental. La plupart des dettes ayant une durée initiale comprise entre cinq et et dix ans, et étant amortissables, ont une durée de vie moyenne d'environ cinq ans. En conséquence, il est souhaitable que ce ratio ne soit pas supérieur à quatre/cinq années.

Enfin, comme les frais financiers sont prélevés sur l'excédent brut d'exploitation, Il faut qu'il n'y ait pas de disproportion entre eux, et le ratio :

> ***EBE/frais financiers***

mesure combien de fois l'entreprise gagne ses frais financiers. Il illustre la marge de sécurité séparant la rentabilité actuelle du point mort, en deçà duquel l'exploitation n'est plus rentable.

---

1. *Pour la solvabilité à court terme, ce sont les ratios de liquidité qu'il faudrait utiliser.*

Exemple : *Le tableau ci-dessous montre le très faible endettement du Groupe SAGEM. Quelle que soit l'indicateur utilisé, SAGEM reste très très en-dessous des normes d'endettement. Ainsi, le rapport de 0.33 entre la dette à long terme et le cash flow indique qu'en quatre mois, un tiers d'année, la SAGEM pourrait rembourser intégralement ses dettes à long terme.*

Pourrait-on assimiler ce « sous-endettement » au fait de rouler à 30 km/heure sur une autoroute ? Avant de faire de telles analogies, il convient de juger du risque intrinsèque de l'entreprise. Si la présence de dettes au bilan est un facteur de risque financier, l'entreprise court des risques technologiques et des risques de marché. Dans le cas de SAGEM, entreprise de haute technologie, les risques de produit sont très élevés. Si la prochaine génération de système de guidage de sous-marin ou de Bi-Bop s'avère un échec commercial, il faudra à la SAGEM plus de six mois pour se retourner. Ce qui est vrai pour SAGEM est vrai pour APPLE COMPUTERS et HEWLETT PACKARD. Aussi, de telles sociétés ont choisi de compenser des risques de métier élevé par des risques financiers faibles, ce qui se traduit par un endettement très inférieur aux « limites » citées ci-dessus.

Groupe SAGEM		
	1992	**1993**
Capitaux propres	3 179	3 529
Dettes à long terme	266	426
Dettes financières	545	664
Total dettes	5 549	5 293
Cash flow		1 281
Total Dettes / Total Actifs	64 %	60 %
Dettes à long terme/Fonds propres	8 %	12 %
Dettes à long terme/Cash flow		3.33

> **Exemple** *: Le Groupe CARREFOUR est lui-même peu endetté. Son bilan est cependant plus lourd que celui de SAGEM, ce qui peut s'expliquer au moins par les deux raisons suivantes :*
>
> *1. Vendre des yaourts n'est pas moins noble, mais est moins risqué que l'électronique de défense ou grand public. CARREFOUR peut donc être plus endetté que SAGEM, au même titre qu'un fonctionnaire inspirera plus de confiance à ses banquiers qu'un artiste peintre.*
>
> *2. CARREFOUR, nous l'avons vu, s'appuie financièrement sur ses fournisseurs. Alors pourquoi diable avoir des dettes financières ?*

Groupe CARREFOUR		
	1992	**1993**
Capitaux propres	12 000	14 544
Dettes à long terme	5 264	4 413
Dettes financières	8 701	6 077
Total dettes	40 076	38 847
Cash flow	4 041	5 941
Total Dettes/Total Actifs	77 %	73 %
Dettes à long terme/Fonds propres	44 %	30 %
Dettes à long terme/Cash flow	1.30	0.74

10.4 LES RATIOS DE RENTABILITÉ

Il y a plusieurs aunes auxquelles il convient de rapporter la rentabilité.

❏ Rentabilité commerciale

Il est de coutume de la rapporter au chiffre d'affaires, et obtenir la notion courante de rentabilité commerciale :

> *Rentabilité commerciale = résultat net / chiffre d'affaires*

Compte-tenu des commentaires que nous avons faits sur le caractère peu économique du résultat net, on peut aussi adjoindre au précédent ratio les rapports :

> *Excédent brut d'exploitation / chiffre d'affaires*
> *Cash-Flow / Chiffre d'affaires*

qui déterminent la marge sur le coût de revient de fabrication, et qui ont l'avantage de ne pas être entachés par la politique financière de l'entreprise, pour le premier, et par des *manipulations* comptables pour l'autre.

❏ Rentabilité financière

D'autre part, le résultat net étant destiné aux actionnaires, apporteurs des fonds propres, les actionnaires sont au premier chef enclins à comparer le résultat net aux fonds propres pour déterminer la rentabilité financière :

> *Rentabilité financière = résultat net / fonds propres*

Cette rentabilité financière peut être avantageusement complétée par le ratio :

> *Cash-flow / fonds propres*

qui rapproche le flux financier, dégagé par une année d'exploitation, de la *mise* des actionnaires.

❏ Rentabilité des actifs

Plus connu sous le sigle R.O.I.[1], le taux de rendement des actifs est plus un outil de contrôle financier utilisé à l'intérieur de l'entreprise qu'un ratio utilisé par les analystes externes. Le taux de rendement des actifs, dont l'expression analytique est :

> *Résultat Net [2] / « investissement »*

dans laquelle « investissement » représente les immobilisations nettes pour les uns, les immobilisations brutes pour les autres, ou encore l'actif économique [3], peut revêtir de multiples visages, en fonction de l'utilisation qu'on veut en faire. Il s'agit donc d'un outil dont la manipulation est délicate, et donc une définition exacte doit être précisée chaque fois qu'il est utilisé.

❏ L'analyse DUPONT

Notons enfin la relation liant la rentabilité des fonds propres à l'endettement de l'entreprise et provenant de la gymnastique décrit ci-dessous :

> *Rentabilité des fonds propres = résultat net / fonds propres*
> *= résultat net / ventes (1)*
> *x ventes / total actifs (2)*
> *x total actifs / fonds propres (3)*

Nous reconnaissons en (1) la rentabilité commerciale, en (2) le ratio de rotation des actifs et en (3) un ratio lié à l'endettement qui peut s'écrire (1 + taux d'endettement).

---

1. Return On Investment.
2. Il existe un certain nombre de variantes à ce ratio. Par exemple, au numérateur, on mettra l'EBE plutôt que le « résultat net » lorsque la société contrôlée dispose de l'autonomie d'investissement sans avoir l'autonomie du financement.
3. C'est-à-dire la masse des capitaux qu'il convient d'immobiliser, tant en immos qu'en BFR, pour faire tourner l'entreprise.

Cette relation met en relief les trois composantes de la rentabilité d'une affaire

- la rentabilité commerciale liée à la politique de fixation des prix,

- le volume d'activité de l'entreprise mesuré par la rotation des investissements,

- le taux d'endettement déterminé par la politique financière.

Cette relation permet d'expliquer, par exemple, pourquoi les actionnaires de CARREFOUR ne sont pas forcément plus à plaindre que ceux d'HERMES. Certes la marge commerciale des premiers est très inférieure à celle d'HERMES ; les rotations néanmoins, ne sont pas forcément les mêmes et permettent de compenser par un volume plus important des marges unitaires plus faibles.

	SAGEM 93	CARREFOUR 93	DELACHAUX
Chiffre d'affaires	13 038	123 204	254
EBE	1 746	5 679	58.9
Résultat net	534	3 010	14.5
Fonds propres	3 528	14 544	259
Total Actifs	10 615	53 391	601
	Analyse DuPont		
Rentabilité commerciale	4.1%	2.4%	5.7%
Rotation des actifs	1.23	2.31	0.42
Total actifs / Fonds propres	3.01	3.67	2.32
Rentabilité financière	15.1%	20.7%	5.6%

10.5 | LES RATIOS D'EXPLOITATION

L'analyse de l'évolution de l'exploitation dans le temps est riche d'informations. Comment qualifier la marge commerciale sans suivre ses méandres ? Comment la limiter à un seul rapprochement avec le chiffre d'affaires ? Comment parler de la valeur ajoutée sans la comparer au chiffre d'affaires, aux effectifs de l'entreprise, à l'activité de l'entreprise ? Comment évaluer l'insuffisance de l'EBE sans le rapporter à cette même toise?

Aussi est-il d'usage de calculer une foule de ratios du type de ceux qui suivent, la liste ci-dessous étant loin d'être limitative :

> *Évolution du CA =* $[CA_n - CA_{n-1}] / CA_{n-1}$
> *Évolution de la valeur ajoutée =* $[VA_n - VA_{n-1}] / VA_{n-1}$
> *Évolution de la rentabilité =* $[EBE_n - EBE_{n-1}] / EBE_{n-1}$

> *Taux de valeur ajoutée =* *Valeur ajoutée / CA*
> *Rentabilité « industrielle » =* *EBE / Immos*
> *Rentabilité « de la main-d'œuvre » =* *EBE / Effectifs*

Comment peut-on se restreindre aux seules données comptables et ne pas utiliser les données du système d'information de l'entreprise, qu'il s'agisse des listings fournis par les ordinateurs, des tableaux noirs remplis à la craie par les chefs d'atelier, ou des calepins que les contremaîtres gardent jalousement dans la poche extérieure de leur blouse ? Comment ne pas rapporter le CA, la VA, l'EBE aux tonnes transportées, au nombre de personnes transportées, au nombre de kilomètres parcourus, au nombre de mètres carrés de voilure ou au nombre de pages imprimées ?

Aussi n'est-il pas rare de voir des ratios du style de :

> **CA / personne**
> **CA / mètre carré d'établissement**
> **VA / personne**

Bien entendu, chaque responsable d'entreprise a à cœur de surveiller son ou ses ratios, qu'il calculera en fonction du facteur qu'il sait être critique. Sa position d'observateur interne à l'entreprise le met dans une situation privilégiée pour *suivre* les événements.

Le facteur critique peut être un facteur contraignant par son prix ou sa disponibilité : ainsi, un bijoutier n'a pas besoin de parcourir ces pages pour se douter que le poids de l'or est une donnée non négligeable. Mais il peut être une donnée stratégiquement importante n'ayant aucun rapport avec la comptabilité : ainsi le nombre de nouveaux clients, la fraction de CA réalisée avec les nouveaux produits, le nombre de pièces par personne...

Aussi, compte tenu des paramètres que le chef d'entreprise considère comme des facteurs clés de succès ou d'échec, chaque entreprise aura dans son tableau de bord *ses* ratios à côté des ratios purement financiers.

CONCLUSION

L'analyse financière par ratios n'est pas une fin en soi. Quand elle ne permet pas de comprendre l'entreprise en mettant en évidence les conséquences financières de sa stratégie (parfois de son absence de stratégie), elle doit suggérer à l'analyste quelles sont les questions à poser, quelles sont les directions dans lesquelles il doit poursuivre son investigation.

Mais, l'analyse financière est plus qu'un simple outil d'analyse ; c'est aussi un outil de gestion. De même que le médecin diagnostique puis soigne, les ratios financiers permettent de chiffrer les objectifs.

> **Exemple** : *Ainsi, si la société S a 100 MF de fonds propres et 200 MF de dettes à long terme, il n'est pas suffisant de dire qu'elle est trop endettée. Il convient de se fixer un objectif d'endettement considéré comme raisonnable (par exemple 50 % / 50 %), et d'en déduire que « S » doit faire une augmentation de capital de 50 MF, destinée à rembourser 50 MF de dettes pour arriver à des fonds propres de 100 + 50 = 150 MF, d'un niveau équilibré par rapport à une dette qui sera devenue 200 – 50 = 150 MF.*

DOCUMENT

LES ANALYSES DUN & BRADSTREET

Leader international de l'information financière, DUN fournit au moins trois types d'information:
- Un indicateur synthétique
- Les comptes : bilan et compte de résultat, ainsi qu'une batterie restreinte de ratios.
- Une analyse financière complète, avec des comparaisons sectorielles.

Cette banque de données est essentiellement destinée aux analystes de crédit-client. Ses analyses ont donc comme principal objectif la solvabilité financière immédiate de l'entreprise . Le diagnostic donné est focalisé sur le court terme, et la trésorerie, préoccupation essentielle du vendeur à crédit .

❏ Indicateur DUN & BRADSTREET

Le *rating européen* de DUN (5A2 pour le groupe SAGEM, par exemple) se décompose en deux parties :

- Les deux premiers caractères de gauche (5A) se rapportent à la taille des fonds propres nets de l'entreprise, selon le tableau ci-après.

- Le dernier caractère indique la « qualité » du créditeur : de 1 excellent, à 4 (prudence conseillée).

- Le deuxième caractère (2, pour le groupe SAGEM), est un « indicateur de risque », évalué et commenté par l'analyste selon le tableau ci-après.

LA VALEUR FINANCIERE DE L'ENTREPRISE

Cet indicateur vous sert à connaître l'état de santé de l'entreprise.

Pour le déterminer, deux cas de figure se présentent :

• Nous sommes en possession du dernier bilan disponible : la valeur financière de l'entreprise est déterminée à partir de ses fonds propres nets selon la méthode de calcul suivante :

Fonds propres net =
Capitaux propres – Actifs fictifs

(actifs fictifs = capital souscrit non appelé + immobilisations incorporelles + compte de régularisation hors actif circulant).

• Le dernier bilan n'est pas disponible (fonds propres nets inconnus) : la valeur financière de l'entreprise est déterminée en fonction du secteur d'activité, du chiffre d'affaire ou à défaut de l'effectif.

Dans ce cas, nous n'accordons pas de rating supérieur à 1A.

INDICATEUR	FONDS PROPRES NETS
5A	350 000 000 F et +
4A	70 000 000 F à 350 000 000 F
34	7 000 000 F à 70 000 000 F
2A	5 000 000 F à 7 000 000 F
1A	3 500 000 F à 5 000 000 F
B	1 500 000 F à 3 500 000 F
C	700 000 F à 1 500 000 F
D	350 000 F à 700 000 F
E	150 000 F à 350 000 F
F	75 000 F à 150 000 F
G	35 000 F à 75 000 F

LA VALEUR DU CRÉDIT DE L'ENTREPRISE

Nous attribuons la valeur du crédit en fonction du résultat de l'analyse du risque de crédit effectué lors de l'enquête auprès de nos différentes sources.

Un exemple concret :

La société X, pour laquelle nous disposons du dernier bilan 1992, a un fond propre net de 5 000 000 F mais après analyse, fait ressortir un fonds de roulement négatif bien que les engagements restent tenus :

RATING 1A–

LA VALEUR DU CREDIT	
1	excellent crédit
2	bon crédit
-	situation à surveiller (exemple : engagements tenus mais éléments bilantiels défavorables)
3	prudence conseillée (exemples : retards, prorogations d'échéances ou éléments bilantiels très défavorables)
4	prudence conseillée (exemple : impayés signalés). Pas de crédit

FIGURE 28

❏ Les ratios Dun

Liquidité réduite	(Actifs Court Terme - Stocks) / Passif court terme
Liquidité générale	Actif circulant / Passif court terme
Autonomie Financière	Fonds Propres Nets / Total Passif
Rotation des stocks	CA HT / Stocks
Découvert clientèle	(Clients + effets non échus) /(CA HT x 1.186)
Rotation des capitaux engagés	CA HT / total Actif
Marge Nette	Résultat net / CA HT
Rentab.Econ.Brute	Résultat courant / Total Actif
CA par salarié	CA HT / effectif moyen en milliers de francs
Rentab Brute / Salarié	Résultat Courant en milliers de francs / effectif moyen

Ci-après, quelques extraits du dossier DUN concernant le groupe SAGEM.

GROUPE SAGEM

Fiche DUN - BRADSTREET

```
RATIOS

                                         31-12-92        31-12-93

Liquidite reduite (X)                                         1,2
Liquidite generale (X)                                        1,6
Autonomie financiere (%)                    27,2             28,6
Rotation des stocks (X)                      6,8              6,7
Decouvert clientele (J)                     84,3             84,4
Rotat. cap. engages (%)                    127,4            122,8
Marge nette (%)                              7,5              8,1
Rentab.economique brute(%)                   9,5             10,0
C.A. par salarie (FFR)                     820,0            864,9
Rentab. brute/salarie(FFR)                  61,1             70,2

BILAN

              Provenant d'un Bilan consolide au 31-12-93
                  (les chiffres sont en milliers)

                          SYSTEME DE BASE
              ACTIF                          PASSIF

ACTIF IMMOBILISE               CAPITAUX PROPRES
IMMOB. INCORPORELLES           Capital                    181.280
Immob. Incorp. Div.    389.970 Primes d'Emission          181.308
                               Ecart de Reev.             137.051
IMMOB. CORPORELLES             Reserves                 1.994.689
Terrains               146.039 Resultat de l'Ex.          534.504
Constructions          283.346 Autres Reserves            500.000
Immob.Corp. Diverses   583.155
                               Total Capitaux           3.528.832
IMMOB. FINANCIERES
Titres de part.         74.298 Provisions               1.506.496
Immob.Financieres Div  596.404

Total Actif Immob.   2.073.212

ACTIF CIRCULANT                DETTES
Stocks/Trav. en Cours 1.938.087 Emp.Dettes Fin Divers    544.913
Avances & acpt verses  166.332 Avances Recues           1.642.571
Clients              3.623.951 Fournisseurs             1.726.014
Creances Diverses      305.253 Dettes Fisc. & Soc.      1.296.595
Valeurs Mobilieres   2.035.688 Dettes/Immobilisat.        112.447
Disponibilites         369.753 Dettes Diverses            226.777

Total Actif Circulant 8.439.064 Total Dettes           5.549.317

Compt. de Regul.       102.363 Compt. de Regul.           29.994

TOTAL ACTIF         10.614.639 TOTAL PASSIF            10.614.639

        Compte de Resultats pour 12 mois finissant le 31-12-93.
```

FIGURE 29

(les chiffres sont en milliers)

Chiffre d'Affaires	13.038.124
Production Stockee	(92.664)
Production Immobilisee	12.483
Reprises sur Amortissements	406.531
Produits d'Exploitation Divers	61.615
Total des Produits	13.426.089
Montant des Achats	6.733.129
Impots & Taxes	345.426
Salaires & Traitements	4.213.075
Provisions	621.819
Amortissements	445.406
Charges d'Exploitation Diverses	86.593
Total des Charges d'Exploitation	12.445.448
Resultat d'Exploitation	980.641
Total des Produits Financiers	281.901
Total des Charges Financieres	204.815
Resultat Courant	1.057.727
Produits Exceptionnels	296.750
Charges Exceptionnelles	235.585
Resultat Exceptionnel	61.165
Participation des Salaries aux Resultats	145.247
Impot sur les Benefices	412.283
Resultat Net	534.504
Effectifs	15.074

Le rating Dun & Bradstreet 5A2 signifie:

> la surface financiere est de plus de 350 millions et selon
> notre appreciation, la situation financiere est bonne.

L'index des paiements de 77 correspond a un delai moyen de reglement de 5 jour(s) de retard par rapport aux conditions initiales de vente.

Selon les sources consultees, cette entreprise dispose de moyens financiers suffisants et un bon credit est possible.

FIGURE 29 (SUITE)

❏ Le profil financier DUN

Ci-contre, dans le dépliant, le profil financier DUN. Les bilans, et comptes de résultat figurent sur trois ans. Les ratios – ceux de DUN, dont la terminologie « spécifique » est détaillée sur le dernier volet – y apparaissent à côté de la distribution des ratios du secteur.

Comment interpréter la ligne des ratios de profitabilité, reportée ci-dessous ?

	Sujet	% VAR	Supérieur	Médian	Inférieur
Marge Brute %	8.5	(6,6)	6.3	3.5	0.2

1. La marge brute (chez DUN, résultat courant / CA), est de 8.5 % : (8555/101093)
2. Elle a baissé de 6.6 % ([9.1% – 8.5 %] /9.1%).
3. **Quartile supérieure de 6.3**. Sur un échantillon de 100 entreprises du secteur classées par marge brute décroissante, la 25ème entreprise aurait une marge brute de 6.3 %.
4. **Médian de 3.5**. Sur un échantillon de 100 entreprises du secteur classées par marge brute décroissante, la 50ème entreprise (la médiane) aurait une marge brute de 3.5 %.
5. **Inf 0.2** .Sur un échantillon de 100 entreprises du secteur classées par marge brute décroissante, la 75ème entreprise aurait une marge brute de 0.2 %.

Conclusion : notre société se situe, en terme de rentabilité, sensiblement dans le peloton de tête, bien que sa marge brute relative ait légèrement décru.

DELABER
7, rue Maribe
75008 PARIS

DUNS 38 091.6189
N° SIREN 0098765424
création 1970
SIC 3412 3469

	Chiffre d'aff.	101.093.105
	Fonds Prop.	17.397.710
	Norme Ind	3410
	Revue le	11/04/90

	Bilan fiscal 31 décembre 1989 (52 ets)				Bilan fiscal 31 décembre 1988 (42 ets)				Bilan fiscal 31 décembre 1987 (28 ets)		
	FFR	VAR %	POIDS %	IND. %	FFR	VAR %	POIDS %	IND %	FFR	POIDS %	IND. %
Capital non appelé	-	-	-	-	-	-	-	0.1	-	-	0.0
Immo incorporelles	31 541	(93.3)	0.1	0.1	471.876	(49.5)	1.0	1.6	934.376	2.1	1.1
Immo corporelles	12.905.884	83.7	21.7	22	7.025.255	(6.1)	14.3	23.6	7.482.347	17.0	24.2
Immo financieres	94 222	(10.3)	0.2	3.1	105.018	5.4	0.2	3.3	99.609	0.2	3.1
Total actif immobilisé	13.031.647	71.4	21.9	26.8	7.602.149	(10.7)	15.5	28.4	8.516.332	19.3	28.9
Stocks	15 890.386	15.7	26.7	23.9	13 730.995	4.8	27.9	24.5	13.105.831	29.8	27.8
Clients	15 624.384	9.5	26.2	37.5	14.269.806	8.8	29.0	36.2	13.117.236	29.8	32.1
Autres actifs circulants	13.337.828	8.0	22.4	7.9	12.354.008	111.4	25.1	6.6	5.843.245	13.3	7.7
Disponibilités	1.723.189	42.3	2.9	3.8	1.210.805	(64.4)	2.5	3.8	3.396.374	7.7	3.4
Total actif circulant	46.575.787	12.1	78.1	73.1	41.565.614	17.2	84.5	71.2	35.462.686	80.5	71.0
Compte de régularisation	913	-	0.0	0.1	-	-	-	0.3	71.978	0.2	0.1
TOTAL ACTIF	59.608.347	21.2	100.0	100.0	49.167.763	11.6	100.0	100.0	44.050.996	100.0	100.0
Capital	2.286.100	0.0	3.8	12.5	2 286.100	0.0	4.6	12.4	2.286.100	5.2	12.6
Reserves et autres	9.695.903	29.7	16.3	15.9	7.476.435	3.7	15.2	16.7	7.212.054	16.4	15.1
Report à nouveau	-	-	-	(2.4)	-	-	-	(4.2)	-	-	(0.4)
Resultat net	5.448.161	22.0	9.1	1.7	4.467.064	134.4	9.1	2.9	1.906.017	4.3	2.9
Total fonds propres	17.430.164	22.5	29.2	27.7	14.229.599	24.8	28.9	27.8	11.404.171	25.9	27.5
Prov. risques et charges	787.412	12.5	1.3	2.9	699.884	98.2	1.4	2.0	353.127	0.8	1.8
Emprunts	14.562.637	50.7	24.4	24.8	9.663.432	19.9	19.7	23.5	8.060.013	18.3	25.5
Fournisseurs	17.004.245	17.0	28.5	30.7	14.534.925	24.0	29.6	32.5	11.724.036	26.6	32.6
Dettes diverses	9.823.888	(2.1)	16.5	13.9	10.039.649	(19.7)	20.4	14.2	12.509.556	28.4	12.6
Total dettes	41.390.770	20.9	69.4	69.4	34.238.006	6.0	69.6	70.2	32.293.605	73.3	70.7
Compte de régularisation	1	(99.6)	0.0	0.0	274	194.6	0.0	0.0	93	0.0	0.0
TOTAL PASSIF	59.608.347	21.2	100.0	100.0	49.167.763	11.6	100.0	100.0	44.050.996	100.0	100.0
Fonds propres nets	17.397.710	26.5	29.2	27.8	13.757.723	32.3	28.0	25.9	10.397.817	23.6	26.3
Dettes à court terme	30.055.270	10.4	50.4	47.4	27.218.663	3.0	55.4	50.0	26.435.882	60.0	54.2
Concours banc courants	2.525.692	24.7	4.2	7.5	2.025.478	(55.8)	4.1	7.9	4.585.210	10.4	6.2
En cours d'escompte	6.200.058	4.3	10.4	12.5	5.945.860	12.1	12.1	13.9	5.304.103	12.0	9.8

CHIFFRES CLÉS

Le chiffre d'affaires et les fonds propres vous permettent d'apprécier la taille et la valeur de l'entreprise. Le code SIC est celui du secteur d'activité de l'entreprise. La norme industrielle est calculée à partir d'un échantillon représentatif des sociétés de ce secteur. Nous vous indiquons la date de la dernière remise à jour.
SIC : nomenclature d'activités internationale utilisée par Dun et Bradstreet.

BILAN ET COMPTE DE RESULTAT

- Echantillon
Sous la date du bilan fiscal, vous trouvez le nombre d'entreprises choisies pour calculer par année la norme industrielle du secteur d'activité de l'entreprise.

- Postes du bilan et du compte de résultat (colonne FFR) Ils ont été simplifiés et classés en catégories significatives. Vous identifiez les tendances financières de l'entreprise en vous basant sur des chiffres simples.

- Pourcentage de variation (colonne VAR %)
Nous avons calculé, poste par poste, les variations enregistrées par l'entreprise d'une année à l'autre. Les chiffres entre parenthèses sont les variations négatives. Vous pouvez ainsi suivre en détail l'évolution de l'entreprise.

- Poids de chaque poste (colonne POIDS %)
La valeur de chaque poste est calculée par rapport à l'actif ou au passif pour le bilan, du chiffre d'affaires pour le compte de résultat.
Vous déterminez en un instant la structure bilantielle de l'entreprise.

- Norme industrielle (colonne IND %)
Le poids moyen de chaque poste du bilan comparé au total actif ou passif est calculé pour le secteur d'activité.
Vous pouvez ainsi comparer les forces et les faiblesses de l'entreprise par rapport à celles de son secteur d'activité et la situer dans son marché.

FIGURE 30 A

Bilan fiscal 31 décembre 1989 (52 ets)

	FFR	VAR %	POIDS %	IND %
C.A Total	101.093.105	12,0	100,0	100
Achats march & mat 1ères	53.729.252	15,6	53,1	54
Résultat d'exploitation	9.008.102	0,7	8,9	5,6
Produits financiers	536.887	62,3	0,5	0,4
Charges financières (-)	989.831	(4,2)	1,0	2,5
Résultat courant	8.555.158	3,8	8,5	2,8
Produits exceptionnels	1.736.497	97,4	1,7	2,5
Charges exceptionnelles	336.304	(25,0)	0,3	2,8
Résultat net	5.448.161	22,0	5,4	2,2
Intérêts & ch assimilées	982.046	4,6	1,0	2,4
Amortissements	5.088.129	9,5	5,0	3,5
Cash flow net	10.536.290	15,6	10,4	4,9
Effectif moyen	160	2,6	0,0	0,0
Salaires & traitements	15.435.843	17,8	15,3	19,2
Fonds de roulement	16.520.517	15,2	.	.
Solde net de trésorerie	(7.002.561)	(3,6)	.	.
Besoin en fonds de rouf.	23.523.078	11,4	.	.

Bilan fiscal 31 décembre 1988 (42 ets)

	FFR	VAR %	POIDS %	IND %
C.A Total	90.258.918	9,4	100,0	100,0
Achats march & mat 1ères	46.495.335	20,4	51,5	53,8
Résultat d'exploitation	8.945.946	74,3	9,9	4,9
Produits financiers	330.776	213,1	0,4	0,4
Charges financières (-)	1.033.211	27,9	1,1	2,3
Résultat courant	8.243.511	86,1	9,1	3,0
Produits exceptionnels	879.684	0,4	1,0	3,2
Charges exceptionnelles	448.321	(21,9)	0,5	3,0
Résultat net	4.467.064	134,4	4,9	1,7
Intérêts & ch assimilées	939.091	28,6	1,0	2,2
Amortissements	4.644.688	11,6	5,1	3,5
Cash flow net	9.111.752	50,1	10,1	5,2
Effectif moyen	156	1,3	0,0	0,0
Salaires & traitements	13.107.163	(7,3)	14,5	17,8
Fonds de roulement	14.346.951	58,9	.	.
Solde net de trésorerie	(6.760.533)	(4,1)	.	.
Besoin en fonds de rouf.	21.107.484	36,0	.	.

Bilan fiscal 31 décembre 1987 (28 ets)

	FFR	POIDS %	IND %
C.A Total	82.490.618	100,0	100,0
Achats march & mat 1ères	38.621.936	46,8	58,0
Résultat d'exploitation	5.132.657	6,2	3,5
Produits financiers	105.655	0,1	0,4
Charges financières (-)	807.689	1,0	2,8
Résultat courant	4.430.625	5,4	1,6
Produits exceptionnels	875.981	1,1	1,5
Charges exceptionnelles	574.211	0,7	1,4
Résultat net	1.906.017	2,3	(0,3)
Intérêts & ch assimilées	730.450	0,9	2,6
Amortissements	4.163.336	5,0	3,4
Cash flow net	6.069.353	7,4	3,1
Effectif moyen	154	0,0	0,0
Salaires & traitements	14.138.612	17,1	16,6
Fonds de roulement	9.026.804	.	.
Solde net de trésorerie	(6.492.939)	.	.
Besoin en fonds de rouf.	15.519.743	.	.

UTILISATION DU FONDS DE ROULEMENT

	31 décembre 1989 FFR	31 décembre 1988 FFR
Variation stocks	2.159.391	625.164
Variation clients	1.608.776	1.794.327
Variation actifs divers	983.820	6.510.763
BESOINS	4.751.987	8.930.254
Variation fournisseurs	2.469.320	2.810.889
Variation dettes diverses à court terme	(132.927)	531.624
DÉGAGEMENTS	2.336.393	3.342.513
VAR. BFR : BESOIN (DÉGAGT)	2.415.594	5.587.741
Variation disponibilités	512.384	(2.185.569)
Variation conc. banc. courants	754.412	(1.917.975)
VAR. SNT : BESOIN (DÉGAGT)	(242.028)	(267.594)
VAR. FDR : RESSOURCE (EMPLOI)	2.173.566	5.320.147

Ce tableau de financement indique la manière dont les ressources de l'entreprise ont permis de faire face à ses besoins pendant l'exercice considéré. Il décrit également la variation d'une année sur l'autre du solde net de trésorerie, celle du fonds de roulement, l'impact de cette dernière variation sur les opérations de gestion courante et la manière dont l'équilibre financier a été assuré.

FIGURE 30 B

23 ratios ont été sélectionnés et regroupés en 4 catégories : ratios de structure et liquidité, ratios de gestion, ratios de profitabilité et ratios de productivité. Nous indiquons leur variation par rapport à l'année précédente, ainsi que le positionnement de chacun d'entre eux par rapport à la médiane, aux quartiles inférieurs et supérieurs du secteur d'activité.

RATIOS	31 décembre 1989 (52 ets)					31 décembre 1988 (42 ets)					31 décembre 1987 (28 ets)			
	SUJET	% VAR	QUARTILES INDUSTRIE			SUJET	% VAR	QUARTILES INDUSTRIE			SUJET	QUARTILES INDUSTRIE		
			SUP.	MED.	INF.			SUP.	MED.	INF.		SUP.	MED.	INF.
STRUCTURE ET LIQUIDITÉ														
Liquidité réduite (x)	1,0	0,0	1,2	0,8	0,6	1,0	25,0	1,1	0,9	0,6	0,8	1,1	0,8	0,6
Liquidité générale (x)	1,5	0,0	1,9	1,5	0,9	1,5	15,4	1,8	1,3	1,0	1,3	1,7	1,3	1,0
Autonomie financière (%)	29,2	4,3	39,5	27,7	13	28,0	18,6	39,7	27,9	13,9	23,6	39,8	28,1	14,8
Endettement global (%)	237,9	(4,4)	107	192,5	421	248,9	(19,9)	107,5	192,8	420,7	310,6	109,8	196,9	340,5
Act. imm./fonds propres nets	74,9	35,4	49,7	82,3	142,8	55,3	(32,5)	49,8	82,1	142,6	81,9	51,1	84,0	142,6
Act imm./total actif (%)	21,9	41,3	16,6	27	39,5	15,5	(19,7)	16,7	27,6	39,4	19,3	20,7	29,0	36,9
Evolution du BFR (J)	83,8	(0,5)	22,4	55,8	77,1	84,2	24,4	22,6	55,5	77,0	67,7	9,5	36,2	72,1
Evolution du FDR (J)	58,8	2,8	67,3	31	4,2	57,2	45,2	67,5	31,2	4,4	39,4	62,9	26,6	9,0
Evolution du SMT (J)	(24,9)	7,8	3,6	(1,5)	(28)	(27,0)	4,6	3,6	(1,4)	(27,2)	(28,3)	2,2	(2,0)	(14,9)
Ecoulement des stocks (J)	106,5	0,2	71	93,4	125,3	106,3	(13,0)	71,4	93,8	125,5	122,2	78,2	100,7	129,1
GESTION														
Frais financiers (%)	1,0	0,0	1,1	2,3	3,4	1,0	11,1	1,3	2,0	3,0	0,9	1,5	2,1	3,3
Rotation des stocks (x)	6,4	(3,0)	(9,1)	7,4	5,2	6,6	4,8	9,6	7,3	5,5	6,3	8,3	6,9	5,4
Découvert clientèle (J)	65,5	(3,7)	57,8	73	85,5	68,0	0,3	57,7	73,4	85,1	67,8	50,5	66,4	74,4
Rotat. cap. engagés (J)	169,6	(7,6)	203,5	182	150,7	183,6	(1,9)	203,1	182,4	150,4	187,2	202,2	177,3	146,0
Crédit fournisseurs (J)	96,1	1,3	82,4	101,7	126,6	94,9	3,0	82,6	101,5	126,8	92,1	75,6	95,1	114,7
Rotat. cap. circulants (%)	217,1	0,0	272,7	247,3	217,2	217,1	(6,7)	272,7	241,1	217,1	232,6	278,4	245,4	229,1
PROFITABILITÉ														
Marge brute (%)	8,5	(6,6)	6,3	3,5	0,2	9,1	68,5	6,1	3,0	0,1	5,4	5,3	3,0	0,6
Marge nette (%)	5,4	10,2	4	2,5	0,2	4,9	113,0	3,8	2,3	0,1	2,3	2,7	1,8	(0,7)
Rentab brute cap engag(%)	49,2	(17,9)	37,6	17,5	0,4	59,9	40,6	37,4	17,8	0,1	42,6	36,1	17,8	9,7
Rentab écon brute (%)	14,4	(14,3)	8,9	5,5	0,6	16,8	66,3	8,7	5,0	0,1	10,1	10,0	4,9	0,0
PRODUCTIVITÉ (000'S)														
C.A. par salarié (FFR)	631	9,2	1128	730	510	578	8,0	1125	724	507	535	1110	700	520
Rentab brute/salarié (FFR)	53,5	1,3	45,9	15,7	(0,3)	52,8	83,3	45,7	15,6	(0,1)	28,8	45,3	14,4	(0,2)
Rém moyenne/salarié (FFR)	96,5	14,9	120,5	111,7	101	84,0	(8,5)	120,3	111,9	100,8	91,8	117,9	106,6	95,8

FIGURE 30 c

RATIOS DE STRUCTURE ET LIQUIDITE

Liquidité réduite (x) : $\dfrac{\text{actif circulant-stocks}}{\text{dettes à court terme}}$

Liquidité générale (x) : $\dfrac{\text{actif circulant}}{\text{dettes à court terme}}$

Autonomie financière (%) : $\dfrac{\text{fonds propres nets}}{\text{total passif}} \times 100$

Endettement global (%) : $\dfrac{\text{total dettes}}{\text{fonds propres nets}} \times 100$

Actif immobilisé / fonds propres nets (%) : $\dfrac{\text{actif immobilisé}}{\text{fonds propres nets}} \times 100$

Actif immobilisé / total actif (%) : $\dfrac{\text{actif immobilisé}}{\text{total actif}} \times 100$

Evolution du BFR (J) : $\dfrac{\text{BFR}}{\text{chiffre d'affaires HT}} \times 360$

Evolution du FR (J) : $\dfrac{\text{FR}}{\text{chiffre d'affaires HT}} \times 360$

Evolution du SNT (J) : $\dfrac{\text{SNT}}{\text{chiffre d'affaires HT}} \times 360$

Ecoulement des stocks (J) : $\dfrac{\text{stoks}}{\text{achats}} \times 360$

RATIOS DE GESTION

Frais financiers (%) : $\dfrac{\text{intérêts et charges assimilées}}{\text{CA HT}} \times 100$

Rotation des stocks (x) : $\dfrac{\text{CA HT}}{\text{stocks}}$

Découvert clientèle (J) : $\dfrac{(\text{clients + effets escomptés non échus})}{(\text{CA HT} \times 1.186)} \times 360$

Rotation des capitaux engagés (%) : $\dfrac{\text{CA HT}}{\text{total actif}} \times 100$

Crédit fournisseurs (J) : $\dfrac{\text{fournisseurs}}{(\text{achats} \times 1.186)} \times 360$

Rotation des capitaux circulants (%) : $\dfrac{\text{CA HT}}{\text{actif circulant}} \times 100$

RATIOS DE PROFITABILITÉ

Marge brute (%) : $\dfrac{\text{résultat courant}}{\text{CA HT}} \times 100$

Marge nette (%) : $\dfrac{\text{résultat net}}{\text{CA HT}} \times 100$

Rentabilité brute des capitaux engagés (%) : $\dfrac{\text{résultat courant}}{\text{fonds propres nets}} \times 100$

Rentabilité économique brute (%) : $\dfrac{\text{résultat courant}}{\text{totale actif}} \times 100$

RATIOS DE PRODUCTIVITÉ (000'S) : (en milliers)

CA par salarié (J) : $\dfrac{\text{CA HT}}{\text{effectif moyen}} \cdot 1000$

Rentabilité brute / salarié (FFR) : $\dfrac{\text{résultat courant}}{\text{effectif moyen}} \cdot 1000$

Rémunération moyenne / salarié (FFR) (ce ratio ne lient pas compte des charges sociales) : $\dfrac{\text{salaires et traitements}}{\text{effectif moyen}} \cdot 1000$

Accès / Services	DISPONIBILITÉ DU D.F.P.		
	DunsTel (téléphone)	DunsPrint (micro-ordinateur)	DunsScope (minitel)
DFP à jour Délai : 7 jours	oui	oui	oui
Commande Délai : 3 à 4 semaines	oui	oui	oui

FIGURE 30 D

DOCUMENT

STATISTIQUES : ÉVOLUTION DE QUELQUES RATIOS FINANCIERS PAR SECTEURS INDUSTRIELS ET COMMERCIAUX

A partir de sa base de données, la Centrale de Bilans du Crédit National a établi un tableau de ratios caractéristiques du comportement financier des entreprises. Celui-ci retrace, au cours des trois dernières années 1990, 1991 et 1992, l'évolution des secteurs retenus.

L'échantillon de la Centrale de Bilans servant de base de référence, les entreprises de même activité ont été regroupées dans le but d'obtenir la meilleure cohérence économique et financière. Cette décomposition fine permet de situer de façon significative une entreprise au sein de son secteur. Toutefois, il convient de souligner que le rapprochement de données individuelles avec des statistiques sectorielles doit toujours être effectué avec précaution.

L'échantillon publié cette année se compose de 64 secteurs (61 industriels et 3 commerciaux et services) qui présentent une bonne ou très bonne représentativité, notamment pour les entreprises de plus de 500 salariés ; d'autres jugés insuffisamment caractéristiques n'ont pas été retenus.

Cependant, sur la période étudiée, le cylindrage sur quatre exercices assure la cohérence des résultats présentés.

RATIOS DE LA CENTRALE DE BILANS DU CRÉDIT NATIONAL
(MÉDIANE DES OBSERVATIONS)

Nombre total des entreprises de l'échantillon : 1 254.

Définition des ratios :

1 - Variation des produits d'exploitation (en %)

2 - $\dfrac{\text{Valeur ajoutée}}{\text{Produits d'exploitation}}$ (en %)

3 - $\dfrac{\text{Valeur ajoutée}}{\text{Effectifs}}$ (en milliers de francs)

4 - $\dfrac{\text{Frais de personnel}}{\text{Valeur ajoutée}}$ (en %)

5 - $\dfrac{\text{Excédent brut d'exploitation}}{\text{Valeur ajoutée}}$ (en %)

6 - $\dfrac{\text{Frais financiers}}{\text{Valeur ajoutée}}$ (en %)

7 - $\dfrac{\text{Frais financiers}}{\text{Excédent brut d'exploitation}}$ (en %)

8 - $\dfrac{\text{Investissements d'exploitation}}{\text{Valeur ajoutée}}$ (en %)

9 - $\dfrac{\text{Endettement à terme}}{\text{Fonds propres avant répartition}}$ (en %)

10 - $\dfrac{\text{Endettement à terme}}{\text{Capacité d'autofinancement}}$ (en nombre d'années)

11 - $\dfrac{\text{Fonds de roulement}}{\text{Besoins de roulement (1)}}$ (en %)

12 - $\dfrac{\text{Besoins de roulement}}{\text{Chiffre d'affaires}}$ (en nombre de jours)

13 - Rentabilité économique globale : $\dfrac{\text{Excédent net d'exploitation + Produits financiers}}{\text{Capitaux mis en œuvre moyens (2)}}$ (en %)

14 - Rentabilité financière : $\dfrac{\text{Résultat courant avant impôt}}{\text{Fonds propres moyens}}$ (en %)

15 - $\dfrac{\text{Capacité d'autofinancement}}{\text{Produits d'exploitation}}$ (en %)

---

(1) Besoins de roulement = Actif de roulement - Passif de roulement + Réalisable financier - Exigible financier.
(2) Total des immobilisations nettes + Besoins de roulement.

FIGURE 31

SECTEURS	Variation des produits d'exploitation			Valeur ajoutée Produits d'exploitation		
	1990	1991	1992	1990	1991	1992
Produits laitiers frais	0.6	6.5	5.4	15.0	14.2	14.2
Industrie sucrière	3.7	- 1.0	3.5	33.4	32.3	30.0
Brasserie	9.3	2.0	7.0	31.3	30.3	32.0
Meunerie	2.2	1.2	3.4	15.3	14.5	17.3
Conserverie	8.9	4.9	1.0	20.7	22.0	22.0
Vins de champagne	10.2	4.6	- 14.6	36.6	29.5	26.6
Fromage de garde	1.8	4.7	1.5	15.9	17.3	18.2
Chocolaterie confiserie	8.0	6.2	3.6	32.6	30.5	29.6
Abattage du bétail	- 3.6	3.7	2.8	10.2	9.7	9.8
Biscuiterie biscotterie	5.6	10.2	1.1	36.5	36.1	37.5
Semoule pâtes alimentaires	4.0	4.0	- 0.3	21.9	22.2	24.1
Crèmes glacées et produits surgelés	5.0	5.0	- 1.4	24.1	25.9	23.9
Boissons non alcoolisées	16.9	2.6	2.4	23.1	23.6	22.9
Boissons alcoolisées	- 0.1	2.2	- 2.7	22.8	24.7	25.4
Abattage de volaille	8.9	13.4	5.7	18.4	16.2	16.8
Moyenne sidérurgie	- 9.1	- 7.9	- 7.3	36.9	36.5	35.8
Première transformation de l'acier	3.7	- 1.8	- 5.0	28.1	30.3	31.6
Tubes d'acier	- 7.0	- 8.0	- 2.5	31.6	31.3	29.8
Fonderie et métaux ferreux	3.9	- 5.8	0.0	45.0	46.4	46.9
Décolletage et visserie	2.4	3.2	7.2	44.5	44.5	46.4
Fonderie de métaux non ferreux	- 2.9	- 3.8	2.8	44.1	46.0	46.8
Fabrication de mobilier métallique	12.0	- 2.0	- 1.8	44.3	44.7	44.4
Matériel agricole	2.2	- 20.5	- 1.0	33.5	35.8	35.4
Robinetterie industrielle	7.6	8.2	- 3.6	41.6	41.0	38.8
Matériels aérauliques, pompes et compresseurs	7.2	- 1.7	- 3.3	39.5	38.5	40.3
Chaudronnerie	15.7	- 10.0	- 8.4	38.7	41.5	40.7
Équipements pour l'automobile	0.6	- 0.2	6.6	41.2	40.3	38.8
Équipements aéronautiques	13.3	1.4	- 9.9	48.5	47.5	49.8
Fabrication et réparation de matériel ferroviaire	12.4	3.8	26.6	44.9	47.3	36.6
Moteurs et construction aéronautiques	11.4	2.1	- 6.2	45.7	44.1	45.3
Engrenages et transmissions	16.6	- 1.6	- 10.1	49.7	47.4	51.4
Outillages pour machines	8.2	- 0.5	0.7	57.3	58.3	56.8
Matériel de levage manutention	4.6	0.4	- 10.9	39.9	40.2	39.8
Roulements	4.7	- 12.0	4.8	44.9	45.3	45.8
Construction automobile	- 3.1	0.9	7.3	22.4	20.9	21.1
Lunetterie	2.3	- 6.2	- 1.1	52.2	52.5	50.0
Matériel d'équipement électrique industriel	4.2	7.6	1.0	47.2	50.7	47.0
Fabrication de fils et câbles électriques	- 1.9	- 1.9	- 3.2	33.6	35.5	34.6
Appareillage pour installations électriques	11.7	6.6	3.0	41.3	43.8	44.8
Matériel télégraphique et téléphonique	5.6	- 6.3	3.9	42.5	43.2	46.4
Mesure contrôle régulation	7.4	- 1.6	- 4.8	43.1	42.3	46.9
Matériel électronique professionnel	- 0.4	0.6	- 7.2	45.8	41.5	42.5
Composants passifs	2.7	- 8.9	- 4.0	56.6	58.5	56.9
Équipements ménagers blancs et bruns	6.8	5.3	7.8	40.1	39.7	40.1
Composants actifs	4.0	9.1	1.0	24.3	29.3	29.3
Raffinage de pétrole	8.6	1.6	- 9.9	8.9	6.9	6.6
Industrie du verre	6.9	3.8	- 3.3	48.0	48.1	47.7
Parfums et cosmétiques	2.4	5.9	8.4	33.4	35.5	32.9
Chimie organique et matières plastiques	- 2.3	0.0	- 1.1	31.6	32.1	30.7
Fabrications pharmaceutiques	5.9	7.3	5.8	39.6	40.0	41.1
Fabr. de peintures, vernis, encres d'imprimerie	5.0	3.4	1.7	31.7	34.8	35.0
Industrie de la laine	- 14.6	6.5	- 7.7	33.6	36.9	28.7
Industrie de la maille	6.0	1.1	- 1.2	44.0	42.9	39.5
Papiers cartons	2.5	- 0.8	- 2.6	34.3	34.9	32.3
Industrie de la chaussure	5.8	- 6.1	- 5.4	35.6	35.0	34.4
Chaux et ciments	5.0	2.1	- 1.8	46.7	47.4	46.5
Tuiles et briques	6.8	15.2	- 0.3	57.8	59.5	52.2
Produits en céramique	9.5	- 1.0	- 2.5	45.4	46.1	50.8
Fabrication de plâtre et de produits en plâtre	2.8	- 8.4	- 26.5	43.6	42.2	48.6
Produits réfractaires	6.3	- 12.5	3.9	40.8	38.1	42.4
Fabrication de matériaux de construction	8.2	0.4	- 6.8	33.5	33.8	33.3
Négoce de produits sidérurgiques	2.7	- 9.1	- 6.9	16.0	15.8	14.7
Succursalistes	4.4	5.6	5.1	12.8	13.4	14.5
Négoce et élevage de vins fins	5.0	- 7.2	0.3	18.1	17.2	17.5
Ensemble de l'industrie	4.3	1.4	- 0.6	36.3	36.6	36.0
Ensemble du commerce et des services	5.2	- 0.6	-1.0	20.6	21.3	20.8

FIGURE 32

SECTEURS	Valeur ajoutée			Frais de personnel		
	Effectifs			Valeur ajoutée		
	1990	1991	1992	1990	1991	1992
Produits laitiers frais	270.6	287.8	300.0	58.2	56.6	56.7
Industrie sucrière	601.9	615.8	618.0	36.7	37.8	38.6
Brasserie	416.1	392.7	451.1	53.8	51.3	46.2
Meunerie	376.4	405.5	477.5	63.8	61.2	57.9
Conserverie	250.5	260.8	273.1	59.1	62.1	65.8
Vins de champagne	922.8	845.6	629.7	37.3	37.0	57.4
Fromage de garde	242.4	277.0	283.3	66.3	62.5	62.8
Chocolaterie confiserie	302.2	345.9	321.1	56.2	59.2	58.8
Abattage du bétail	223.4	243.8	236.4	64.5	66.0	68.5
Biscuiterie biscotterie	294.7	346.3	305.0	60.9	56.1	55.2
Semoule pâtes alimentaires	329.0	355.9	395.2	61.7	55.2	54.1
Crèmes glacées et produits surgelés	236.6	278.9	272.6	65.8	62.5	64.5
Boissons non alcoolisées	497.0	499.5	540.5	43.0	45.1	42.1
Boissons alcoolisées	395.1	450.2	473.2	54.4	55.3	59.3
Abattage de volaille	197.3	194.0	173.3	67.0	66.0	72.8
Moyenne sidérurgie	341.8	333.7	303.0	57.1	70.2	76.7
Première transformation de l'acier	241.2	285.3	255.5	69.7	71.2	73.7
Tubes d'acier	284.4	272.6	278.3	57.4	60.1	62.8
Fonderie et métaux ferreux	231.7	223.2	237.5	71.3	75.5	74.7
Décolletage et visserie	273.2	259.5	295.6	67.3	64.8	65.5
Fonderie de métaux non ferreux	235.6	250.0	231.7	64.9	69.3	71.7
Fabrication de mobilier métallique	267.3	260.1	248.5	73.9	76.2	81.8
Matériel agricole	301.7	285.0	281.5	67.4	70.0	75.4
Robinetterie industrielle	332.4	376.2	297.4	65.3	62.1	63.3
Matériels aérauliques, pompes et compresseurs	300.0	307.0	297.5	66.3	68.1	72.4
Chaudronnerie	272.6	274.7	266.6	75.8	82.0	81.2
Équipements pour l'automobile	293.0	305.3	321.6	59.5	60.1	59.3
Équipements aéronautiques	386.8	345.5	366.6	65.4	71.4	74.0
Fabrication et réparation de matériel ferroviaire	243.6	240.9	245.9	80.4	74.3	77.3
Moteurs et construction aéronautiques	341.2	348.9	340.9	71.5	74.4	74.8
Engrenages et transmissions	259.9	292.3	314.1	72.4	71.9	73.5
Outillages pour machines	289.9	283.3	284.9	68.8	73.3	73.8
Matériel de levage manutention	355.5	291.7	255.2	64.7	68.4	70.9
Roulements	280.8	285.0	302.9	64.1	71.6	71.1
Construction automobile	290.1	299.3	303.5	65.0	61.0	61.7
Lunetterie	217.4	196.6	209.4	74.9	80.0	78.6
Matériel d'équipement électrique industriel	273.9	310.2	274.9	67.5	67.2	70.0
Fabrication de fils et câbles électriques	273.3	315.9	338.2	68.4	64.1	65.0
Appareillage pour installations électriques	305.5	325.2	343.3	58.4	57.5	57.5
Matériel télégraphique et téléphonique	286.0	292.3	333.5	72.3	75.3	67.4
Mesure contrôle régulation	242.3	249.5	232.0	70.5	69.6	80.2
Matériel électronique professionnel	359.9	368.9	371.2	69.9	73.0	76.3
Composants passifs	271.6	268.3	271.5	71.1	73.9	75.6
Équipements ménagers blancs et bruns	263.5	284.5	290.9	64.1	65.2	67.5
Composants actifs	305.6	360.3	344.2	74.2	70.7	74.3
Raffinage de pétrole	879.0	641.2	620.6	44.5	57.2	67.2
Industrie du verre	299.5	308.9	300.3	65.1	65.5	69.7
Parfums et cosmétiques	349.0	382.0	376.7	65.8	62.7	63.9
Chimie organique et matières plastiques	543.8	492.2	432.9	51.1	62.4	64.2
Fabrications pharmaceutiques	389.9	392.5	404.0	64.5	67.5	65.5
Fabr. de peintures, vernis, encres d'imprimerie	366.8	403.6	424.7	62.7	60.9	59.3
Industrie de la laine	195.3	271.7	271.3	78.4	65.0	65.4
Industrie de la maille	199.8	212.9	210.8	73.4	75.6	76.7
Papiers cartons	393.2	400.5	399.1	53.4	55.6	57.5
Industrie de la chaussure	189.0	204.5	198.1	72.2	72.5	81.4
Chaux et ciments	832.2	891.9	881.2	35.2	35.5	37.6
Tuiles et briques	291.7	363.7	343.4	56.3	49.3	52.8
Produits en céramique	211.6	219.0	227.1	72.2	78.3	76.0
Fabrication de plâtre et de produits en plâtre	415.0	422.5	425.4	51.9	47.5	57.8
Produits réfractaires	333.0	294.9	333.2	60.6	68.0	68.5
Fabrication de matériaux de construction	420.7	487.0	464.3	54.0	55.2	58.9
Négoce de produits sidérurgiques	286.1	276.2	273.6	64.7	69.1	75.0
Succursalistes	180.7	191.9	195.5	70.5	69.8	72.5
Négoce et élevage de vins fins	338.0	323.5	381.0	52.6	60.0	61.2
Ensemble de l'industrie	294.4	305.5	306.9	64.1	65.4	66.3
Ensemble du commerce et des services	310.1	309.4	318.3	63.7	65.3	66.5

FIGURE 33

SECTEURS	E.B.E. Valeur ajoutée			Frais financiers Valeur ajoutée		
	1990	1991	1992	1990	1991	1992
Produits laitiers frais	33.6	36.0	41.2	10.2	8.1	8.5
Industrie sucrière	69.3	69.8	67.9	3.4	4.7	5.4
Brasserie	39.9	41.6	43.6	9.6	10.6	9.2
Meunerie	27.7	27.2	32.3	17.9	15.5	14.8
Conserverie	33.3	30.0	25.9	11.0	9.0	10.6
Vins de champagne	58.1	60.4	37.9	16.0	16.6	37.2
Fromage de garde	28.4	33.7	30.6	9.0	8.2	8.5
Chocolaterie confiserie	35.5	29.6	33.0	6.2	6.6	7.7
Abattage du bétail	28.1	23.4	23.0	10.7	9.1	9.5
Biscuiterie biscotterie	31.5	30.9	32.7	2.6	3.0	3.2
Semoule pâtes alimentaires	33.6	36.6	36.6	9.8	8.9	11.8
Crèmes glacées et produits surgelés	30.8	31.6	31.2	6.4	6.1	7.8
Boissons non alcoolisées	47.1	47.3	52.4	5.1	6.2	7.4
Boissons alcoolisées	41.9	38.3	34.7	10.8	15.0	22.2
Abattage de volaille	27.3	27.0	23.0	7.1	7.7	7.8
Moyenne sidérurgie	31.2	23.2	16.3	7.7	6.5	6.9
Première transformation de l'acier	25.3	21.8	19.1	4.2	2.9	3.8
Tubes d'acier	26.2	28.7	25.4	6.0	5.3	6.6
Fonderie et métaux ferreux	19.7	14.6	12.7	5.2	4.3	6.0
Décolletage et visserie	24.1	27.6	25.7	6.2	6.8	6.1
Fonderie de métaux non ferreux	22.5	21.7	19.6	4.4	4.6	5.7
Fabrication de mobilier métallique	19.0	16.2	12.2	6.5	6.4	6.9
Matériel agricole	25.4	24.5	17.5	5.4	6.3	8.0
Robinetterie industrielle	27.0	29.9	29.5	3.4	2.2	3.6
Matériels aérauliques, pompes et compresseurs	26.6	23.1	18.1	5.6	5.2	4.9
Chaudronnerie	11.6	7.5	3.4	2.1	2.2	3.4
Équipements pour l'automobile	31.4	29.6	30.4	5.3	5.7	5.6
Équipements aéronautiques	23.6	20.9	17.6	5.3	6.3	6.6
Fabrication et réparation de matériel ferroviaire	10.1	11.7	12.5	3.8	4.8	5.6
Moteurs et construction aéronautiques	20.4	17.0	17.3	8.7	9.2	9.7
Engrenages et transmissions	23.0	20.8	22.9	3.0	4.1	3.0
Outillages pour machines	26.6	22.5	20.8	5.2	5.7	5.8
Matériel de levage manutention	24.9	18.8	19.3	3.7	4.5	5.2
Roulements	24.8	21.1	20.1	5.1	6.5	7.4
Construction automobile	27.8	25.7	30.6	6.6	6.2	7.2
Lunetterie	19.9	13.9	13.4	4.0	3.8	4.7
Matériel d'équipement électrique industriel	27.5	23.5	22.0	4.1	3.3	3.0
Fabrication de fils et câbles électriques	26.4	30.4	29.7	5.2	4.6	4.1
Appareillage pour installations électriques	32.8	35.8	34.1	3.9	3.6	3.9
Matériel télégraphique et téléphonique	21.1	16.3	25.3	3.7	3.9	3.5
Mesure contrôle régulation	23.7	23.1	13.6	3.3	2.4	2.7
Matériel électronique professionnel	20.6	20.9	16.1	3.8	4.6	3.8
Composants passifs	24.7	21.8	18.4	4.0	3.6	3.4
Équipements ménagers blancs et bruns	29.8	28.6	25.6	4.1	4.6	3.6
Composants actifs	16.2	23.5	22.1	5.5	4.3	4.4
Raffinage de pétrole	45.9	30.7	23.8	12.2	16.7	30.0
Industrie du verre	27.9	25.8	22.0	5.3	6.0	6.5
Parfums et cosmétiques	27.8	29.8	31.0	5.3	5.8	5.1
Chimie organique et matières plastiques	39.9	27.3	28.0	4.6	4.6	5.0
Fabrications pharmaceutiques	25.6	26.6	26.4	5.8	5.0	5.5
Fabr. de peintures, vernis, encres d'imprimerie	31.0	33.0	34.7	6.8	4.9	6.3
Industrie de la laine	11.8	22.8	23.3	11.3	14.6	15.2
Industrie de la maille	19.5	21.0	18.1	5.8	6.4	6.4
Papiers cartons	38.8	37.8	35.4	7.8	8.2	9.2
Industrie de la chaussure	20.3	23.3	12.8	4.2	5.6	8.3
Chaux et ciments	59.1	58.4	56.0	4.0	6.2	4.6
Tuiles et briques	34.7	42.8	42.1	7.2	5.5	5.1
Produits en céramique	22.2	14.8	14.1	10.3	10.6	8.2
Fabrication de plâtre et de produits en plâtre	37.3	39.8	29.7	7.6	4.1	6.5
Produits réfractaires	31.6	25.3	22.0	6.7	6.5	7.9
Fabrication de matériaux de construction	38.8	40.8	36.7	6.2	6.2	6.7
Négoce de produits sidérurgiques	29.5	24.0	19.1	8.3	7.6	7.5
Succursalistes	20.1	23.1	20.5	6.6	7.1	8.6
Négoce et élevage de vins fins	36.3	32.3	31.8	18.7	21.5	19.0
Ensemble de l'industrie	28.4	26.4	25.6	5.9	6.1	6.6
Ensemble du commerce et des services	29.8	26.8	24.7	7.0	7.8	8.2

FIGURE 34

SECTEURS	Frais financiers			Invest. d'exploitation		
	E.B.E.			Valeur ajoutée		
	1990	1991	1992	1990	1991	1992
Produits laitiers frais	31.2	16.3	16.8	19.9	18.3	16.9
Industrie sucrière	4.9	7.1	8.0	19.1	21.8	22.2
Brasserie	21.8	23.6	19.9	28.8	26.9	33.0
Meunerie	56.5	43.6	41.6	19.9	16.5	7.5
Conserverie	30.2	30.7	43.3	13.0	12.3	14.2
Vins de champagne	22.8	30.6	58.0	8.7	6.7	8.9
Fromage de garde	34.4	23.2	18.8	16.8	14.7	14.4
Chocolaterie confiserie	16.8	15.8	23.2	10.9	16.4	14.6
Abattage du bétail	39.0	32.8	29.6	11.9	10.0	11.5
Biscuiterie biscotterie	7.0	9.6	11.2	13.8	10.5	8.5
Semoule pâtes alimentaires	20.5	20.6	22.0	18.6	14.7	15.4
Crèmes glacées et produits surgelés	9.3	15.0	13.9	11.3	11.5	16.8
Boissons non alcoolisées	10.9	10.4	13.5	34.1	21.1	20.9
Boissons alcoolisées	26.7	30.2	39.8	9.1	9.0	6.7
Abattage de volaille	18.8	35.2	39.9	19.7	11.0	15.3
Moyenne sidérurgie	17.7	25.7	28.0	17.9	13.0	9.9
Première transformation de l'acier	14.9	16.5	12.2	11.8	11.8	12.4
Tubes d'acier	29.2	33.8	22.3	9.7	9.8	15.9
Fonderie et métaux ferreux	27.9	18.3	37.1	11.6	11.6	10.6
Décolletage et visserie	25.0	25.5	27.4	22.0	12.4	11.7
Fonderie de métaux non ferreux	20.2	18.2	17.6	16.3	14.8	14.0
Fabrication de mobilier métallique	39.2	61.4	52.1	6.8	8.4	8.5
Matériel agricole	21.3	14.1	21.8	14.9	10.6	6.7
Robinetterie industrielle	11.2	8.0	9.9	7.8	5.7	9.9
Matériels aérauliques, pompes et compresseurs	19.3	17.9	20.4	10.9	12.2	10.6
Chaudronnerie	11.3	17.2	39.9	6.6	5.7	6.0
Équipements pour l'automobile	17.4	20.4	18.6	21.6	17.2	17.9
Équipements aéronautiques	24.5	36.1	31.1	9.7	8.9	7.1
Fabrication et réparation de matériel ferroviaire	40.2	52.1	23.6	11.3	12.4	9.1
Moteurs et construction aéronautiques	42.2	33.7	54.6	15.4	12.0	8.1
Engrenages et transmissions	14.0	9.3	7.6	5.8	6.9	4.0
Outillages pour machines	21.2	31.5	39.6	11.1	12.7	10.8
Matériel de levage manutention	15.5	21.8	13.0	11.6	7.7	5.7
Roulements	18.2	27.4	34.4	15.9	13.4	15.6
Construction automobile	22.5	25.5	23.6	24.4	20.9	16.0
Lunetterie	15.7	10.8	11.2	9.6	7.5	7.2
Matériel d'équipement électrique industriel	13.6	14.2	15.1	12.1	9.0	11.2
Fabrication de fils et câbles électriques	17.0	18.5	17.0	11.8	9.3	8.3
Appareillage pour installations électriques	15.9	13.2	14.6	18.4	27.0	14.0
Matériel télégraphique et téléphonique	16.0	18.8	13.3	14.3	10.0	11.9
Mesure contrôle régulation	10.7	16.0	8.0	7.5	7.0	9.1
Matériel électronique professionnel	19.2	18.6	11.3	10.9	8.5	12.7
Composants passifs	15.4	15.2	12.9	11.6	12.3	10.3
Équipements ménagers blancs et bruns	13.4	10.7	11.1	11.4	13.0	12.5
Composants actifs	19.2	11.3	30.3	23.3	21.2	20.0
Raffinage de pétrole	32.6	39.5	40.0	26.8	63.7	48.7
Industrie du verre	17.2	11.8	14.0	14.2	12.5	14.7
Parfums et cosmétiques	15.8	15.4	14.0	11.8	9.8	8.7
Chimie organique et matières plastiques	9.8	13.4	13.4	26.1	16.2	21.8
Fabrications pharmaceutiques	22.8	23.0	19.5	14.3	11.7	10.0
Fabr. de peintures, vernis, encres d'imprimerie	22.8	16.6	18.9	14.4	19.7	10.5
Industrie de la laine	43.6	24.3	32.4	14.2	7.6	15.7
Industrie de la maille	33.7	19.9	21.4	5.3	4.7	6.7
Papiers cartons	21.7	22.6	29.0	18.3	24.1	16.4
Industrie de la chaussure	9.4	14.2	14.9	6.1	3.5	4.9
Chaux et ciments	6.9	10.6	8.7	15.4	13.3	21.6
Tuiles et briques	17.9	13.9	13.5	17.5	8.8	9.7
Produits en céramique	32.2	52.5	70.9	9.9	8.8	9.4
Fabrication de plâtre et de produits en plâtre	17.9	10.3	21.9	30.8	12.2	8.6
Produits réfractaires	16.6	21.4	37.2	9.6	11.6	8.8
Fabrication de matériaux de construction	16.3	14.9	15.1	12.3	9.4	9.4
Négoce de produits sidérurgiques	23.5	20.0	28.6	7.1	7.2	9.0
Succursalistes	12.7	12.2	20.8	27.8	19.6	21.3
Négoce et élevage de vins fins	45.6	44.9	55.3	11.3	8.2	7.0
Ensemble de l'industrie	20.3	20.6	20.8	13.8	12.2	11.4
Ensemble du commerce et des services	24.9	26.8	29.9	9.8	8.6	7.9

FIGURE 35

SECTEURS	Endettement à terme Fonds propres avant répartition			Endettement à terme Capacité d'autofinancement		
	1990	1991	1992	1990	1991	1992
Produits laitiers frais	51.6	45.8	34.3	1.0	0.8	0.9
Industrie sucrière	23.3	24.1	24.9	0.8	1.2	1.3
Brasserie	97.1	109.3	152.8	2.2	3.8	2.8
Meunerie	78.2	61.6	51.0	2.9	4.3	2.9
Conserverie	51.4	46.8	35.3	2.2	1.7	1.8
Vins de champagne	29.0	30.5	33.6	3.4	1.7	0.8
Fromage de garde	39.4	23.3	18.6	1.8	2.0	0.6
Chocolaterie confiserie	29.8	28.7	28.1	1.1	0.7	1.2
Abattage du bétail	60.0	64.3	70.2	2.6	2.3	1.5
Biscuiterie biscotterie	47.0	36.9	28.8	1.2	1.0	1.2
Semoule pâtes alimentaires	41.1	72.0	29.7	1.3	1.0	1.4
Crèmes glacées et produits surgelés	34.0	31.9	31.5	0.5	0.9	0.6
Boissons non alcoolisées	32.1	32.9	22.2	1.0	1.1	0.8
Boissons alcoolisées	35.7	25.8	21.4	1.5	1.8	1.2
Abattage de volaille	86.3	89.8	111.1	2.1	2.3	3.0
Moyenne sidérurgie	26.2	20.9	21.6	1.2	1.0	0.7
Première transformation de l'acier	14.8	7.2	10.6	0.8	0.9	0.8
Tubes d'acier	28.4	25.9	22.5	1.6	1.7	1.0
Fonderie et métaux ferreux	45.3	57.3	44.9	1.4	1.8	0.9
Décolletage et visserie	52.5	44.9	42.2	1.8	1.6	1.6
Fonderie de métaux non ferreux	45.4	41.5	37.0	1.6	1.1	1.2
Fabrication de mobilier métallique	40.0	20.5	40.8	2.6	1.9	5.8
Matériel agricole	34.9	15.7	9.9	0.8	1.1	0.7
Robinetterie industrielle	22.1	14.0	21.2	0.8	0.6	0.8
Matériels aérauliques, pompes et compresseurs	35.2	43.0	34.7	1.3	1.1	1.4
Chaudronnerie	15.9	9.3	15.9	1.1	0.7	0.6
Équipements pour l'automobile	36.3	30.6	25.8	1.5	1.5	1.3
Équipements aéronautiques	32.0	44.5	54.1	1.8	1.6	2.0
Fabrication et réparation de matériel ferroviaire	30.7	60.7	23.5	1.2	3.4	1.0
Moteurs et construction aéronautiques	63.9	68.0	62.2	2.4	2.1	2.5
Engrenages et transmissions	33.6	57.6	46.1	0.9	1.2	0.8
Outillages pour machines	62.9	64.5	61.1	1.9	2.5	2.1
Matériel de levage manutention	18.9	23.5	19.8	0.9	0.5	0.6
Roulements	35.7	25.1	44.2	1.0	0.6	1.0
Construction automobile	43.3	24.7	28.4	1.1	0.8	0.6
Lunetterie	12.7	11.8	13.1	1.0	0.8	1.1
Matériel d'équipement électrique industriel	46.3	40.7	30.4	1.5	1.1	1.2
Fabrication de fils et câbles électriques	22.6	24.7	16.3	1.0	0.8	0.5
Appareillage pour installations électriques	40.2	42.5	45.5	1.2	1.5	1.5
Matériel télégraphique et téléphonique	37.0	39.0	24.6	1.6	2.1	1.3
Mesure contrôle régulation	27.4	19.4	25.9	0.8	0.8	1.5
Matériel électronique professionnel	31.0	32.0	27.1	0.7	0.5	0.4
Composants passifs	20.7	14.8	12.2	0.5	0.8	0.3
Équipements ménagers blancs et bruns	24.2	23.6	23.8	1.1	0.8	0.8
Composants actifs	14.4	15.1	18.9	0.7	0.5	1.2
Raffinage de pétrole	17.7	43.3	43.2	1.5	0.3	1.3
Industrie du verre	20.3	21.4	14.3	1.3	0.9	0.6
Parfums et cosmétiques	38.0	34.3	31.0	1.0	0.6	0.8
Chimie organique et matières plastiques	24.1	17.8	18.5	1.0	0.8	0.8
Fabrications pharmaceutiques	23.1	19.2	19.1	0.6	1.0	0.8
Fabr. de peintures, vernis, encres d'imprimerie	40.0	32.4	20.6	1.7	1.4	1.0
Industrie de la laine	65.4	34.8	34.6	0.4	0.3	1.2
Industrie de la maille	23.0	17.5	15.7	0.8	0.8	0.4
Papiers cartons	33.1	28.1	28.4	1.5	1.5	1.4
Industrie de la chaussure	25.1	24.0	22.6	1.0	1.3	0.7
Chaux et ciments	18.1	17.1	15.5	0.5	0.6	0.5
Tuiles et briques	25.2	26.2	37.7	1.2	1.4	0.9
Produits en céramique	62.3	86.6	36,9	2.3	3.8	3.8
Fabrication de plâtre et de produits en plâtre	21.4	14.2	8.9	0.5	0.6	0.7
Produits réfractaires	31.8	36.3	14.8	1.1	0.4	2.2
Fabrication de matériaux de construction	25.8	23.6	21.4	0.7	0.4	1.0
Négoce de produits sidérurgiques	33.7	27.3	20.6	1.6	1.1	1.2
Succursalistes	61.6	57.2	42.6	1.7	1.6	1.5
Négoce et élevage de vins fins	32.8	37.3	32.5	2.9	3.5	2.5
Ensemble de l'industrie	35.4	33.5	29.1	1.3	1.2	1.0
Ensemble du commerce et des services	33.9	32.9	28.1	1.5	1.5	1.5

FIGURE 36

SECTEURS	Fonds de roulement			Besoins de roulement		
	Besoins de roulement			Chiffres d'affaires		
	1990	1991	1992	1990	1991	1992
Produits laitiers frais	35.7	52.3	33.2	24.2	30.8	28.7
Industrie sucrière	100.3	96.2	103.2	106.2	100.3	92.5
Brasserie	66.7	92.4	54.1	88.7	56.3	42.6
Meunerie	18.9	15.7	22.4	66.5	63.8	64.0
Conserverie	56.8	63.2	68.2	88.2	78.6	75.4
Vins de champagne	79.6	80.9	71.2	426.5	534.6	533.8
Fromage de garde	61.8	76.3	76.6	36.7	29.0	29.7
Chocolaterie confiserie	60.4	44.3	43.9	69.9	74.1	73.5
Abattage du bétail	41.3	33.8	37.7	22.8	23.2	18.4
Biscuiterie biscotterie	99.6	91.7	100.0	40.3	39.4	47.8
Semoule pâtes alimentaires	62.9	58.0	95.8	51.0	55.2	57.3
Crèmes glacées et produits surgelés	14.7	63.6	77.7	44.3	44.0	38.7
Boissons non alcoolisées	142.3	126.5	102.2	33.1	39.5	32.2
Boissons alcoolisées	73.9	71.3	81.2	78.2	91.4	94.4
Abattage de volaille	71.3	86.1	74.3	23.1	29.3	21.7
Moyenne sidérurgie	61.6	65.9	67.3	87.0	60.9	48.3
Première transformation de l'acier	78.7	90.0	94.5	81.4	76.7	75.6
Tubes d'acier	59.6	60.2	58.5	78.8	77.1	71.4
Fonderie et métaux ferreux	38.7	45.3	29.5	59.3	65.5	66.7
Décolletage et visserie	65.3	74.7	74.7	80.9	84.8	78.4
Fonderie de métaux non ferreux	76.0	63.4	58.1	71.3	78.7	68.9
Fabrication de mobilier métallique	58.2	65.8	76.6	79.9	75.8	75.3
Matériel agricole	89.4	89.1	96.6	56.8	84.9	100.4
Robinetterie industrielle	105.2	113.5	121.3	82.5	74.5	92.5
Matériels aérauliques, pompes et compresseurs	80.1	81.4	81.9	83.8	87.6	81.2
Chaudronnerie	92.9	72.1	72.7	40.3	59.1	47.5
Équipements pour l'automobile	68.5	82.3	76.8	70.5	57.1	55.9
Équipements aéronautiques	60.9	68.1	92.0	115.6	135.7	102.3
Fabrication et réparation de matériel ferroviaire	86.5	50.3	77.4	70.0	85.5	70.9
Moteurs et construction aéronautiques	54.8	54.2	50.8	126.0	160.5	131.1
Engrenages et transmissions	71.7	85.8	98.0	76.5	83.0	87.9
Outillages pour machines	85.1	88.6	81.9	105.5	102.0	103.5
Matériel de levage manutention	70.5	71.8	79.5	71.2	88.3	111.4
Roulements	64.3	58.9	12.6	85.6	77.3	85.2
Construction automobile	59.2	55.0	57.9	3.4	11.5	1.5
Lunetterie	105.7	107.7	107.3	119.1	111.7	122.3
Matériel d'équipement électrique industriel	86.2	74.4	79.0	97.3	85.1	90.1
Fabrication de fils et câbles électriques	71.0	72.2	72.8	93.2	95.9	98.3
Appareillage pour installations électriques	108.2	82.9	122.2	73.2	65.5	62.8
Matériel télégraphique et téléphonique	90.6	106.3	99.1	80.9	75.9	58.6
Mesure contrôle régulation	74.0	58.3	84.6	63.2	103.2	102.9
Matériel électronique professionnel	123.7	133.3	76.8	46.1	59.1	42.6
Composants passifs	103.9	105.6	93.7	87.6	96.7	96.3
Équipements ménagers blancs et bruns	65.3	72.2	83.9	79.2	84.5	77.5
Composants actifs	44.7	90.0	38.9	33.6	33.9	44.2
Raffinage de pétrole	74.1	48.2	2.5	28.2	17.9	19.5
Industrie du verre	89.2	76.6	73.4	91.0	81.3	87.5
Parfums et cosmétiques	83.3	93.8	100.6	82.3	88.3	89.2
Chimie organique et matières plastiques	80.3	82.4	89.8	73.3	69.4	67.5
Fabrications pharmaceutiques	66.3	66.2	70.6	75.4	74.6	81.1
Fabr. de peintures, vernis, encres d'imprimerie	79.0	80.3	75.6	90.1	83.1	81.7
Industrie de la laine	59.0	88.6	34.3	95.3	90.9	90.0
Industrie de la maille	81.0	83.2	72.0	108.8	95.4	104.4
Papiers cartons	59.8	66.6	68.9	63.8	74.2	77.1
Industrie de la chaussure	88.5	99.9	100.0	86.9	86.6	81.2
Chaux et ciments	80.0	106.8	92.3	64.1	68.8	74.2
Tuiles et briques	74.9	96.1	100.6	93.9	98.4	96.2
Produits en céramique	32.6	44.4	50.5	103.1	93.5	93.9
Fabrication de plâtre et de produits en plâtre	75.8	80.7	144.5	77.9	79.8	54.3
Produits réfractaires	68.5	69.2	22.7	119.6	77.1	82.0
Fabrication de matériaux de construction	37.3	39.9	51.3	69.7	67.4	80.5
Négoce de produits sidérurgiques	74.3	76.2	69.8	70.5	74.9	88.3
Succursalistes	104.94	11.2	15.9	- 9.3	- 10.8	- 9.9
Négoce et élevage de vins fins	48.5	50.9	53.3	156.9	155.4	121.8
Ensemble de l'industrie	73.9	74.1	73.4	74.6	74.2	74.0
Ensemble du commerce et des services	58.6	55.6	60.0	49.6	49.8	46.9

FIGURE 37

SECTEURS	E.N.E + Prod. financiers			R.C.A.I.		
	C.M.O. moyens			Fonds propres moyens		
	1990	1991	1992	1990	1991	1992
Produits laitiers frais	15.6	18.6	16.3	24.5	26.6	18.5
Industrie sucrière	25.9	18.3	12.8	32.2	20.8	16.2
Brasserie	14.2	10.3	9.9	23.9	9.6	4.3
Meunerie	9.5	8.1	9.9	2.1	2.1	7.3
Conserverie	13.3	12.8	7.6	11.1	14.9	1.9
Vins de champagne	15.9	12.9	7.4	19.8	14.3	3.9
Fromage de garde	10.3	13.0	10.8	9.6	16.7	10.1
Chocolaterie confiserie	20.1	18.7	13.5	27.0	25.8	13.7
Abattage du bétail	11.1	12.7	10.8	11.8	13.9	11.7
Biscuiterie biscotterie	17.3	20.2	13.5	26.5	23.2	14.8
Semoule pâtes alimentaires	10.9	12.9	14.9	7.4	20.5	19.7
Crèmes glacées et produits surgelés	14.2	17.6	9.6	18.4	19.3	9.7
Boissons non alcoolisées	33.4	23.9	17.7	34.3	27.9	23.2
Boissons alcoolisées	12.7	15.0	10.7	12.3	14.6	8.9
Abattage de volaille	21.4	15.9	9.7	36.9	3.1	7.9
Moyenne sidérurgie	9.8	2.5	- 0.5	13.1	- 0.5	- 6.1
Première transformation de l'acier	14.8	13.1	9.7	17.9	13.2	3.2
Tubes d'acier	19.6	14.8	8.6	22.1	14.9	7.8
Fonderie et métaux ferreux	16.5	6.1	4.2	29.6	9.7	0.1
Décolletage et visserie	15.0	12.3	12.8	18.8	9.3	16.2
Fonderie de métaux non ferreux	11.3	9.9	6.4	15.8	13.0	4.3
Fabrication de mobilier métallique	12.4	11.7	4.7	9.7	12.7	- 5.5
Matériel agricole	24.3	14.1	3.1	19.9	12.0	19.9
Robinetterie industrielle	24.6	25.9	23.1	29.1	30.1	26.2
Matériels aérauliques, pompes et compresseurs	16.7	14.3	7.8	22.6	16.2	12.5
Chaudronnerie	16.6	9.6	6.2	20.6	8.0	8.2
Équipements pour l'automobile	9.5	8.0	9.4	9.5	8.1	9.0
Équipements aéronautiques	13.5	8.8	9.2	16.0	10.0	9.2
Fabrication et réparation de matériel ferroviaire	5.1	11.3	- 5.9	8.6	11.5	20.2
Moteurs et construction aéronautiques	8.5	7.9	5.4	4.2	8.2	2.4
Engrenages et transmissions	8.4	11.2	15.8	9.9	20.0	18.6
Outillages pour machines	16.5	15.6	8.2	22.9	15.0	0.3
Matériel de levage manutention	18.2	15.3	11.7	22.3	15.5	11.9
Roulements	12.7	5.7	5.7	19.2	- 0.9	- 8.5
Construction automobile	12.9	12.3	8.9	12.4	16.9	4.5
Lunetterie	13.7	7.9	8.5	12.6	3.6	8.7
Matériel d'équipement électrique industriel	19.4	14.4	15.1	27.0	17.1	16.1
Fabrication de fils et câbles électriques	13.1	15.1	16.0	26.5	19.2	16.4
Appareillage pour installations électriques	21.4	15.5	17.6	32.8	19.8	21.7
Matériel télégraphique et téléphonique	12.3	5.8	10.0	12.8	5.5	8.6
Mesure contrôle régulation	23.7	11.5	14.5	22.9	12.0	11.0
Matériel électronique professionnel	11.7	11.5	18.7	12.2	6.7	16.2
Composants passifs	14.3	9.7	6.9	17.7	10.4	6.6
Équipements ménagers blancs et bruns	14.2	15.7	14.1	21.0	23.1	16.7
Composants actifs	- 0.3	3.4	6.6	- 8.9	- 15.4	- 16.1
Raffinage de pétrole	12.8	2.8	2.0	18.6	- 5.0	- 6.2
Industrie du verre	16.3	15.0	7.6	29.0	21.1	9.0
Parfums et cosmétiques	15.4	15.0	15.2	17.1	18.1	16.0
Chimie organique et matières plastiques	16.5	12.8	7.1	19.5	18.0	8.8
Fabrications pharmaceutiques	13.9	12.7	12.5	12.4	11.7	11.8
Fabr. de peintures, vernis, encres d'imprimerie	16.3	16.0	15.5	21.1	19.5	16.7
Industrie de la laine	5.0	5.8	7.3	- 2.1	15.2	0.9
Industrie de la maille	13.3	13.8	11.8	13.5	15.3	12.7
Papiers cartons	17.3	17.4	10.8	23.1	20.2	11.2
Industrie de la chaussure	14.2	20.1	13.7	16.5	21.4	14.3
Chaux et ciments	26.5	24.6	20.8	34.2	32.5	23.8
Tuiles et briques	15.3	10.8	22.3	19.3	11.7	23.7
Produits en céramique	13.0	9.8	9.7	10.5	1.1	2.9
Fabrication de plâtre et de produits en plâtre	19.1	20.4	14.8	17.6	25.8	7.6
Produits réfractaires	21.1	6.1	2.0	32.0	5.1	6.6
Fabrication de matériaux de construction	26.9	22.6	16.9	36.6	28.6	19.9
Négoce de produits sidérurgiques	13.6	9.9	6.3	14.2	11.0	5.5
Succursalistes	23.4	23.0	20.9	17.2	23.6	23.9
Négoce et élevage de vins fins	9.1	6.0	7.2	5.6	- 2.7	0.5
Ensemble de l'industrie	14.5	12.6	10.5	17.7	14.3	9.9
Ensemble du commerce et des services	13.0	9.6	9.0	13.7	9.4	7.9

FIGURE 38

SECTEURS	Capacité d'autofinancement		
	Produits d'exploitation		
	1990	1991	1992
Produits laitiers frais	3.8	3.9	3.1
Industrie sucrière	11.8	12.2	11.3
Brasserie	9.5	9.5	7.6
Meunerie	1.9	1.4	1.5
Conserverie	3.4	4.5	3.0
Vins de champagne	11.7	10.0	19.4
Fromage de garde	2.8	3.5	2.6
Chocolaterie confiserie	6.0	5.7	5.2
Abattage du bétail	1.4	1.5	1.4
Biscuiterie biscotterie	7.8	8.7	8.1
Semoule pâtes alimentaires	5.0	5.8	4.7
Crèmes glacées et produits surgelés	4.6	4.7	5.2
Boissons non alcoolisées	8.7	11.0	8.4
Boissons alcoolisées	4.0	4.4	4.8
Abattage de volaille	3.8	3.4	2.9
Moyenne sidérurgie	4.9	3.5	7.5
Première transformation de l'acier	6.5	5.3	7.1
Tubes d'acier	5.5	4.0	5.7
Fonderie et métaux ferreux	5.1	6.6	6.0
Décolletage et visserie	8.6	7.8	7.3
Fonderie de métaux non ferreux	6.6	7.7	6.9
Fabrication de mobilier métallique	6.3	5.0	6.3
Matériel agricole	5.3	5.2	7.3
Robinetterie industrielle	7.9	7.7	6.8
Matériels aérauliques, pompes et compresseurs	6.4	6.4	6.8
Chaudronnerie	3.1	2.4	3.2
Équipements pour l'automobile	9.4	8.6	9.5
Équipements aéronautiques	7.1	8.0	7.0
Fabrication et réparation de matériel ferroviaire	3.4	3.3	3.3
Moteurs et construction aéronautiques	5.0	5.7	5.2
Engrenages et transmissions	6.1	6.3	7.3
Outillages pour machines	9.3	7.8	9.5
Matériel de levage manutention	5.4	5.4	6.7
Roulements	7.2	5.9	8.3
Construction automobile	4.7	4.9	4.0
Lunetterie	9.6	7.8	9.6
Matériel d'équipement électrique industriel	8.5	8.4	8.4
Fabrication de fils et câbles électriques	5.1	5.4	5.4
Appareillage pour installations électriques	10.4	11.1	8.9
Matériel télégraphique et téléphonique	8.3	8.0	8.1
Mesure contrôle régulation	5.8	4.7	4.9
Matériel électronique professionnel	6.6	7.1	6.3
Composants passifs	11.3	12.1	12.3
Équipements ménagers blancs et bruns	8.0	7.7	6.3
Composants actifs	4.4	5.9	5.1
Raffinage de pétrole	3.3	0.4	3.6
Industrie du verre	8.9	9.0	8.9
Parfums et cosmétiques	7.4	7.9	5.4
Chimie organique et matières plastiques	8.5	8.6	8.2
Fabrications pharmaceutiques	6.0	8.2	5.1
Fabr. de peintures, vernis, encres d'imprimerie	7.2	6.6	6.7
Industrie de la laine	0.3	4.9	0.3
Industrie de la maille	5.5	5.2	4.8
Papiers cartons	9.0	8.7	8.8
Industrie de la chaussure	5.5	5.8	4.7
Chaux et ciments	17.2	18.4	18.1
Tuiles et briques	14.2	14.0	12.4
Produits en céramique	5.8	5.0	6.2
Fabrication de plâtre et de produits en plâtre	13.0	16.3	18.1
Produits réfractaires	9.1	5.5	7.3
Fabrication de matériaux de construction	8.4	8.4	8.4
Négoce de produits sidérurgiques	2.2	1.9	2.2
Succursalistes	3.3	3.9	3.2
Négoce et élevage de vins fins	1.4	1.3	1.5
Ensemble de l'industrie	6.5	6.3	6.4
Ensemble du commerce et des services	3.4	3.0	3.4

FIGURE 39

11 ÉVALUATION DE L'ENTREPRISE

11.1 COMBIEN VAUT MON ENTREPRISE ? Quelques manières de répondre à la question

Il peut paraître incongru, voire mal élevé, de se poser une telle question. Vous viendrait-il à l'idée d'évaluer l'appartement de vos amis, chez qui vous êtes invité à dîner ?

Dans le monde économique, comme dans les domaines de notre vie quotidienne où prévaut la dynamique, la situation est toutefois différente. S'il n'est pas stupide de se demander combien vaut (ou vaudrait) sa voiture avant d'en changer l'embrayage, nombreuses sont les situations dans lesquelles il conviendrait, **absolument,** de se demander combien vaut l'entreprise, ne serait- ce que dans le cas de l'assujettissement à l'ISF. La liste ci-dessous est loin d'être exhaustive.

• Vous êtes gérant d'une société familiale

Vous avez donc prise directe sur la valeur du patrimoine de vos actionnaires [1]. Evaluer régulièrement la valeur de l'entreprise que vous gérez, sur une base semestrielle par exemple, vous donnera une mesure de votre performance. La meilleure mesure qui soit, d'ailleurs.
Soyez persuadé que, si vous ne le faites pas, vos actionnaires sont légitimement en position de le faire, et le font peut-être déjà à votre insu.

• Vous êtes prêteur potentiel

Avant de vous engager sur l'entreprise en lui consentant une avance, vous devez vous interroger sur le rapport entre votre

---

1. *La théorie financière considère d'ailleurs que l'objectif exclusif de la gestion financière est la maximisation de la valeur de l'entreprise. Dans la pratique, certains PDG, qui avaient par trop oublié cet objectif se sont vus contraints de démissionner par leur Conseil d'Administration. Ainsi, ceux de GENERAL MOTORS et d'IBM ont été les exemples les plus visibles de cette récente révolte des actionnaires.*

engagement et la valeur de l'entreprise. Allez-vous immobiliser un million de Francs sur une entreprise qui en vaut le quart ? Ou , au contraire, l'apport que vous êtes sur le point de faire ne représente-t-il qu'une fraction marginale de la valeur de votre client ?

Il va de soi que la force de votre position, dans les négociations en cours, n'est pas la même dans l'un et l'autre cas, que les taux que vous êtes en droit d'attendre ne sont pas les mêmes non plus. Il est bien connu qu'on ne prête qu'aux riches, et l'évaluation a précisément pour objectif de déterminer le niveau de richesse de l'emprunteur. *Dura lex, sed lex.*

• Vous êtes client potentiel

Vous venez de découvrir un nouveau fournisseur et vous êtes sur le point de lier -partiellement du moins- votre sort au sien. Sera-t-il encore commercialement vivant dans cinq ans, alors que votre nouvelle ligne de produit, fabriquée à partir de ses produits, ou encore sous-traitée chez lui, sera dans la phase rentable de son cycle de vie ?

Sa probabilité de survie est directement liée à sa valeur aujourd'hui.

• Vous êtes salarié potentiel

Allez-vous consacrer les plus belles années de votre vie, orienter définitivement votre carrière dans une entreprise qui vaut 100.000 francs ou 100 millions de francs ? Vous sentez-vous aussi en sécurité dans une entreprise valant 100.000 Francs que dans une entreprise qui en vaudrait 100 millions ?

• Vous êtes un fournisseur potentiel

Vous avez donc un nouveau client. Qui ne vous paiera pas comptant. Vous allez donc vous retrouver membre à part entière du club des *financiers* de ce nouveau client. Membre, certes, membre privilégié, certainement pas. Vous devez vous poser la question : « le financement que je vais lui apporter représente-t-il 0.1 %, 1 %, ou 10 % de sa *valeur* ? Pour y répondre, vous allez devoir procéder à une évaluation en règle.

• Vous avez une part de marché que vos concurrents vous envient

Si l'un de vos dynamiques confrères lorgne sur votre entreprise, il est préférable que vous ayiez une idée assez précise de la valeur de votre entreprise afin d'éviter de passer à côté d'une bonne occasion de vendre, ou de décourager un acquéreur potentiel en démarrant des négociations à un niveau irréaliste.

• Votre concurrent a une position de marché enviable

Vous vous sentez en position concurrentielle défavorable vis-à-vis de tel confrère. Alors pourquoi ne pas l'acheter ? Dans un tel cas, mieux vaut l'évaluer aussi justement que possible.

Et puis, si vous n'avez pas les liquidités pour l'acheter, pourquoi ne pas l'acheter avec vos propres actions ? Ceci vous permettra, une fois au moins, de faire tourner la *planche à actions*, faute de pouvoir, à l'instar du Gouverneur de la BANQUE DE FRANCE, faire tourner la *planche à billets*. Dans un tel cas, vous devrez non seulement évaluer votre futur associé, mais encore la valeur de vos propres actions à l'aide [1] desquelles vous allez précisément l'acheter.

---

1. *C'est par ce mode de financement que se sont échafaudés la plupart des grands groupes industriels et financiers. Si payer avec ses propres actions est particulièrement aisé, il faut néanmoins être reconnu pour avoir accès à ce type de financement. Aucun problème si vous vous appelez BSN OU PERNOD-RICARD. Beaucoup plus difficile si vous vous appelez RICAUD-PERNARD.*
Enfin, il n'est pas sans conséquence d'émettre des actions pour racheter d'autres sociétés. Chaque fois que vous émettez 10 % d'actions supplémentaires, votre propre position d'actionnaire est diluée puisque vous vous retrouvez en face d'actionnaires plus nombreux. Si vous aviez, avant augmentation de capital 55 % des parts, vous aurez, après-coup, 55 % x 100/110, donc moins de la majorité.

• L'entreprise est en difficulté

A l'instar de votre voiture dont l'embrayage a des faiblesses, votre société va être analysée par des financiers qui vont se demander si cet enjeu en vaut la chandelle. Ils vont donc évaluer l'enjeu. Faites en sorte que leur évaluation de diffère pas trop sensiblement de la vôtre.

• Votre secteur est, ou va être, en restructuration

Les restructurations industrielles ont toujours existé. L'histoire récente a montré que les entreprises changeaient de main en moyenne tous les vingt-cinq ans. La probabilité que vous soyez directement mêlé à l'achat ou à la vente de votre entreprise est donc extrêmement élevée. De plus, à l'analyse de la démographie des entreprises françaises, on peut découvrir que nombre de PME ont aujourd'hui disparu parce qu'elles avaient été surévaluées, c'est-à-dire mal évaluées.

• Votre PDG fondateur devrait penser à sa retraite

Une évaluation flatteuse de l'entreprise peut être à l'origine d'une catastrophe.

Ainsi, vous avez sûrement connu autour de vous un PDG-fondateur vieillissant, amoureux de sa société qu'il estimait inestimable. Notre PDG avait naturellement repoussé les offres qui lui avaient été faites : « ridiculement basses », disait-il. Et notre PDG a vieilli, entraînant avec lui son entreprise. L'âge de la retraite a sonné, et aucun repreneur sérieux ne s'est manifesté aux conditions exigées par le fondateur. PDG et entreprise se sont retrouvés dans l'au-delà, entraînant à la trappe quelques dizaines ou centaines d'emploi et des savoir-faire parfois séculaires, à jamais engloutis.

❑ Quelques manières de répondre à la question

S'il est aisé de se poser la question : « Combien vaut mon entreprise ? », il est beaucoup plus difficile d'y répondre.

Rappelez-vous l'achat (ou la vente) de votre dernière voiture, la Peugeot 25. Un modèle relativement courant, dont le constructeur a sorti quelques centaines de milliers d'exemplaires pendant quelques années. L'Argus sous le bras, vous avez analysé de manière extrêmement critique les propositions qui vous ont été faites. Et pourtant, vous avez pu constater que d'une voiture à l'autre, ces propositions pouvaient varier de plusieurs dizaines de points de pourcentage. Et puis, enfin, vous avez su imposer votre volonté, ou vous avez du vous plier à la volonté de votre co-contractant.

Dans les négociations d'entreprise, il existe aussi une espèce d'Argus, qui s'appelle la Bourse. Mais cet Argus des entreprises est beaucoup plus éloigné de votre société que l'Argus ne l'est de votre voiture. Et même s'il ne sert que de référence indirecte, même s'il ne sert que de point de départ, auquel on doit ajouter des mois supplémentaires ou retrancher des multiples de vingt centimes pour un kilométrage insuffisant, votre société est unique... comme votre voiture d'ailleurs.

De plus, compte-tenu de la difficulté à discerner la réalité économique de l'entreprise, il n'est pas étonnant que plusieurs méthodes puissent être utilisées afin de déterminer un *ordre de grandeur* de la valeur de l'entreprise.

Ces différentes méthodes ne donneront bien sûr pas le même résultat. Cela dit, procéder à une évaluation en suivant ces diverses méthodologies constitue un exercice certes fastidieux mais extrêmement instructif : en effet, l' écart entre la valeur obtenue par la méthode A, et la valeur obtenue par la méthode B est souvent aussi révélateur des performances de la gestion passée, que de l'appréhension de l'avenir.

❑ Volatilité dans le temps et dans l'espace

• *Dans le temps*

La valeur de l'entreprise est extrêmement volatile dans le temps. Elle ne saurait, comme celle de votre voiture ou de votre appartement, être immuable.

Si vous avez fait mille kilomètres depuis le 31 décembre, la valeur Argus de votre véhicule aura baissé de quelques milliers de centimes depuis le 31 décembre ; si votre société a perdu 100.000 Francs depuis le 31 décembre, elle vaut (peut-être) de l'ordre de 100.000 Francs de moins.

A contrario, ce n'est pas parce que vous avez changé votre volant contre un volant recouvert de cuir, ou parce que vous venez de rénover le local de votre direction régionale de Plounevez-Moëdec, que votre voiture ou votre entreprise vaut un sou de plus.

La valeur des entreprises cotées en Bourse est analysée de manière quasi-quotidienne par les analystes financiers, dont les travaux sont tournés sur le devenir de l'entreprise beaucoup plus que sur son passé. Les analystes étudient les répercussions sur le futur de l'entreprise des péripéties de la vie des affaires de tous les jours. Ainsi, peut-on expliquer les raisons des tendances fondamentales de l'évolution des cours des actions.

> *EURODISNEY était largement en perte en 1994, époque à laquelle on ne prévoyait pas un retour à l'équilibre avant l'exercice 1996/1997. Le discours prononcé début novembre par la direction de l'entreprise, expliquant les grands axes de la nouvelle politique commerciale a rassuré la communauté financière . Le titre EURODISNEY est alors passé de 8.75 à 9.60, soit une hausse de l'ordre de 10 % en une semaine pendant laquelle le CAC40 n'avait pris que 0,78 %.*

• Dans l'espace

Enfin, comme dans tous les domaines, il convient d'être très prudent et de ne pas parler de **la** valeur de l'entreprise. L'entreprise n'a pas de valeur intrinsèque. La valeur de l'entreprise est indissociable de la personne qui l'évalue. Le même bien vaut tant pour l'un et tant pour l'autre. En l'absence de telles dissymétries d'évaluation, aucune affaire ne se ferait d'ailleurs.

> *Ainsi les cognacs* MARTELL *valaient-ils un milliard de Francs en 1989. Cette valorisation faisaient du reste le consensus de quelques milliers d'analystes financiers particulièrement clairvoyants. Puis, le groupe* SEAGRAM *ayant jeté son dévolu sur* MARTELL, *se l'est offert pour cinq milliards. Alors, la Bourse s'était-elle trompée ?* SEAGRAM *était-il dans l'erreur ? La réponse à ces deux questions est « non ». Pour le petit (ou gros) porteur,* MARTELL *valait bien de l'ordre du milliard. Pour* SEAGRAM, *dont les lignes de produit et le réseau de distribution étaient complémentaires de ceux de* MARTELL, *il en allait tout autrement et* SEAGRAM *a fait une affaire en achetant* MARTELL *cinq milliards.*
>
> *On peut expliquer une partie de l'écart entre la valeur boursière initiale et le prix finalement payé par la notion de contrôle.* SEAGRAM *n'a pas seulement acheté des actions (qui ne sont jamais que le droit à la jouissance des dividendes).* SEAGRAM *a acheté le contrôle [1] de* MARTELL.

Par contre, certaines évaluations, faites par l'entreprise achetante, peuvent être analysées comme une erreur par les marchés financiers, à tort ou à raison d'ailleurs. Ainsi, lorsque la LYONNAISE DES EAUX a racheté DUMEZ, la Bourse a considéré que le prix payé pour DUMEZ était par trop élevé et le cours de LA LYONNAISE a immédiatement baissé. Ce que la Bourse a sanctionné, ce n'était pas le prix de DUMEZ mais le montant dont LA LYONNAISE s'apprêtait à se départir pour DUMEZ.

---

[1]. *Les professionnels de l'évaluation estiment le prix du contrôle d'une société à au moins 30 % de la valeur de la société.*

11.2   LES MÉTHODES PATRIMONIALES

La méthode d'évaluation qui vient immédiatement à l'esprit est basée sur la comptabilité, l'histoire passée de l'entreprise et consiste à poser la question : à combien m'est revenue l'entreprise ?

Il y a cependant plusieurs variantes de réponses à cette question apparemment simple, et diverses manières d'y répondre: de la moins sophistiquée à la plus raffinée...

❏ La valeur comptable nette

Evaluer l'entreprise à partir de sa valeur nette comptable est un jeu d'enfant. Point besoin de calcul ! Pas d'interrogation ! Pas d'état d'âme ! Il suffit de se reporter à la page 2 de la liasse fiscale, de regarder le total des fonds propres et le tour est joué.

TABLEAU 1 : ÉVALUATION DE LA S.A. LABORATOIRE X, AU 31/12/199...			
Frais d'établissement	10 – 10	Fonds Propres	200
Immobilisations Nettes	300	Provisions	50
Stocks	50	Dettes à Long Terme	150
Clients	60	Dettes Exploitation	50
Disponible	90	Dettes Court terme	50
Total	**500**	**Total**	**500**

Valeur de l'entreprise = Valeur des fonds propres = 200 !

A l'actif de cette méthode, on peut apporter sa vérité historique. Chaque dette apparaissant au bilan a été contractée, au centime près, pour la valeur figurant au passif. Chaque actif, du côté gauche, a été acquis pour le montant auquel il figure. Alors, pourquoi ne pas faire confiance à l'histoire et à la théorie des grands nombres...

En plus de sa simplicité, cette méthode a un grand avantage : elle a la bénédiction de la profession comptable. Et pour cause[1] ! La comptabilité traditionnelle a une approche essentiellement patrimoniale et son principal objectif, l'établissement du bilan, n'est autre qu'un inventaire , au sens premier du terme.

❏ La valeur comptable nette réévaluée

De nouveau, on aura une approche essentiellement bilantielle. Mais au lieu de prendre au pied de la lettre les montants apparaissant au bilan, on les réévaluera systématiquement, et dans les deux sens bien sûr, systématiquement encore. Cette approche, à peine plus sophistiquée que la précédente, nécessite pour sa mise en œuvre des informations internes à l'entreprise.

La valeur comptable nette réévaluée de l'entreprise sera alors :

$$\text{Valeur comptable réévaluée} = \text{Valeur comptable nette} + \Sigma \text{ réévaluations}$$

• Les non-valeurs

Il y a certes des postes sur lesquels, dans un contexte d'évaluation, il n'est guère possible d'avoir d'état d'âme, et qui valent résolument zéro. Il convient donc de les rétablir à leur vraie

---

1. *Votre expert-comptable adore probablement ce type d'évaluation. Il omet cependant de vous dire qu'à ce niveau il est à la fois juge et partie.*

valeur: zéro. Ainsi, les frais d'établissement, que l'entreprise est condamnée à laisser au bilan, ne valent bien sûr pas un liard. Ainsi, encore, les primes d'émission des obligations, les droits de mutation sur les immeubles récemment acquis... Le passage du tableau 1 au tableau 2 est particulièrement aisé

TABLEAU 2 : ÉVALUATION DE LA S.A. LABORATOIRE X, AU 31/12/199...			
Frais d'établissement	10-10	Fonds Propres réévalués	200
Immobilisations Nettes	300	Provisions	50
Stocks	50	Dettes à Long Terme	150
Clients	60	Dettes Exploitation	50
Disponible	90	Dettes Court terme	50
Total	**500**	**Total**	**500**

$$\text{Valeur de l'entreprise} = 200 - 10 = 190$$

• *Les immobilisations techniques*

L'analyse critique des immobilisations techniques est beaucoup plus délicate que celle que nous venons de faire précédemment. Il y a deux écueils qu'il convient d'éviter :

Premier écueil, surévaluer ses équipements.

Il est vrai que, dans notre société post-industrielle que VOLTAIRE [1] aurait sans doute qualifiée de *siècle de fer* les équipements ne constituent plus une rareté et que la plupart des équipements traditionnels ont des valeurs vénales qui peuvent approcher de zéro. Du reste, avez-vous déjà entendu dire que les

---

1. « *Oh le bon temps que ce siècle de fer* », VOLTAIRE, *le Mondain*.

petites annonces de l'USINE NOUVELLE, dans lesquelles presses, moteurs, transfos, tours, fraiseuses... se bousculent, aient déjà provoqué une émeute d'acheteurs potentiels ?

Second écueil : considérer ces équipements comme quantité négligeable.

Certes, une vieille presse, un vieil ordinateur, peuvent avoir une valeur vénale dérisoire. S'ils sont toutefois en état de marche, s'ils sont utilisés couramment par du personnel qualifié qui connaissent ces matériels et les utilisent au maximum de leur capacité, ils peuvent avoir une valeur d'usage très supérieure à ce que la comptabilité pourrait laisser entendre.

• *L'immobilier*

Dans ce domaine encore, les écueils sont nombreux et fort pointus.

Bien sûr, la crise de l'immobilier a obligé certaines personnes physiques et morales à de poignantes révisions. Bon nombre de chefs d'entreprises se sont imprudemment fourvoyés dans l'immobilier, oubliant que la raison d'être de leur entreprise résidait dans un savoir-faire industriel ou commercial. Ils ont négligé d'investir dans leur métier de base (la vente de vin aux compagnies aériennes ou la réalisation de pièces en plastique moulé avec une tolérance de 1/1000ème), et ils ont investi dans des mètres carrés de bureau en région parisienne... Ils se retrouvent aujourd'hui avec des bilans où l'immobilier pèse plus lourd (sur le papier du moins) que leurs installations techniques. Il est sûr que de tels égarements n'ont pas contribué à valoriser leurs entreprises.

Quitte à évaluer l'entreprise en utilisant une méthode bilantielle, il convient donc d'évaluer à leur valeur *vénale* les actifs immobiliers de l'entreprise. Ceci devrait être d'ailleurs d'autant plus facile qu'il n'y a, en principe, que peu de *lignes* immobilières dans le bilan de la société.

• *Bilan après correction des immobilisations*

Après cette analyse au peigne fin de toutes les immobilisations de l'entreprise, on peut alors, si on a découvert qu'elles étaient comptablement surévaluées de 40, établir un bilan, à nouveau redressé, de la manière suivante :

TABLEAU 3 : ÉVALUATION DE LA S.A. LABORATOIRE X, AU 31/12/199...			
Frais d'établissement	10-10	Fonds Propres réévalués	200-50
Immobilisations Nettes	300-40	Provisions	50
Stocks	50	Dettes à Long Terme	150
Clients	60	Dettes Exploitation	50
Disponible	90	Dettes Court terme	50

Valeur de l'entreprise = 200 – 50 = 150 !

• *Les provisions réglementées*

Le fisc fait des cadeaux. Parfois [1] ! C'est au niveau des provisions réglementées que ces *cadeaux* sont le plus apparents. Car j'assimile un prêt gratuit à un cadeau.

En vous autorisant aujourd'hui à passer une provision de 100 Francs, pour des raisons bien précises, le fisc vous permet de :

– diminuer votre résultat courant de 100 Francs,

---

1. *Au demeurant beaucoup plus souvent qu'on ne le croit. Notamment dans le cadre de l'incitation de l'entreprise à exporter, le code des impôts recèle, dans l'article 90 octiès, des kyrielles de prêts gratuits...*

– donc de diminuer l'impôt de cette année de :
100 Francs x 33 % = 33 Francs.

Lorsque vous reprendrez cette provision dans cinq ans, vous allez augmenter votre résultat imposable de 100 Francs, donc votre impôt de 33 Francs. Tout se sera donc passé comme si le fisc vous avait prêté 33 Francs pendant cinq ans.

TABLEAU 4 : ÉVALUATION DE LA S.A. LABORATOIRE X		
Actif Net Comptable Réévalué		150
dont Provisions Réglementées	30	
moins Impôt latent sur Provisions Réglementées		– 10
Valeur Comptable de l'entreprise / Provisions reprises		140

Conclusion pratique : si le bilan comporte des provisions réglementées dans les fonds propres, redressez les fonds propres en les diminuant d'un tiers de ces provisions.

• *Les autres postes du bilan*

Bien entendu, l'intégralité des postes du bilan est à passer ainsi à la loupe. Si vous êtes acheteur, le vendeur n'aura pas tendance à sous-estimer ses actifs. C'est sur ses actifs manipulables que vous aurez le regard le plus critique : les postes « créances-clients » et « stocks » sont ceux sur lequel votre vendeur aura eu la plus grande marge de manœuvre. Vous devez donc exercer sur ces postes votre esprit critique avec comme outils principaux les ratios financiers, un peu de prudence, et beaucoup de bon sens.

Les stocks de produits finis représentent-ils un volume normal de production ?

La normalité se précise par rapport aux délais de production, à la durée de vie du produit, à sa rareté, à son caractère stratégique.

Dans un métier à cycle de production rapide, le volume des stocks de produits finis représente 10 jours de production, il n'y a peut-être rien à redire. Si, au contraire, le stock de produits finis représente un mois de production, il y a fort à parier qu'une fraction (de 30 % à 70 %) de ces stocks sont sans grande valeur, et qu'il conviendrait de leur faire supporter un abattement correspondant.

Les stocks de marchandises et de matières représentent-ils un volume normal de consommation ?

La norme est, ici encore, à considérer avec les délais d'approvisionnement et le caractère critique de la marchandise considérée. S'il s'agit d'un produit extrêmement banalisé : ciment, bouteille de verre, tôle d'acier ordinaire, un stock correspondant à quelques jours de consommation [1] semble normal, alors qu'un stock correspondant à quelques semaines de consommation semblerait [2] nécessiter des provisions.

Toutes les provisions que vous estimeriez devoir passer sur les stocks diminueraient bien entendu d'autant la valeur des fonds propres, donc celle de l'entreprise.

Du côté des comptes-clients, un vendeur peu scrupuleux ou négligent aura tendance à se faire des illusions sur des paiements qui ne viendront jamais. C'est par le ratio de règlement des créances clients [3] que vous pourrez découvrir si laxisme il y a

---

1. *Décelé par le ratio [Stock matières/(Achats annuels/365)].*
2. *Je parle ici au conditionnel, parce que vous pouvez aussi avoir de bonnes surprises : des stocks anciens, de valeur, valorisés à des prix de revient anciens, mais négligés par le vendeur...*
3. *Délai de règlement des clients = (Clients /1.186)/(CA annuel /365).*

dans la gestion des créances-clients. Attention cependant de ne pas vous fourvoyer [1]. Si l'activité est saisonnière et si la date de clôture du bilan est à la fin de la forte saison, attendez-vous à un compte client élevé.

Par compte, soyez sans pitié pour toutes les créances supérieures à 90 jours, et provisionnez-les au maximum.

• Que valent les dettes ?

Les dettes ne valent pas forcément la valeur pour laquelle elles figurent au bilan. Imaginez le cas de figure suivant :

> **Exemple :** *Nous sommes en décembre 1994. Les taux à 10 ans sont à 10 %. La société a emprunté en décembre 1993, un montant de 100, alors que les taux étaient à 8 %. Quel est aujourd'hui le réel [2] montant de sa dette ?*
>
> *Cette dette vaut son montant nominal, 100, duquel il faut retrancher toutes les économies de frais financiers :*
>
> *– nettes d'impôts,*
>
> *– capitalisées au taux de placement après impôts, [3]*

Actif net comptable réévalué	140.00
plus économie capitalisée de frais financiers sur dette avantageuse	+ 5.90
Valeur Comptable de l'entreprise	145.90

---

1. *Afin de limiter les risques d'un tel piège, demandez une « balance âgée ». Ce tableau , dans lequel les créances clients sont classées par tranche d'âge (factures inférieures à un mois, factures ayant de un à deux mois, factures ayant de deux à trois mois, factures de plus de trois mois), fait partie des annexes des bilans « bien établis ».*
2. *J'entends par « réel » la valeur financière de sa dette.*
3. *Liées au fait qu'on paie 8 % au lieu de 10. De l'ordre de 5.9, dans le cas présent, soit encore près de 6 % de la valeur initiale de la dette contractée en cette heureuse époque.*

❑ La prise en compte de « survaleurs » : Le *Goodwill*

Enfin, bien que tous les postes de bilan aient pu être réévalués avec autant de sagesse que possible, on arrive souvent à la conclusion que l'entreprise ne pourrait raisonnablement valoir cette valeur comptable nette réévaluée (146, dans le cas de la S.A. LABORATOIRE X), car une telle valeur n'est pas compatible avec le résultat que l'entreprise dégage.

En effet, certaines entreprises dégagent un résultat sans commune mesure avec les moyens mis en œuvre pour l'obtenir.

Une société comme JAGUAR [1], grâce à la magie de son nom, peut vendre ses voitures comparativement beaucoup plus cher que RENAULT ou PEUGEOT. En conséquence, toutes choses égales par ailleurs, donc tous éléments de bilan étant égaux par ailleurs, JAGUAR vaut sensiblement plus que RENAULT ou PEUGEOT. C'est en partie pour cette raison que FORD a payé [2] JAGUAR 1.6 milliard de dollars, (1.6 fois son chiffre d'affaires 89), à une époque où PEUGEOT n'était évalué par le marché financier qu'à 40 milliards de Francs, soit encore 0.25 fois son chiffre d'affaires 89. Autrement dit, si par hasard le chiffre d'affaires était un critère d'évaluation, JAGUAR valait aux yeux de FORD près de sept fois plus que RENAULT.

On peut encore citer l'offre d'achat en 1994 de la société INTUIT, éditeur du logiciel Quicken, par MICROSOFT, pour environ 7 milliards de Francs, soit quatre fois son chiffre d'affaires annuel. Pourquoi le leader mondial du logiciel était-il prêt à largement surpayer son petit confrère ? La raison alors communément avancée pour expliquer cette générosité inhabituelle était la suivante : INTUIT possédait, fin 1994, une base installée de 8 millions de clients *haut-de-gamme* et satisfaits.

---

1. *Exemple emprunté à Olivier COISPEAU, « Évaluation d'entreprise » (Éditions Sefi).*
2. *En 1989, après quelques malheurs subis lors du rachat avorté d'ALFA-ROMEO.*

Le nom d'une entreprise fait partie de son fonds de commerce. Au même titre que certains éléments que la comptabilité n'avait pas introduits dans le bilan [1] de l'affaire. De même, la localisation peut avoir un impact sur la valeur de l'entreprise sans grand rapport avec le chiffre porté au bilan. Une pharmacie de 100 mètres carrés située à l'arrivée des trains de la gare Saint Lazare vaudra sensiblement plus que celle de 100 mètres carrés située à l'arrivée des trains de la gare de... Plounevez-Moëdec.

• *Le goodwill : définition*

> *Le goodwill est conçu comme la valeur capitalisée des « superbénéfices » de l'entreprise , où :*
> *• les « superbénéfices » constituent la différence entre le bénéfice obtenu et le bénéfice « normal » auquel on aurait pu s'attendre, compte tenu de l'actif net réévalué de l'entreprise.*
>
> *• la « capitalisation » consiste à ne les prendre en compte qu'un nombre limité d'années, et à écraser d'autant plus ces « superbénéfices » qu'ils apparaîtront tardivement dans le temps, en les actualisant avec un taux approprié.*

Les définitions ci-dessus nécessitent quelques précisions de ma part, sur le caractère normal d'un bénéfice, sur la limitation dans le temps, et sur le coefficient d'actualisation à retenir.

• Normalité du bénéfice

En début d'année 95, on peut considérer qu'une entreprise normale doit avoir dégagé un résultat net moyen sur les cinq années passées de l'ordre de 10 % à 15 % [2] de ses fonds propres.

---

1. Alors qu' un fond de commerce acheté figure au bilan pour le montant auquel il a été payé, un fond, créé ex nihilo, ne sera pas porté au bilan de son « créateur ».
2. Le rendement des fonds propres doit être au moins égal au rendement des placements sans risque, augmenté d'une prime de risque que les économistes ont évalué à une moyenne historique d'environ 7 %.

La fourchette est relativement large, m'objecterez-vous. C'est volontairement que je me refuse à tracer, pour vous, une frontière précise séparant le normal de l'anormal. Les marchés financiers, par les coups de yoyos auxquels ils nous ont habitués, montrent bien que leur humeur peut-être changeante.

Toute rentabilité au-delà de 15 % constitue une « super-rentabilité », que l'entreprise a réussi à obtenir grâce à son nom, à la qualité supérieure de ses produits, ou à son dynamisme commercial.

Toute rentabilité en deçà de 10 %, à une époque ou les OAT [1] à 10 ans rapportent 8 %, constitue réellement une « sous-performance » de l'entreprise, qui, capitalisée, va venir en déduction de la valeur Actif Net Réévalué de la société. En déduction puisque la non-rémunération du risque va compenser négativement la valeur des actifs de l'entreprise.

TABLEAU 6 : SUPERBÉNÉFICE	
Actif Net réévalué de la S.A.LABORATOIRE X	+ 146
Résultat Normal de S.A.LABORATOIRE X	de 15 à 22
Résultat moyen dégagé de 1990 à 1995	30
Superbénéfice	8

• **Limitation dans le temps**

Sur quelle durée l'entreprise pourra-t-elle continuer à dégager ce superbénéfice ? Il n'y a certes pas de réponse unique à cette question. L'histoire économique fournit des exemples très contrastés. La suprématie d'IBM, liée à son avance technologique sur la gamme des 360, lui a assuré plus de 20 ans de très gros

---

1. *OAT : Obligation Assimilable du Trésor, l'archétype du placement sans risque.*

résultats. *A contrario*, les suprématies d'ASYSTEL ou de MÉTROLOGIE n'auront duré que l'espace d'un matin.

Une chose semble sûre aujourd'hui : à l'heure de la mondialisation de l'économie, les avantages compétitifs sont de plus en plus durs et coûteux à maintenir. Pour des métiers à évolution technologique rapide, il convient de compter en mois. Pour des métiers plus traditionnels, vous vous raconteriez des histoires en comptant au-delà de cinq ans.

• Coefficient d'actualisation

Enfin, quelle que soit la durée, il faut « batailler » afin de garder cet avantage compétitif. Batailler, c'est-à-dire entretenir de coûteuses salles d'exposition, organiser des tournois de golf, prendre des pages de publicité, entretenir une écurie de course dans le cas de JAGUAR. Batailler, pour IBM, c'est croiser le fer avec FUJITSU ou COMPAQ, participer aux salons de Paris, Hambourg, Dusseldorf, entretenir des équipes de recherche et développement, doter les universités...

Si tous ces efforts ne sont pas forcément d'ailleurs couronnés de succès, ils sont tous coûteux.

Puisque le superbénéfice est des plus incertains, il convient de l'actualiser à un taux relativement élevé. En tout cas, à un taux très supérieur au taux de rendement des fonds d'État [1]. Par exemple, au taux de rentabilité des actions attendu par la communauté financière, c'est à dire de l'ordre de 15 %.

• *Le goodwill : évaluation*

L'évaluation du goodwill est plus une affaire d'estimation et de prospective qu'une affaire de calcul proprement dit. On est en effet obligé de faire un grand nombre d'hypothèses parfaitement

---

1. *Le taux de rendement des fonds d'État, Rf, est en effet le niveau auquel se réfèrent en permanence les professionnels de la finance. Il était de l'ordre de 8 %, à 10 ans, en début 95.*

gratuites sur l'évolution du superbénéfice. Sera-t-il constant, comme nous l'avons supposé dans le tableau ci-dessous ? Ira-t-il en décroissant dans le temps ? Existera-t-il sur cinq ans, six ans, ou quatre ans ?

		VALEUR	ACTUELLE
	Super Bénéfice	de 1 Franc	du superbénéfice
1996	8 Fr	0.87 Fr	6.96 Fr
1997	8	0.76	6.05
1998	8	0.66	5.28
1999	8	0.57	4.57
2000	8	0.50	3.98
		Total	26.82 Fr

TABLEAU 7 : ESTIMATION DU GOODWILL DU LABORATOIRE X

• *Utilisation du goodwill*

Après l'évaluation de l'actif qui permettait des bénéfices, il convient, dans la logique de ces méthodes patrimoniales d'ajouter cet actif au bilan de l'entreprise.

TABLEAU 8 : EVALUATION DU LABORATOIRE X À PARTIR DU *GOODWILL*

Actif Net réévalué S.A.Laboratoire X plus Goodwill	+ 146 + 27
Valeur de l'entreprise	173

• Le Goodwill comptable

Dans les comptes de certaines sociétés, il y a un poste appelé Goodwill [1]. Alors que la plupart du temps il n'y en a pas. Pourquoi une telle différence ?

Lorsqu'une entreprise a créé son fonds de commerce à partir de rien, elle n'a pas de raison de faire apparaître sur son bilan quoi que ce soit. Rien n'empêche d'ailleurs une tierce personne qui l'évaluerait de lui attribuer des éléments de survaleur.

Par contre, lorsqu'une entreprise fusionne [1] avec une autre entreprise qu'elle a payé plus cher que l'actif comptable, elle se doit de faire apparaître un Goodwill dans son propre bilan , afin de justifier l'écart entre le prix d'acquisition et la valeur des actifs rachetés. En France, afin de respecter la loi TOUBON, on écrira « écart d'acquisition » et « survaleur » plutôt que « Goodwill ».

C'est ainsi que si la S.A. LABORATOIRE X était rachetée 160, les comptes consolidés de l'acquéreur feraient apparaître une survaleur de 10 ainsi calculée :

TABLEAU 9 : *GOODWILL* COMPTABLE	
Prix d'acquisition de la S.A.LABORATOIRE X	160 Fr
moins Actif Net Comptable de la S.A.LABORATOIRE X	–150 Fr
Goodwill lié à la S.A.LABORATOIRE X	10 Fr

• Conclusion

Voilà pour les approches comptables de la valeur de l'entreprise, dont l'avantage principal est l'arrimage à l'histoire et à la comptabilité de la société. Si de telles approches ne sont pas suffisantes pour arriver à la « valeur » de l'entreprise, les valeurs

---

1. *Ou consolide ses comptes avec ceux d'une filiale achetée plus cher que sa valeur comptable nette.*

intermédiaires auxquelles elles aboutissent font souvent partie de la pondération finale sur laquelle les parties en présence se mettront d'accord pour déterminer enfin *la* valeur de l'entreprise.

11.3 | LES MÉTHODES BASÉES SUR LE RENDEMENT

A l'opposé des méthodes patrimoniales, essentiellement basées sur le passé de l'entreprise, les méthodes de rendement considèrent qu'une entreprise ne vaut que par ce qu'elle sera capable de rapporter, ce « rapport » pouvant être mesuré à plusieurs plusieurs types de toise : du résultat net à la MBA.

❏ L'évaluation à partir du Résultat Net

Commençons par le plus simple. Puisqu'une entreprise a pour objectif de dégager des profits, pourquoi ne pas l'évaluer à un « certain nombre d'années de profit », avec l'idée sous-jacente, jamais exprimée, qu'au bout de ce certain nombre d'années, on aura récupéré ses fonds. Partant de cette constatation, et pour utiliser un langage plus sophistiqué, « on » utilise les termes suivants, d'ailleurs équivalents, et mieux appropriés à la valorisation d'une entreprise cotée en Bourse qu'à une entreprise non cotée :

• PER (prononcer père) ou encore P.E.R., ou encore P.E.ratio.
De l'anglais *Price-Earnings Ratio*, avec ses équivalents en Français :
    • Rapport cours-bénéfice
    • Multiple de bénéfice

On entend aussi dire qu'une valeur se paie huit fois alors qu'une autre en est à douze fois ses bénéfices. « On » ajoute dans ce cas que la première est *moins chère* que la deuxième, mais je ne suis pas persuadé qu'« on » s'exprime très bien ainsi, ni que l'évaluation soit très correcte.

Cette méthode d'évaluation empirique est utilisée en permanence et les journalistes la citent avec un tel aplomb, que certains ont fini par croire que le PER était quelque vérité descendue du ciel.

• *Erreurs à ne pas commettre avec le PER*

Découlant de cette vérité divine, chaque société aurait son PER, largement déterminé par son secteur d'activité.

De là à penser que ce PER incontournable est à son tour immuable dans le temps, il n'y a qu'un pas allègrement franchi par quelques imprudents, qui auront vite fait de conclure que si le résultat 95 est de 10 % supérieur à celui de 94, eh bien, la société vaudra fin 95 10 % de plus de sa valeur à fin 94.

Voilà des erreurs à ne pas commettre.

• *Bonne utilisation du PER*

Le PER doit s'analyser avec prudence. Il est loin d'être stable dans le temps. **Il dépend essentiellement du taux de croissance du bénéfice par action de l'entreprise et de son risque.** C'est pour cette raison que des sociétés dont on attend peu de croissance, PEUGEOT par exemple, ont des PER très faibles, alors que les sociétés travaillant sur des secteurs à croissance explosive, par exemple NTT (NIPPON TELEGRAPH TELECOMMUNICATIONS), peuvent avoir des PER de 100.

POURQUOI LE PER EST-IL LIÉ À LA CROISSANCE ?

Parce que le PER se calcule sur les résultats d'aujourd'hui, alors que l'action s'évalue à partir des résultats de toutes les années à venir. Illustrons ceci par un contre-exemple.
Nous sommes au printemps 95. Imaginons :

1) 100 Francs de résultat, dégagés en 1994, par PEUGEOT avec 2.5 actions.
2) les mêmes 100 Francs, dégagés par une action NTT.

Imaginons encore que vous puissiez acquérir les 2.5 titres PEUGEOT pour 1500 Francs et une action NTT pour 1500 Francs. Dans l'un et l'autre cas, vous auriez pour vos actions un PER de :

1500 Fr / 100 Fr = 15

Dans trois ans, les titres PEUGEOT vous rapporteraient, compte tenu d'un taux de croissance de 3 % l'an, 110 Francs, alors que l'action NTT, avec une croissance fulgurante de 30 % l'an, devrait vous rapporter 219 Francs [1]. Aussi, si la croissance des résultats est à la hauteur des anticipations, le titre NTT s'avérera, in fine, bien meilleur que le titre PEUGEOT.

Devant de telles disparités de croissance anticipée, les marchés financiers « créditent » NTT d'un PER beaucoup plus élevé que celui de Peugeot, et vous paierez donc « 100 F de résultat actuel NTT » beaucoup plus cher que « 100 F de résultat actuel PEUGEOT ».

Chaque décision de la direction, ou encore chaque événement qui a pour effet d'augmenter la croissance des résultats à venir, devrait se traduire par une élévation du PER, pourvu que cette croissance ne se traduise pas par un risque plus élevé. Chaque décision de la direction, ou chaque événement qui se traduit par une plus grande incertitude sur les résultats, devrait diminuer le PER.

---

1. *100 Francs x (1 + 30 %) ^ 3 = 219 Francs.*

❏ Il convient enfin d'avoir beaucoup de méfiance vis-à-vis des PER extrêmes :

• Un PER très élevé – concrètement, au-delà de 20 –, peut traduire une évaluation raisonnable d'une entreprise normalement saine qui aurait un résultat conjoncturellement très faible. Mais il peut aussi provenir de l'excellent résultat d'une entreprise en très forte croissance.

• Un PER très faible – concrètement en-deçà de 5 –, peut s'expliquer aussi bien par des résultats temporairement excellents que par des espérances de croissance très faibles.

❏ Dans le monde des PME, le PER s'utilise essentiellement de manière comparative.

Vous pouvez utiliser les données boursières des confrères de la S.A. LABORATOIRE X, pour en déduire un PER moyen du secteur, et appliquer ce PER [1] à la S.A. LABORATOIRE X.

TABLEAU 10 : UTILISATION DU PER	
PER SANOFI	15.7
PER SYNTHÉLABO	15
PER Moyen Secteur	15.35
PER à appliquer au LABORATOIRE X	13
Résultat Net 1994	30
Valeur S.A. LABORATOIRE X	390

---

1. *Avec éventuellement une décote, pour tenir compte du fait que la petite S.A.LABORATOIRE X est plus fragile que ses confrères cotés en Bourse. D'où un PER de 13.*

❑ L'évaluation à partir du résultat d'exploitation

Deux chercheurs américains, MODIGLIANI et MILLER, prix Nobel depuis peu, se sont penchés sur l'optimisation de la valeur de l'entreprise. Ils ont notamment montré, que sous certaines conditions, la valeur de l'entreprise s'exprimait aisément à partir du résultat d'exploitation.

Vous vous rappelez du résultat d'exploitation, déterminé par différence entre produits d'exploitation et dépenses d'exploitation, c'est-à-dire avant prise en compte des frais financiers.

Si on considère que :

1. ce résultat d'exploitation est le résultat avant impôt disponible pour les bailleurs de fonds de l'entreprise, actionnaires et banquiers,
2. l'entreprise, pour se maintenir à son niveau actuel, doit réinvestir ce qu'elle passe en amortissement pendant l'exercice,

le résultat d'exploitation après impôt (2/3 du résultat avant IS), constitue alors le flux rémunérant les apporteurs de capitaux [1]. Il suffit de le capitaliser à l'infini pour avoir la valeur totale de l'entreprise : valeur des actions + valeur de la dette.

L'entreprise ne valant que ce qu'elle dégage, MODIGLIANI et MILLER ont alors montré que la valeur de l'entreprise pouvait s'exprimer à partir de l'équation ci dessous :

$$\text{Valeur de l'entreprise} = \big[[\text{résultat d'exploitation}] \times (1-T)/k\big]$$
$$- \text{Dettes Financières} \times (1-T)$$

expression dans laquelle :
• T est le taux d'impôt sur les sociétés,
• k est le taux de capitalisation, correspondant au coût du capital

---

1. Les apporteurs de capitaux étant les actionnaires et les banquiers.

❏ L'évaluation à partir des flux

• *Flux de dividendes ?*

Quoi de plus naturel que de considérer que seuls les dividendes sont importants, et qu'en conséquence l'entreprise ne vaut que par ses dividendes ? Puisque les dividendes sont régulièrement espacés dans le temps, c'est donc la valeur actuelle des dividendes qu'il convient de considérer.

L'entreprise vaut alors :

$$P_0 = \sum_1^\infty D_1 / (1 + k_e)^t$$

Équation dans laquelle :

- P_0 représente le prix de l'action, à l'instant $t = 0$
- D_1 représente le dividende versé l'année $t = 1$
- k_e représente le rendement exigé par la communauté financière pour cette action, compte-tenu du risque qu'elle représente.

Si la formule ci-dessus ne paraît guère exploitable dans le cas général, il est au moins un cas de figure sous lequel elle donne lieu à une écriture particulièrement simple : celui où on peut penser que les dividendes à venir de l'entreprise vont croître de manière régulière et infinie à un taux constant, « g ». Dans un tel cas, la valeur de l'action peut s'écrire:

$$P_0 = D_1 / (k_e - g)$$

Équation dans laquelle :

- P_0 représente le prix de l'action, à l'instant $t = 0$
- D_1 représente le dividende attendu l'année $t = 1$
- k_e représente le rendement exigé par la communauté financière pour cette action, compte tenu du risque qu'elle représente.

Ce modèle d'évaluation, connu sous le doux nom de *modèle de GORDON* [1] peut être d'ailleurs être utilisé dans tous les sens :

- pour évaluer une action dont on connaîtrait le taux de croissance et le taux de rendement attendu,
- pour évaluer le taux de croissance d'une action dont on connaîtrait la valeur et le taux de rendement attendu,
- pour évaluer le taux de rendement attendu d'une action dont on connaîtrait la croissance prévisionnelle et la valeur.

Ainsi, dans le tableau ci-dessous, le modèle de GORDON est utilisé pour évaluer l'action de la société SA RAPIDE.

TABLEAU 11 : ESTIMATION DU PER PAR GORDON	
	S.A.RAPIDE
Bénéfice par action	44.0 F
Taux de distribution (Dividende/RN)	25 %
Rendement attendu par les actionnaires	15 %
Dernier dividende versé	11
Taux de Croissance Dividendes	13.5 %
Valeur Action par modèle de GORDON ($D_1 / k_e - g$)	832 F
Rapport Cours / Bénéfice (P.E.R.) = $\dfrac{\text{Valeur}}{46}$ =	18.9

---

1. Du nom de son auteur Myron T.GORDON.

De la même manière, on peut appliquer le modèle de GORDON, à la SA LENTE sœur presque jumelle de la précédente société.

Jumelles parce qu'elles ont le même résultat par action et puisque jugées de même risque. Mais presque jumelles seulement puisque LENTE est beaucoup généreuse avec ses actionnaires à qui elle distribue 50 % de ses résultats.

En dépit de cette plus grande générosité, LENTE se voit affecter une valeur par action (donc un PER), du quart de celle de RAPIDE.

Et, en dépit de cette différence, si vous voulez une rentabilité de 15 % sur vos 10.000 Francs d'économie, vous avez le choix : 43 actions de LENTE [1] ne vous rapporteront ni plus ni moins que 12 actions [2] de RAPIDE. Dans l'un et l'autre cas, vous aurez vos 15 % !

TABLEAU 12 : ESTIMATION DU PER PAR GORDON	
	S.A.LENTE
Bénéfice par action	44.0 F
Taux de distribution (Dividende/RN)	50 %
Rendement attendu par actionnaires	15 %
Dernier dividende versé	22
Taux de Croissance Dividendes	5 %
Valeur Action par modèle de GORDON	231 F
Rapport Cours / Bénéfice (P.E.R.)	5.3

1. *43 x 231 F = 10 000 F.*
2. *12 x 832 F = 10 000 F.*

• Cash-Flows libres ?

Aujourd'hui, les théoriciens de la finance, qu'il s'agisse de COLASSE, d'HIRRIGOYEN [1], de RAPPAPORT [2], ont recensé les deux paramètres déterminant la valeur de l'entreprise :

- les flux que l'actionnaire peut en retirer, sous forme de dividendes, bien sûr, mais aussi sous forme de *royalties*, de redevances de gestion... Ces flux sont déterminés après impôts, après prise en compte des augmentations de besoins en fonds de roulement, après prise en compte des besoins d'investissements en immobilisations.
- la rentabilité minimale que l'actionnaire exige, qui dépend des autres opportunités d'investissement qui sont offertes à l'actionnaire et du niveau de risque spécifique de son investissement dans l'entreprise concernée.

---

1. *Revue Française de Gestion, janvier 93.*
2. *Strategic Analysis for more profitable acquisitions, Harvard Business Review, 1978.*

Muni de ce savoir, si vous estimez disposer des bonnes informations, ou plutôt si vous êtes mieux informés que les autres, votre fortune est assurée. Vous devriez être à même de sélectionner les entreprises sous-évaluées, sur lesquelles vous pouvez investir.

Afin d'être parfaitement honnête, et ce sera le mot de la fin, je vous citerai une conversation que j'ai eu le privilège de tenir en 1972 avec Joseph HIRSCHORN, le père du HIRSCHORN MUSEUM de Washington. Jeune émigré russe élevé sur les poubelles de New York au début du siècle, il était devenu millionnaire en dollars en 1928, avant de quitter la Bourse en septembre 1929, quelques jours avant le jeudi noir. Pour investir dans l'art contemporain et les mines d'uranium canadiennes.

Celui qui avait été appelé le roi de l'uranium était alors propriétaire d'une parcelle de terrain de 36 hectares située au cap d'Antibes que le ministère de l'Industrie, en la personne du Sénateur LAFFITTE, envisageait d'acheter afin d'y construire ce qui est devenu depuis SOFIA-ANTIPOLIS. J'avais été en contact avec Monsieur HIRSCHORN au sujet de la cession de ses terrains. Je me permis de lui demander quel conseil il pourrait prodiguer au jeune ingénieur que j'étais alors.

Il hésita un court instant avant de me dire : « *Young man, never invest. Speculate !* »

Avis de l'expert indépendant : Société de Bourse Jean-Pierre PINATTON

Dans le cadre de l'offre publique de retrait suivie d'un retrait obligatoire, initiée par CLIO (Crédit Lyonnais Informatique et Organisation), ci-après CLIO, sur TECHNIC INFORMATIQUE, CLIO a retenu, après accord du Conseil des Bourses de Valeurs, la Société de Bourse Jean-Pierre PINATTON en qualité d'expert indépendant.

Notre mission était de nous assurer du caractère équitable du prix retenu pour l'indemnisation des actionnaires minoritaires par le rapport d'évaluation élaboré par le CRÉDIT LYONNAIS.

La Société TECHNIC INFORMATIQUE est inscrite au second marché et n'a fait l'objet, jusqu'à présent, d'aucune offre publique. Il s'agit donc de la première offre proposée aux actionnaires minoritaires qui détiennent 6,9 % du capital.

Présentation
de TECHNIC INFORMATIQUE

TECHNIC INFORMATIQUE est une SSII qui délègue du personnel en régie, essentiellement auprès de grands comptes. Son capital est détenu à hauteur de 92,7 % par le groupe CRÉDIT LYONNAIS comme suit :

CONCEPT SA	60,0 %
CLIO	23,8 %
ALTUS	8,9 %

le solde étant dans le public.

La société a connu une forte baisse de son activité au cours des dernières années. Son chiffre d'affaire qui s'élevait à 75,1 MF en 1991, est revenu à 37,7 MF en 1992, 28,6 MF en 1993 et s'est légèrement redressé à 30,6 MF en 1994 grâce à l'acquisition d'éléments du fonds de commerce de la Société SYSECA en novembre 1993.

Le résultat d'exploitation a été négatif de 24,5 MF en 1991, 14,5 MF en 1992, 6,1 MF en 1993 et 1,1 MF en 1994.

En dépit de la réduction des pertes d'exploitation, le redressement de la Société, dans une conjoncture toujours difficile pour les SSII, reste aléatoire.

Par ailleurs, TECHNIC INFORMATIQUE ne peut être considérée comme une société réellement autonome.

Les contrats avec le groupe CRÉDIT LYONNAIS représentent environ 30 % du chiffre d'affaires de la Société et sont les plus rentables. Si le CRÉDIT LYONNAIS cessait d'être client, les difficultés de TECHNIC INFORMATIQUE seraient aggravées.

90 % du total de l'actif du bilan est constitué par une trésorerie de 113,4 MF. Toutefois, celle-ci est entièrement prêtée à CONCEPT SA, Société dont l'actif net est négatif. Ce bilan est un critère important pour l'évaluation de TECHNIC INFORMATIQUE si l'on retient l'hypothèse que le groupe CRÉDIT LYONNAIS soutiendra CONCEPT SA.

Les produits financiers correspondant ont permis à la Société de dégager un résultat courant de 3,2 MF en 1993 et 5,4 MF en 1994.

Analyse du rapport d'évaluation du CRÉDIT LYONNAIS

Le rapport de la banque présentatrice constate que TECHNIC INFORMATIQUE ne peut être évaluée ni par un multiple du résultat d'exploitation actuel, celui-ci étant déficitaire, ni par un taux de rendement, la Société n'ayant pas distribué de dividende depuis trois ans.

Les méthodes d'évaluation utilisées dont celles du cours de bourse, d'une valeur de liquidation et enfin de l'actif net corrigé d'une rente de Goodwill et des *cash-flows* disponibles futurs dans l'hypothèse d'un redressement de l'activitré.

Cours de bourse

Lors de l'arrêt des cotations, l'action TECHNIC INFORMATIQUE valait F 52. Les cours extrêmes depuis le 1er janvier 1993 ont été de F 20 au plus bas et de F 70 au plus haut. La moyenne des cours des douze derniers mois est de F 57,43 et celle des derniers trois mois de F 50,97.

Ces valeurs sont toutefois assez peu significatives en raison de la très faible liquidité du titre.

Valeur de liquidation

Il n'y a pas au bilan d'actif susceptible d'être réévalué.

Cette valeur a été calculée à partir de l'actif net qui est de F 93,50 par action au 31 décembre 1994, minoré des frais que la Société aurait à supporter en cas de cessation d'activité. Elle s'élève à F 81,20 par action.

Valeur de redressement

Les hypothèses retenues prévoient une augmentation du chiffre d'affaires de 4,5 % par an à partir de 1996 et un redressement progressif des ratios d'exploitation qui

rejoindraient les normes d'un échantillon représentatif du secteur (Cap Gemini Sogeti, Sligos, GSI, Unilog, Decade et SII).

Le taux d'actualisation choisi est de 16 % correspondant au taux sans risque des emprunts d'État (8,1 %), augmenté de la prime de risque moyenne observée sur le secteur (2,9 %) et d'une prime de risque de 5 % spécifique à l'entreprise. Ce taux d'actualisation peut paraître élevé, mais il n'est pas anormal compte tenu de la nature et de la vulnérabilité des activités de TECHNIC INFORMATIQUE. Sur ces bases, la méthode de la somme des *cash-flows* disponibles actualisés conduit à une valeur de F 96,11 par action, tandis que la méthode de l'actif net corrigé d'une rente de Goodwill aboutit à F 95,02 par action.

A ces montants s'ajoute la valeur actuelle des économies d'impôt générées par les déficits reportables effectivement utilisables, soit F 4,77 par action. Dans cette hypothèse d'un redressement de la Société, la valorisation est donc comprise entre F 100,88 et F 99,79 par action.

En conclusion

La fourchette des évaluations se situe, par action, entre F 81,20 pour la valeur de liquidation et F 100,88 dans l'hypothèse d'un redressement de l'exploitation.

Le prix proposé de F 101 par action est donc en haut de cette fourchette. Il représente une prime de 94 % sur le dernier cours coté et de 76 % sur le cours moyen des douze derniers mois.

Nous estimons que ce prix est équitable, dans la mesure où il est supérieur à la valeur d'actif net, F 93,50, et qu'il permet même aux actionnaires minoritaires de bénéficier, à hauteur de F 7,50 par action, des conséquences présumées d'un plan de redressement dont le succès est aléatoire.

FIGURE 40

12

UN EXEMPLE PRATIQUE : PROBLÈME DE FINANCEMENT DANS UNE PME FAMILIALE

Créée il y a près d'un demi-siècle, la SOCIÉTÉ DES TISSUS MURAUX DE LIMOGES, ci-dessous dénommée STML, a été la première entreprise à s'installer sur la zone industrielle de Limoges-Nord. Elle y occupe un terrain de deux hectares, et ses locaux couverts sont de 4000 mètres carrés. Elle jouxte l'une des usines LEGRAND, constructeur internationalement renommé de petit appareillage électrique, qui est depuis des années l'une des vedettes de la Bourse de Paris.

12.1 LE PRODUIT

Comme sa dénomination sociale l'indique, STML est avant tout une imprimerie de matières textiles fabricant des tissus d'ameublement et de décoration.

La technologie est d'ailleurs assez simple : il suffit d'imprimer des textiles relativement courants. Pour ce faire, la société achète donc des rouleaux de tissu aux industriels du secteur, DMC par exemple, des colorants à ICI et RHONE POULENC. Elle fait passer les premiers sur des rotatives et, ... merveille de la technologie, le tissu sort imprimé quelques secondes plus tard. Le plus difficile, c'est la mise au point des collections. En effet, ces tissus de décoration sont vendus à des femmes, par des femmes, très sensibles à la mode.

Certaines années les motifs à fleurs sont boudés. D'autres années, les mêmes motifs avec les mêmes fleurs provoquent des émeutes car ces dames se les arrachent. Il faut alors produire très vite, avec des variantes.

Et pour ce faire, il faut une nouvelle quatre-couleurs, qui coûte la bagatelle de 1 MF...

12.2 LES ACTIONNAIRES

SARL au capital social de 600 KF, STML est détenue par 4 actionnaires descendant du fondateur, Monsieur Pierre NOIR. Son petit fils, Jacques NOIR, a pris les fonctions de gérant lors du départ de son père à la retraite.

Il y a quatre associés à parts égales. L'un d'eux est gérant, et c'est là le début du problème.

Si l'associé gérant tire profit de sa situation d'actionnaire à travers la gérance, les autres associés, qui habitent chacun un coin du monde différent, estiment tirer peu de profit de leurs actions. Ils reprochent à leur frère et cousin de ne pas leur verser de dividendes. Peut-être est-ce la raison pour laquelle, lorsqu'il a été question d'augmentation de capital pour faire face à l'achat de la nouvelle quatre-couleurs, deux d'entre eux ont catégoriquement refusé de mettre un centime dans l'affaire...

C'est de Jacques NOIR, gérant, que vous tenez les éléments qualitatifs exprimés ci-dessous. Il vous a fait remettre la dernière liasse fiscale.

12.3 LE MARCHÉ

Il y avait encore, à la fin des années 80, près de 30 fabricants en France. La plupart ont déposé leur bilan à la suite de leurs difficultés propres et de celles de leurs clients, les décorateurs. Certaines entreprises, LAURA ASHLEY par exemple, ont particulièrement bien résisté du fait qu'elles maîtrisaient ou possédaient leurs propres réseaux. Mais beaucoup n'ont pas su prendre le virage du marché qui s'est progressivement partagé entre la grande distribution spécialisée et les décorateurs de haut-de-gamme.

Les malheurs des uns ont hélas fait tâche d'huile sur l'ensemble de la profession. Les confrères qui ont déposé leur bilan ont confié gestion et stocks à des syndics dont le souci a été de liquider. C'est ainsi qu'en 1993, près du tiers des tissus muraux vendus en France ont été ainsi bradés en dehors de leur marché normal par des auxiliaires de justice.

Aujourd'hui, ces stocks excédentaires ont disparu des points de vente parallèles, et les lieux de ventes traditionnels ont vu revenir vers eux leur clientèle traditionnelle. Ils ne peuvent se fournir qu'auprès des importateurs ou des imprimeurs français qui, s'ils ne sont pas toujours mieux placés au point de vue du prix, peuvent néanmoins offrir une souplesse de livraison et une qualité de produit incomparable. Dans ce nouveau contexte, les cinq fabricants français se trouvent devant des carnets de commande impressionnants. Et le malheur veut que devant cette reprise commerciale, attendue depuis si longtemps, STML bute sur des problèmes de financement.

12.4 LA STRATÉGIE COMMERCIALE

La STML a choisi une politique commerciale explicite : les *éditeurs*.

Les *éditeurs* sont des commerciaux, faisant fabriquer leurs dessins par la STML.

Ce pari stratégique de distribution, via les éditeurs, rééquilibre le caractère de fabrication de STML par rapport à son caractère de distributeur. Il met l'accent sur la capacité à fabriquer de manière compétitive, qui a été la force de la société depuis près d'un siècle.

« *De plus,* ajoute Monsieur NOIR, *nous mettons à leurs disposition des collections de leurs produits, ce qui nous oblige à financer ces mêmes collections. En effet, les clientes finales n'achètent qu'après avoir compulsé de volumineux classeurs dont chaque page est constituée d'un morceau du tissu convoité. Chaque référence se retrouve ainsi sur des centaines de catalogues. C'est-à-dire que* STML *fabrique sur son matériel, avec son personnel, ses propres matières premières, les prototypes – qui dans ce métier s'appellent des «cylindres» – et les fameux cahiers d'échantillonnage qui sont donnés aux revendeurs. Une telle politique commerciale n'est pas sans impact financier...*

En contrepartie, chaque facture aux éditeurs se décompose en deux parties :
* *le tissu proprement dit,*

* *l'amortissement des collections, évalué forfaitairement à 5 % du tissu facturé.* »

12.5 CONSÉQUENCE COMPTABLE DE LA POLITIQUE COMMERCIALE

Les collections confectionnées pour les éditeurs sont donc passées au bilan. Les éléments correspondant à leur élaboration, frais de main d'œuvre et de matières sont passés au crédit du compte transfert de charges. On les retrouve sur le côté Actif du Bilan, ainsi que dans le compte « transfert de charges » du Compte de Résultat.

Puis, au fur et à mesure de la vente de ces collections, l'investissement est *amorti*, selon un accord contractuel entre STML et ses clients, à raison de 5% du chiffre d'affaires réalisé sur *leurs* collections. Ainsi, le compte chiffre d'affaires comprend des lignes de facturation de ces 5 %.

Une collection a une durée de vie moyenne de deux ans. Hélas, les clientes finales se lassent extrêmement vite d'un produit, aussi bon soit-il. Le meilleur motif, quand il a été vu dans ART ET DÉCORATION ou LA MAISON DE MARIE-CLAIRE devient obsolète dans les six mois....

« *Enfin*, conclut Monsieur NOIR, *l'investissement a été fait, il n'est donc plus à faire. Il convient néanmoins de le maintenir* ».

12.6 LE PROBLÈME FINANCIER

Comme un malheur n'arrive jamais seul, à l'investissement rotative 4-couleurs s'ajoute le problème « fournisseurs »

Les fournisseurs de la profession ont bien sûr été touchés par la cascade des défaillances de leurs clients imprimeurs ou des clients de leurs clients : les distributeurs.

Ces grosses entreprises de la profession ont en conséquence resserré leurs conditions de crédit : aussi, depuis plus d'un an, la STML doit-elle se battre pour arriver à payer à 30 jours les fournisseurs de tissus (30 % du CA en moyenne). Ceux-ci exercent une très forte pression en vue d'être payés comptant, voire contre remboursement pour certains. Monsieur NOIR s'estime confronté à un double besoin :

• 1 million de francs pour la nouvelle rotative,
• 100 000 Francs afin de se constituer un fonds de roulement et pouvoir payer ses fournisseurs.

Monsieur NOIR est convaincu, sans jeu de mot dit-il, que l'avenir n'est pas entièrement rose. C'est pour cette raison qu'il a fait appel à vous.

En effet, il voudrait investir pour être encore plus performant sur le plan technique. Il est un peu étonné que les banques ne le suivent pas, alors que sa société dort sur des trésors immobiliers. En 1990, le cabinet GALTIER, dont la notoriété est incontestée, avait estimé la valeur vénale du terrain et des bâtiments à 4 millions de Francs.

Monsieur NOIR envisage de faire appel à ses parents « co-actionnaires » mais n'est pas sûr d'être entendu. Peut-être, ajoute-t-il, qu'un engagement moral de verser des dividendes serait un bon moyen de faire *passer la pilule*.

Votre tâche : déterminer les besoins financiers et les moyens de les satisfaire. Bien entendu, dans ce type d'analyse, il n'est pas question de déterminer des chiffres exacts, ou plutôt des chiffres qui donneraient l'impression d'être exacts. L'objectif est d'arriver à des ordres de grandeur raisonnables. Quitte, dans un deuxième temps, à affiner les premiers résultats.

cerfa N° 30- 2780
Formulaire obligatoire (article 53 A du code général des impôts).

① BILAN — ACTIF

D.G.I. N° 2050 ②
(1992)

Désignation de l'entreprise : **S.T.M.L** Durée de l'exercice exprimée en nombre de mois* ⊔⊔

Adresse de l'entreprise **ZI de Limoges Nad 87054 LIMOGES Cedex** Durée de l'exercice précédent* ⊔⊔

Numéro SIRET* |2|7|1|8|2|8|9|1|4?|1|5|0|0|6| Code APE |⊔⊔⊔| Exercice précédent (N.1) clos le :

Exercice N, clos le : |3|0|0|9|9|4| |3|0|0|9|9|3|

(Ne pas reporter le montant des centimes)*		Brut 1		Amortissements, provisions 2	Net 3	Net 4
Capital souscrit non appelé (0)	AA					
Frais d'établissement*	AB		AC			
Frais de recherche et développement*	AD		AE			
Concessions, brevets et droits similaires	AF		AG			
Fonds commercial (1)	AH		AI			
Autres immobilisations incorporelles	AJ		AK			
Avances et acomptes sur immobilisations incorporelles	AL		AM			
Terrains	AN	970 000	AO		970 000	970 000
Constructions	AP	1 156 536	AQ	974 927	181 609	203 425
Installations techniques, matériel et outillage industriels	AR	1 239 296	AS	1 033 791	205 505	230 095
Autres immobilisations corporelles	AT	2 140 558	AU	1 911 168	629 390	773 237
Immobilisations en cours	AV		AW			
Avances et acomptes	AX		AY			
Participations évaluées selon la méthode de mise en équivalence	CS		CT			
Autres participations	CU		CV			
Créances rattachées à des participations	BB		BC			
Autres titres immobilisés	BD		BE			
Prêts	BF		BG			
Autres immobilisations financières*	BH	6 408	BI		6 408	6 226
TOTAL (I)	BJ	5 512 848	BK	3 919 936	1 992 912	2 182 933
Matières premières, approvisionnements	BL	557 379	BM		557 379	648 205
En cours de production de biens	BN		BO			
En cours de production de services	BP		BQ			
Produits intermédiaires et finis	BR	1 210 639	BS		1 210 639	1 604 068
Marchandises	BT		BU			
Avances et acomptes versés sur commandes	BV		BW			
Clients et comptes rattachés (3)*	BX	1 146 626	BY	171 317	975 309	1 520 766
Autres créances (3)	BZ	615 621	CA		615 621	108 827
Capital souscrit et appelé, non versé	CB		CC			
Valeurs mobilières de placement (dont actions propres : ....)	CD		CE			
Disponibilités	CF	6 266	CG		6 266	29 010
Charges constatées d'avance (3)*	CH	1 480 958	CI		1 480 958	625 442
TOTAL (II)	CJ	5 017 489	CK	171 317	4 846 172	4 536 018
Charges à répartir sur plusieurs exercices* (III)	CL					
Primes de remboursement des obligations (IV)	CM					
Ecarts de conversion actif* (V)	CN					
TOTAL GÉNÉRAL (0 à V)	CO	10 530 337		3 691 253	6 839 084	6 719 001

Renvois : (1) Dont droit au bail :		(2) part à moins d'un an des immobilisations financières nettes	CP		(3) Part à plus d'un an	CR	
Clause de réserve de propriété :*	Immobilisations :		Stocks :		Créances :		

FIGURE 41

Désignation de l'entreprise _____

(Ne pas reporter le montant des centimes) *		Exercice N 1	Exercice N – 1 2
CAPITAUX PROPRES Capital social ou individuel (1)* (Dont versé : ....)	DA	600 000	600 000
Primes d'émission, de fusion, d'apport, ...	DB		
Ecarts de réévaluation (2)* (dont écart d'équivalence EK)	DC	869 225	869 225
Réserve légale (3)	DD	11 332	11 332
Réserves statutaires ou contractuelles	DE		
Réserves réglementées (3) (4)	DF	72 703	72 703
Autres réserves	DG	49 060	49 060
Report à nouveau	DH	(342 865)	(443 070)
RÉSULTAT DE L'EXERCICE (bénéfice ou perte)	DI	(911 538)	100 205
Subventions d'investissement	DJ		
Provisions réglementées *	DK	639 911	783 357
TOTAL (I)	DL	1 687 828	1 989 012
Autres fonds propres Produit des émissions de titres participatifs	DM		
Avances conditionnées	DN		
TOTAL (II)	DO		
Provisions pour risques et charges Provisions pour risques	DP		
Provisions pour charges	DQ		
TOTAL (III)	DR		
DETTES (5) Emprunts obligataires convertibles	DS		
Autres emprunts obligataires	DT		
Emprunts et dettes auprès des établissements de crédit (6)	DU	223 986	821 784
Emprunts et dettes financières divers (7)	DV		
Avances et acomptes reçus sur commandes en cours	DW		
Dettes fournisseurs et comptes rattachés	DX	1 856 005	2 092 160
Dettes fiscales et sociales	DY	2 240 009	1 572 434
Dettes sur immobilisations et comptes rattachés	DZ		
Autres dettes	EA	832 256	743 611
Compte régul. Produits constatés d'avance (5)	EB		
TOTAL (IV)	EC	5 151 256	4 729 989
Ecarts de conversion passif* **(V)**	ED		
TOTAL GÉNÉRAL (I à V)	EE	6 839 084	6 719 001

Total du bilan de l'exercice N en francs et centimes *

RENVOIS	(1)	Écart de réévaluation incorporé au capital		1B		
	(2)	Dont	Réserve spéciale de réévaluation (1959)	1C		
			Ecart de réévaluation libre	1D		
			Réserve de réévaluation (1976)	1E		
	(3)	Dont réserve réglementée des plus-values à long terme *		EF	72 703	72 703
	(4)	Dont réserve relative à l'achat d'œuvres originales d'artistes vivants*		EJ		
	(5)	Dettes et produits constatés d'avance à moins d'un an		EG		
	(6)	Dont concours bancaires courants, et soldes créditeurs de banques et CCP		EH		
	(7)	Dont emprunts participatifs		EI		

FIGURE 42

Désignation de l'entreprise : _____ S T M L

(Ne pas reporter le montant des centimes)*		Exercice N			Exercice (N-1)
		France 1	Exportation 2	Total 3	4
PRODUITS D'EXPLOITATION	Ventes de marchandises*	FA	FB	FC	
	Production vendue biens	FD	FE	FF 6 601 342	6 659 073
	Production vendue services*	FG	FH	FI	
	Chiffres d'affaires nets*	FJ	FK	FL	
	Production stockée*			FM	
	Production immobilisée*			FN	
	Subventions d'exploitation			FO	
	Reprises sur amortissements et provisions, transfert de charges*			FP 929 014	169 804
	Autres produits (1)			FQ	
	Total des produits d'exploitation (2) (I)			FR 7 530 956	6 828 883
CHARGES D'EXPLOITATION	Achats de marchandises (y compris droits de douane)*			FS	
	Variation de stock (marchandises)*			FT	
	Achats de matières premières et autres approvisionnements (y compris droits de douane)*			FU 2 553 418	2 307 915
	Variation de stock (matières premières et approvisionnements)*			FV 484 255	(191 503)
	Autres achats et charges externes (3)*			FW 1 307 332	1 105 117
	Impôts, taxes et versements assimilés*			FX 272 515	292 031
	Salaires et traitements*			FY 1 726 683	1 818 080
	Charges sociales			FZ 740 193	757 781
	DOTATIONS D'EXPLOITATION Sur immobilisations - dotations aux amortissements*			GA 369 422	370 200
	DOTATIONS D'EXPLOITATION Sur immobilisations - dotations aux provisions			GB	
	Sur actif circulant : dotations aux provisions			GC 255 858	66 704
	Pour risques et charges : dotations aux provisions			GD	
	Autres charges			GE	
	Total des charges d'exploitation (4) (II)			GF 7 709 676	6 526 325
1 - RÉSULTAT D'EXPLOITATION (I - II)				GG (178 720)	302 558
opérations en commun	Bénéfice attribué ou perte transférée* (III)			GH	
	Perte supportée ou bénéfice transféré* (IV)			GI	
PRODUITS FINANCIERS	Produits financiers de participations (5)			GJ	
	Produits des autres valeurs mobilières et créances de l'actif immobilisé (5)			GK	
	Autres intérêts et produits assimilés (5)			GL	
	Reprises sur provisions et transferts de charges			GM	
	Différences positives de change			GN	
	Produits nets sur cessions de valeurs mobilières de placement			GO	
	Total des produits financiers (V)			GP	
CHARGES FINANCIÈRES	Dotations financières aux amortissements et provisions*			GQ	
	Intérêts et charges assimilées (6)			GR 157 284	296 431
	Différences négatives de change			GS	
	Charges nettes sur cessions de valeurs mobilières de placement			GT	
	Total des charges financières (VI)			GU	
2 - RÉSULTAT FINANCIER (V − VI)				GV (157 284)	(296 431)
3 - RÉSULTAT COURANT AVANT IMPÔTS (I − II + III − IV + V − VI)				GW	

FIGURE 43

Formulaire obligatoire (article 53 A du Code général des impôts)

(1992) **2**

Désignation de l'entreprise _S T M L_

	(Ne pas reporter le montant des centimes) *		Exercice N 1	Exercice N – 1 2
PRODUITS EXCEPTIONNELS	Produits exceptionnels sur opérations de gestion	HA	498	269 491
	Produits exceptionnels sur opérations en capital *	HB	325 000	
	Reprises sur provisions et transferts de charges	HC	39 041	
	Total des produits exceptionnels (7) (VII)	HD	364 539	269 491
CHARGES EXCEPTIONNELLES	Charges exceptionnelles sur opérations de gestion	HE	214 146	175 414
	Charges exceptionnelles sur opérations en capital *	HF	14 426	
	Dotations exceptionnelles aux amortissements et provisions	HG		
	Total des charges exceptionnelles (7) (VIII)	HH	228 572	175 414
4 – RÉSULTAT EXCEPTIONNEL (VII – VIII)		HI	160 967	95 077
Participation des salariés aux résultats de l'entreprise (IX)		HJ		
Impôts sur les bénéfices * (X)		HK	11 500	
TOTAL DES PRODUITS (I + III + V + VII)		HL	7 895 495	7 098 374
TOTAL DES CHARGES (II + IV + VI + VIII + IX + X)		HM	8 107 032	6 998 170
5 – BÉNÉFICE OU PERTE (total des produits – total des charges)		HN	(211 538)	100 204

(1)	Dont produits nets partiels sur opérations à long terme	HO		
(2) Dont	produits de locations immobilières	HY		
	produits d'exploitation afférents à des exercices antérieurs (à détailler au (8) ci-dessous)	1G		
(3) Dont	— Crédit-bail mobilier	HP		
	— Crédit-bail immobilier	HQ		
(4)	Dont charges d'exploitation afférentes à des exercices antérieurs (à détailler au (8) ci-dessous)	1H		
(5)	Dont produits concernant les entreprises liées	1J		
(6)	Dont intérêts concernant les entreprises liées	1K		
(6bis)	Dont dons faits aux organismes d'intérêt général (art. 238 bis du C.G.I.)	HX		

(7) Détail des produits et charges exceptionnels (Si ce cadre est insuffisant, joindre un état du même modèle) :	Exercice N	
	Charges exceptionnelles	Produits exceptionnels

(8) Détail des produits et charges sur exercices antérieurs :	Exercice N	
	Charges antérieures	Produits antérieurs

RENVOIS

FIGURE 44

Devant tous les chiffres apparaissant dans les comptes, nous allons, à l'aide du théorème n°1 de la comptabilité [1], orienter le sens de nos recherches. Ensuite, très naturellement, nous allons procéder à l'analyse des plus gros postes du bilan, laissant dans l'ombre les montants *mineurs.*

Contexte général : l'entreprise s'est vu refuser un financement.

Or, comme l'ont fait remarquer les plus grands chefs d'entreprise, il n'y a pas de problème de financement, il n'y a que des problèmes de rentabilité. Si l'entreprise s'est vu éconduire par la banque, c'est sans doute parce que sa solvabilité paraissait douteuse. Or, vous pouvez constater que l'entreprise affiche des pertes. Si perte il semble y avoir au bilan, la perte réelle est sans doute très supérieure à la perte affichée au bilan. **Par un réflexe naturel, mais malheureux, les chefs d'entreprise se donnent beaucoup de mal pour diminuer – en apparence du moins – leur déficit.** En effet, des déficits importants ou répétés risquent d'affoler banquiers, clients, fournisseurs, actionnaires et personnel. Aussi, une comptabilité créative s'efforcera de cacher les pertes.

A l'opposé, lorsque l'entreprise est bénéficiaire, vous pouvez parier que le résultat réel est supérieur à celui qui est affiché au bilan. En effet, un résultat significativement positif pourrait, dans notre douce France, déclencher l'ire du personnel, et même -oh horreur- éveiller un esprit revendicatif chez les actionnaires qui, rappelez-vous, n'ont qu'un seul droit : faire leur devoir d'actionnaire [2]. Sans parler du fisc, à qui il faudra reverser une quote-part. Alors, réflexe naturel et malheureux du chef d'entreprise moyen : cacher les profits.

---

1. *Ce théorème, qui ne figure dans aucun livre, stipule que :*
   - *la perte réelle d'une entreprise est toujours supérieure à la perte apparaissant au bilan,*
   - *le bénéfice réel d'une entreprise est presque toujours supérieur au bénéfice apparaissant au bilan.*
2. *Il s'agit d'une boutade !*

Dans le cas de STML, nous allons chercher les cachettes à pertes, qui sont d'ailleurs essentiellement les mêmes que les cachettes à profit : les stocks et les provisions.

❑ Les dettes fiscales et sociales

C'est l'importance relative de ce poste qui doit attirer notre première attention. Est-il en effet normal que le montant de ces dettes représente près du tiers des emplois de l'entreprise ? Les organismes fiscaux ont-ils pour vocation de financer l'entreprise ? La réponse est non.

Alors, comment interpréter financièrement un tel niveau de dettes ?

Il convient d'abord de déterminer un niveau normal de dettes fiscales et sociales au 30 septembre, date d'arrêté du bilan.

L'entreprise doit essentiellement :

• La TVA sur les ventes de septembre.

• Les charges sociales sur les salaires de septembre [1].

• Les impôts et taxes non réglés, c'est-à-dire essentiellement la taxe [2] professionnelle et les taxes foncières. Celles ci étant dues au titre d'une année, il serait logique qu'elles aient été portées au bilan *prorata temporis*, c'est-à-dire pour 9/12ème de leur valeur.

Nous en resterons d'ailleurs là, afin de ne pas rentrer dans des détails que leur ordre de grandeur rend non pertinents pour l'analyse, voire intellectuellement sordides.

---

1. Eventuellement, les congés payés dus au 30/09. En toute rigueur comptable, les congés payés sont comptabilisés en provision pour charge, plutôt qu'en dettes sociales.
2. Eventuellement la taxe d'apprentissage qui est payée en février.

❏ TVA sur les ventes de septembre

Si nous faisons l'hypothèse que le mois de septembre est un mois moyen, pendant lequel est réalisé un chiffre d'affaires moyen, nous pouvons évaluer la TVA due au 30/09 de la manière suivante:

CA année 1994	(1)	6 600.0
CA mensuel	(2) = (1)/12	550.0
TVA sur un mois de CA	(3) = 18.6%*(2)	102.3

❏ Charges sociales sur salaires août

Tenons, au moins dans un premier temps, le même raisonnement sur les charges sociales dues fin septembre.

Charges sur salaires/ annuelles	(4)	740.0
Charges sociales mensuelles	(5) = (4)/12	61.7

❏ Impôts et taxes

Impôts et taxes / annuelles	(6)	272.0
9 mois d'impôts et taxes	(7) = (6)*9 /12	204.0

❏ Synthèse du poste dettes fiscales et sociales (DFS)

Des trois tableaux précédents on peut déduire que l'ordre de grandeur *normal* du poste DETTES FISCALES ET SOCIALES devrait être de :

TVA sur 1 mois de CA		102.3
Charges sociales mensuelles		61.7
9 mois d'impôts et taxes		204.0
	Total	255.1

Compte tenu du fait qu'il y a 2.24 MF en DFS, qu'il devrait y avoir de l'ordre de 0.25 MF, il est vraisemblable que la partie échue de la dette fiscale est de :

$$2.24 \text{ MF} - 0.25 \text{ MF} = 2 \text{ MF}$$

De cette constatation, on peut déduire que l'entreprise est, de fait, en cessation de paiement au 30/09/94. Il n'est guère étonnant que banquiers et fournisseurs s'en défient et n'osent pas lui prêter : STML vit avec une épée de Damoclès sur sa tête. Comme tous ceux qui n'ont pas payé leurs impôts, STML peut voir surgir l'huissier à tout instant. Tant que ces reliquats fiscaux n'auront pas été réglés, l'entreprise vivra dans l'attente des foudres du TPG local et, en conséquence, ne peut espérer aucun concours extérieur.

❏ Les dettes fournisseurs

Compte tenu de leur poids important dans le bilan, c'est maintenant vers les dettes fournisseurs que nous allons nous tourner. Nous allons tenir le même raisonnement que pour les dettes fiscales et sociales, à savoir :

- Estimer le montant qu'il serait raisonnable d'avoir à ce poste,
- Déduire de la dette fournisseur, le montant précédent,
- En déduire la partie « échue » de la dette fournisseurs.

❑ Montant *normal* de la dette fournisseurs

Le montant de la dette fournisseurs devrait être en rapport avec le volume d'activité réalisé avec les fournisseurs. Or, le CA réalisé avec les fournisseurs se trouve au compte de résultat, pour l'année en cours. On peut imaginer de plus que, compte tenu de l'intense activité économique traditionnelle au mois d'août en France, les volumes réalisés en août et septembre sont en réalité inférieurs à la moyenne. Aussi, les chiffres du tableau ci-dessous donnent une estimation qui est sans doute supérieure à la réalité :

Achats de l'exercice	(8)	2 553
Autres achats et charges externes	(9)	1 307
Volume achat aux fournisseurs	(10) = (8) + (9)	3 860
Volume mensuel moyen	(11) = (10)/12	322
Dettes fournisseurs (TTC)	(12)	1 855
Dettes Fournisseurs (base HT)	(13) = (12)/1.186	1 564
Nombre de mois au poste fournisseurs	(14) = (13)/ 11)	4.9

Le délai de paiement des fournisseurs, de l'ordre de cinq mois, est tout à fait anormal. Une PME comme STML ne saurait en aucun cas avoir de telle pratiques de règlement vis à vis de ses fournisseurs, essentiellement les grands groupes. Si on admet qu'une politique de règlement *normale* serait de 1,5 mois, ou encore 45 jours, il devrait y avoir au poste fournisseurs :

$$322 * 1.5 \text{ mois} * 1.186 = 550 \text{ KF}$$

❏ **Part échue de la dette fournisseurs**

Dette fournisseurs au bilan	1855
Montant *normal*	– 550
Partie échue de la dette	+ 1 305

❏ **Montant de l'impasse financière**

Muni de ces informations, on peut avoir une idée de l'ampleur des besoins financiers de l'entreprise, qui, comme l'indique le tableau ci-dessous, est très supérieure à la première estimation du chef d'entreprise. Pour remettre l'entreprise à flot, ce sont donc environ 4,3 MF qui sont nécessaires !

Dettes échues auprès des organismes sociaux	2 MF
Dettes échues auprès des fournisseurs	1.3 MF
Investissement à réaliser	1.0 MF
Total	4.3 MF

L'entreprise doit donc trouver 4,3 MF d'argent frais. Il est évident que compte tenu du caractère limité des fonds propres, il va falloir passer par une augmentation de capital. Mais augmentation de combien ?

Car quelle est la véritable valeur des fonds propres ? Celle apparaissant au bilan ? Vraisemblablement non, compte tenu du théorème précité, les pertes réelles sont sûrement supérieures aux pertes du bilan. Nous allons donc les chercher où elles ont quelque chance de se trouver, c'est-à-dire dans les stocks.

❏ Les stocks de produits finis

Commençons par le plus important des stocks en valeur, les produits finis. Soit 1,2 MF au bilan. Un bon moyen de les évaluer serait de les comparer au chiffre d'affaires annuel ou, mieux, au prix de revient de production. Si on considère que le prix de revient de production des produits de l'exercice est au plus égal aux dépenses d'exploitation (7,7 MF), on peut en déduire que les stocks représentent 35 jours ouvrés de production soit, à raison de 20 jours ouvrés par mois, près de deux mois d'avance.

Dépenses d'exploitation	(15)	7 709
Nombre de jours de fabrication	(16)	220
Dépenses d'exploitation par jour	(17) = (15) / (16)	35
Stocks de produits finis	(18)	1 210
Nombre de jours de dépenses en stocks	(19) = (18) / (17)	35

Ce niveau de 35 jours est à rapprocher du délai de fabrication (qui se mesure en minutes), et de la trésorerie tendue... Pour quelles raisons une entreprise peut-elle avoir près de deux mois d'avance dans de telles conditions ?

Vraisemblablement parce que ces produits stockés sont invendables.

Il n'y a en effet aucune raison de stocker puisque la fabrication est instantanée. De plus, l'entreprise – étant étranglée – n'a pas intérêt à stocker, le stockage se traduisant initialement par des achats aux fournisseurs, le stockage constituant un besoin en fonds de roulement qui détériore la trésorerie.

Un stockage « *sur le papier* » présente cependant un « *avantage sur le papier* » : diminuer les pertes. En imaginant que les stocks réellement vendables représentent 10 jours de production, ce qui peut se constater sur une banque de données comme DUN & BRADSTREET, la valeur réelle des stocks devrait être de l'ordre de 350 KF. En portant cette valeur sur le bilan, on peut en déduire que la valeur *corrigée* des fonds propres est plus proche de 830 KF que ce qui est écrit au bilan.

Valeur comptable des stocks	1210
moins valeur réaliste des stocks	– 350
Perte cachée en stocks	860
Valeur comptable des fonds propres	1687
moins perte cachée en stocks	– 860
Valeur des fonds propres N°2	827

❑ Les charges constatées d'avance

Ce poste du bilan, par son importance, mérite lui aussi une analyse approfondie. Monsieur Noir nous a dit que les collections nécessitaient des investissements en *cylindres* et *liasses* d'échantillons. Il n'y en a pas moins de 1.480 KF au bilan. Ces montants s'amortissent à raison de 5 % du chiffre d'affaires de l'année, et, vous a-t-on dit, une collection n'est plus vendable au bout de deux ans.

Autrement dit, le montant au bilan devrait pouvoir s'amortir en deux ans. Puisque la valeur brute de ces *collections* est de 1.48 MF, le chiffre d'affaires devrait permettre d'amortir 0.74 MF par an. Le chiffre d'affaires permettant un tel amortissement est de [0.74 MF / 5 %] = 14.8 MF.

Or le chiffre d'affaires actuel n'est que de 6.6 MF. Il ne permettrait guère d'amortir sur deux ans que :

$$6.6 \text{ MF} \times 5\% \times 2 = 0.66 \text{ MF}$$

de collections. De là à dire que les collections ne sont *amortissables* que de ce montant, il n'y a qu'un pas : je le franchirai allègrement. L'entreprise a vraisemblablement eu, dans le meilleur des cas, les yeux plus gros que le ventre... De cette constatation, on peut encore déduire que le montant des fonds propres, une nouvelle fois corrigé, doit être de l'ordre de 0.007 MF.

Collections au bilan	1.48 MF
moins Partie amortissable des charges constatées	– 0.66 MF
Perte sur collection	0.82 MF
Valeur des fonds propres N°2	0.827 MF
moins perte sur collection	– 0.82 MF
Valeur corrigée fonds propres N°3	0.007 MF

❑ Les stocks de matières

Venons-en aux stocks de matières premières. Pour se donner une idée de leur importance relative, il conviendrait de le rapprocher des consommations quotidiennes.

Achats exercice 94	(20)	2 553
+ Variation de stocks 93/94	(21)	484
Consommation 1994	(22) = (20) / (21)	3 037
Consommation quotidienne	(23) =(22) / 220 j	13.8
Stocks au bilan	(24)	557
Nombre de jours de consommation en stock	(25) = (24)/(23)	40.4

Il apparaît que l'entreprise a, ou plutôt aurait, quarante jours ouvrés de stocks d'avance, soit encore deux mois de consommation. On peut, une nouvelle fois, se demander pour quelles raisons elle stockerait ainsi des matières premières relativement banales. Les industriels de la chimie et du textile ne sont pas en rupture de stock. De plus, constituer des stocks d'avance alourdit le besoin en fonds de roulement, donc contribue encore à *plomber* la trésorerie.

Dans le meilleur des cas, ces stocks existent, et l'entreprise a vraisemblablement oublié de les provisionner. Dans le pire des cas, ces stocks n'ont existé que dans l'imagination fertile de responsables *créatifs* [1]. Quoi qu'il en soit, l'impact de cette surévaluation des fonds propres est importante. Il est possible de constater, sur une centrale de bilan, que l'entreprise *moyenne* du secteur a une semaine de stocks d'avance, on peut en déduire, selon le tableau ci-après, que si les stocks étaient correctement évalués, le niveau des fonds propres serait plutôt de – 481 KF.

---

1. *Les deux cas pourraient relever du délit de présentation de faux bilan.*

Valeur *comptable* des stocks		557
Moins Valeur normale des stocks	5 jours *13.8	– 69
Surévaluation des stocks		488
Valeur corrigée N°3	7 KF	
moins provisions à passer	– 488 KF	
Valeur corrigée des fonds propres N°4	– 481 KF	

❑ Les créances

Le montant du compte-clients pourrait lui aussi être examiné à la loupe, c'est-à-dire rapporté au chiffre d'affaires quotidien. On arriverait alors à un montant représentant 50 jours de chiffre d'affaires, ordre de grandeur sur lequel, faute d'informations complémentaires, il n'y a rien à dire ni à redire. De plus, le volume de provisions sur clients (171 KF) laisse à penser qu'il y a eu une « gestion » active de ce poste.

Venons-en au poste « autres créances », qui est passé de 108 à 615 KF d'une année sur l'autre. L'essentiel de ces créances est la TVA déductible sur le mois d'achat, de l'ordre de 60 KF, comme le montre le tableau ci-après. On peut imaginer que, après un mois d'août paisible, les achats de septembre ont été plus élevés. Mais, là encore, comment expliquer que l'entreprise, qui est aux abois, soit en mesure de *prêter* 615 KF, l'équivalent de un mois de chiffre d'affaires ? Que vaut cette créance ? Si elle valait quelque chose, elle aurait été mobilisée ou remboursée, et ne serait plus au bilan. Il y a fort à parier que sa valeur réelle est très inférieure, et qu'à ce niveau là encore, il n'aurait pas été superflu de passer quelques centaines de milliers de francs de provisions.

Achat annuel	(26)	2 553
Autres achats	(27)	1 307
Total consommations externes	(28)=(26)+(27)	3 860
Consommations externes par mois	(29)=(28)/12	322
TVA sur un mois de consommation	(30)=(29)x 0.186	60

❏ L'immobilier

Au bilan pour 1.1 MF (terrain + constructions), l'immobilier peut être sous-évalué. L'histoire récente – demandez aux actionnaires de SUEZ –, a montré que ce n'était pas forcément le cas le plus fréquent. Faisons néanmoins grâce à STML de son immobilier, et imaginons qu'il soit sous-estimé de 1.9 MF et vaille en réalité 3 MF. La véritable valeur des fonds propres, indépendamment de ce qui est au bilan, (et n'en déplaise au commissaire aux comptes de cette société) est finalement de l'ordre de :

Valeur corrigée des fonds propres N°4	– 481
sous-évaluation Immobilier	1 900
Valeur RÉELLE des fonds propres	1 419

12.7 SYNTHÈSE

Avec un besoin financier de 4.3 MF, un bilan qui ne tient pas la route, dont l'établissement relève moins de la créativité que du code pénal, STML doit procéder à une augmentation de capital très importante, pour peu que les actionnaires la suivent. Et acheter une conduite, c'est-à-dire un nouveau gérant.

Cette augmentation de capital permettra d'apurer les comptes et de présenter une situation normale. On peut imaginer qu'un banquier sympathique, voyant les actionnaires mettre 3 MF, portant ainsi les fonds propres à 4.5 MF, pourrait envisager de faire un concours de 1.5 MF. L'entreprise aurait alors un bilan équilibré.

Il restera alors, à la nouvelle direction de l'entreprise, à mettre en place les politiques commerciales et techniques permettant de dégager la rentabilité qu'exigeront les apporteurs de capitaux :

- Des fonds propres de 4.5 MF ne peuvent se satisfaire de moins de 15 % de résultat net après IS. Soit près de 0.7 MF après IS, soit encore [0.7 MF x 3 /2] de résultat d'exploitation avant IS, puisque la part du fisc est d'un tiers du résultat courant.
- Une dette de 1.5 MF nécessite un résultat d'exploitation de 0.15 MF.

Il faudra que l'exploitation dégage au moins 1.2 MF :
1.05 MF pour les fonds propres + 0.15 MF pour la dette.

Souhaitons donc à la STML que banquiers et actionnaires soient compréhensifs, et que ces dames se battent pour arracher les produits STML chez les éditeurs.

NOTES PERSONNELLES

NOTES PERSONNELLES

DOCUMENTS

La série de documents qui vous est fournie ci-après illustre les explications fournies dans l'ouvrage.

Ces pages sont détachables selon le pointillé. Vous pouvez donc, si vous le souhaitez, les séparer du livre pour accompagner votre lecture.

GROUPE CARREFOUR

Bilan consolidé au 31 décembre
(en millions de francs)

ACTIF	Notes	1993	1992	PASSIF	Notes	Avant répartition 1993	1992	Après répartition 1993	1992
Actif immobilisé				**Situation nette**					
Immos incorporelles..	9	5 714	6 083	du Groupe.............	14	12 460	9 864	11 922	9 416
Immos corporelles.....	10	20 674	19 837	Intérêts hors					
Immos financières.....	11	3 863	3 628	Groupe dans les					
				sociétésconsolidées		2 771	2 751	2 622	2 584
		30 251	29 548						
						15 231	12 615	14 544	12 000
Actif circulant									
Stocks......................		8 631	8 420	**Provisions pour**					
Clients......................		271	293	risques et charges...	15	2 306	1 622	2 306	1 622
Autres créances........	12	10 909	10 708						
Valeurs mrobilières....	13	1 839	1 703	**Dettes**					
Disponibilités............		1 490	1 404	Emprunts................	16	6 077	8 701	6 077	8 701
				Fournisseurs..........		23 586	23 286	23 586	23 286
		23 140	22 528	Autres dettes..........		6 191	5 852	6 878	6 467
						35 854	37 839	36 541	38 454
		53 391	52 076						
						53 391	52 076	53 391	52 076

FIGURE 45

GROUPE CARREFOUR

Compte de résultats consolidés
(en millions de francs)

Résultat courant par action [1]
(en francs)

	Notes	1993	1992
Ventes hors taxes..............		123 204	117 139
Prix de revient des ventes..	2	(102 542)	(97408)
Marge brute commerciale...		20 662	19 731
Frais généraux....................	3	(16 264)	(16 011)
Amortissements et provisions..........................	4	(2 931)	(2 706)
Autres produits et charges..	5	1 281	1 074
Résultat avant impôts.........		2 748	2 088
Impôts sur les bénéfices.....	6	(870)	(604)
Résultat courant des sociétés intégrées..............		1 878	1 484
Résultat net des sociétés mises en équivalence.........	7	245	303
Résultat courant..................		2 123	1 787
Intérêts hors Groupe...........		(458)	(448)
Résultat courant - Part du Groupe..................		1 665	1 339
Résultat exceptionnel.........	8	1 345	(4)
Résultat net - Part du Groupe...................		**3 010**	**1 335**

	1993	1992
Résultat courant - Part du Groupe.........	129,94	104,50
Nombre d'actions retenues pour le calcul............	12 813 516	12 812 916

(1) Le résultat courant par action non dilué est calculé à partir du nombre d'actions composant le capital au 31 décembre.
Il n'est pas tenu compte du nombre moyen d'actions au cours de l'année, qui est très proche du nombre d'actions au 31 décembre.
La dilution issue des options consenties aux cadres n'entraîne pas de différence significative avec le résultat courant par action calculé ci-dessus.

FIGURE 46

DELACHAUX

BILAN AU 31 DÉCEMBRE 1993

Actif	1993 (en FRF)			1992
	Brut	Amortissements provisions à déduire	Net	(en milliers) de FRF)
ACTIF IMMOBILISÉ				
Immobilisations incorporelles				
Concessions, brevets, droits et valeurs similaires	105 880 292,65	79 750 305,11	26 129 987,54	35 977
Avances et acomptes				288
	105 880 292,65	79 750 305,11	26 129 987,54	36 265
Immobilisations corporelles				
Terrains	191 713 582,87	108 392 090,86	83 321 492,01	80 947
Constructions	639 358 413,58	538 373 647,76	100 984 765,82	115 280
Installations techniques, matériel et outillage industriels	680 473 615,65	553 514 919,36	126 958 696,29	102 866
Autres immobilisations corporelles	234 861 090,59	192 313 577,90	42 547 512,69	31 309
Immobilisations en cours	2 489 409,87		2 489 409,87	11 549
Avances et acomptes	10 298 162,09		10 298 162,09	3 745
	1 759 194 274,65	1 392 594 235,88	366 600 038,77	345 696
Immobilisations financières (1)				
Participations	1 819 219 493,15	207 665 190,00	1 611 554 303,15	1 276 779
Créances rattachées à des participations	5 251 085,88		5 251 085,88	20 000
Autres titres immobilisés	41 637 207,50	405 128,50	41 232 079,00	423
Prêts	265 695,33	70 049,00	195 646,33	0
Autres immobilisations financières	4 396 641,35	1 294 684,00	3 101 957,35	2 630
	1 870 770 123,21	214 686 137,38	1 656 083 985,83	1 299 832
Total I	**3 735 844 690,51**	**1 687 030 678,37**	**2 048 814 012,14**	**1 681 793**
ACTIF CIRCULANT				
Stocks et en-cours				
Matières premières et autres approvisionnements	409 034 187,12	96 322 285,54	312 711 901,58	245 507
En-cours de production	308 196 000,00		308 196 000,00	201 167
Produits intermédiaires et finis	164 127 086,06	28 888 538,68	135 238 547,38	112 309
	881 357 273,18	125 210 824,22	756 146 448,96	558 983
Avances et acomptes versés sur commandes	165 833 705,23		165 833 705,23	107 000
Créances (2)				
Créances clients et comptes rattachés (3)	1 617 544 628,42	131 454 035,30	1 486 090 593,12	1 601 561
Autres	194 653 592,16	44 640 426,17	150 013 165,99	153 321
Valeurs mobilières de placement				
Actions propres	62 556 783,17	2 083 066,74	60 473 716,43	41 952
Autres titres	936 826 820,25		936 826 820,25	778 336
Disponibilités	232 575 610,46		232 575 610,46	194 042
	3 209 991 139,69	178 177 528,21	3 031 813 611,48	2 876 212
COMPTES DE RÉGULARISATION				
Charges constatées d'avance (2)	56 815 931,42		56 815 931,42	41 842
Total II	**4 148 164 344,29**	**303 388 352,43**	**3 844 775 991,86**	**3 477 037**
Charges à répartir sur plusieurs exercices				96 643
Ecarts de conversion Actif	770 307,92		770 307,92	6 072
Total général	**7 884 779 342,72**	**1 990 419 030,80**	**5 894 360 311,92**	**5 261 545**

(1) Dont à moins d'un an.   *96 545,01*   *20 521*
(2) Dont à plus d'un an.   *23 028 548,95*   *10 745*
(3) Dont effets à recevoir.   *240 080 536,31*   *310 811*

FIGURE 47

DELACHAUX

Passif	Avant répartition		Après répartition	
	1993 (en FRF)	1992 (en milliers de FRF)	1993 (en FRF)	1992 (en milliers de FRF)
CAPITAUX PROPRES				
Capital (dont versé 181 280 000,00)	181 280 000,00	181 280	181 280 000,00	181 280
Primes d'émission, de fusion, d'apport	197 153 643,68	138 485	197 153 643,68	138 485
Ecarts de réévaluation	137 051 220,55	137 080	137 051 220,55	137 080
Réserves :				
Réserve légale	18 128 000,00	18 128	18 128 000,00	18 128
Réserves réglementées	381 667 481,53	362 992	386 620 810,09	381 668
Autres réserves	620 000 000,00	510 000	770 000 000,00	620 000
Report à nouveau	8 308 121,13	9 878	2 798 534,55	7 443
Résultat de l'exercice	228 300 541,98	197 846		
Subventions d'investissement	9 566 389,68	533	9 566 389,68	532
Provisions réglementées	25 617 616,27	23 612	25 617 616,27	23 612
Total I	**1 807 073 014,82**	**1 579 834**	**1 728 216 214,82**	**1 508 228**
AUTRES FONDS PROPRES				
Emprunts subordonnés	500 000 000,00	500 000	500 000 000,00	500 000
Total I bis	**500 000 000,00**	**500 000**	**500 000 000,00**	**500 000**
Total I + I bis	**2 307 073 014,82**	**2 079 834**	**2 228 216 214,82**	**2 008 228**
PROVISIONS POUR RISQUES ET CHARGES				
Provisions pour risques	263 240 284,01	220 519	263 240 284,01	220 519
Provisions pour charges	528 578 389,48	444 539	528 578 389,48	444 539
Total II	**791 818 673,49**	**665 058**	**791 818 673,49**	**665 058**
DETTES (1)				
Emprunts et dettes auprès des établissements de crédit (2)	153 267 912,52	70 206	153 267 912,52	70 206
Emprunts et dettes financières divers	144 243 419,35	175 973	144 243 419,35	175 973
Avances et acomptes reçus sur commandes en cours	918 840 355,96	736 890	918 840 355,96	736 890
Dettes fournisseurs et comptes rattachés	877 286 002,73	688 833	877 286 002,73	688 833
Dettes fiscales et sociales	611 346 911,87	729 181	611 346 911,87	729 181
Dettes sur immobilisations et comptes rattachés	41 604 856,89	65 640	41 604 856,89	65 640
Autres dettes	44 551 076,52	48 700	123 407 876,52	120 306
	2 791 140 535,84	2 515 423	2 869 997 335,84	2 587 029
COMPTES DE RÉGULARISATION				
Produits constatés d'avance (1)	1 958 311,00	804	1 958 311,00	804
Total III	**2 793 098 846,84**	**2 516 227**	**2 871 955 646,84**	**2 587 833**
Ecarts de conversion Passif	2 369 776,77	426	2 369 776,77	426
Total général	**5 894 360 311,92**	**5 261 545**	**5 894 360 311,92**	**5 261 545**
(1) Dont : à plus d'un an.	278 503 975,94	193 976	278 503 975,94	193 976
à moins d'un an.	2 514 594 870,90	2 322 251	2 593 451 670,90	2 393 856
(2) Dont concours bancaires courants et soldes créditeurs de banques.	6 847 354,46	3 834	6 847 354,46	3 834

FIGURE 48

L.M.R.

cerfa N° 30-2970

Formulaire obligatoire (article 53 A du code général des impôts.

(1) **BILAN — ACTIF**

D.G.I. N° 2050
(1993)

Désignation de l'entreprise : SA L.M.R, Durée de l'exercice exprimée en nombre de mois° 1 2

Adresse de l'entreprise 124, Avenue Pasteur 93170 BAGNOLET Durée de l'exercice précédent° 1 2

Numéro SIRET° 5 7 2 2 2 7 8 3 3 0 0 0 1 7 Code APE 2 1 0 8

Exercice précédent (N-1) clos le :

(Ne pas reporter le montant des centimes)°			Exercice N, clos le : 3 1 1 2 9 2			3 1 1 2 9 1
			Brut 1	Amortissements, provisions 2	Net 3	Net 4
Capital souscrit non appelé (0)	AA					
Frais d'établissement°	AB	AC				
Frais de recherche et développement°	AD	AE				
Concessions, brevets et droits similaires	AF	AG	354.650	185,033	169.617	216.112
Fonds commercial (1)	AH	AI	10.500	10.500		10.500
Autres immobilisations incorporelles	AJ	AK				
Avances et acomptes sur immobilisations incorporelles	AL	AM				
Terrains	AN	AO	69.048		69.048	69.048
Constructions	AP	AQ	221.515	163.605	57.910	67.638
Installations techniques, matériel et outillage industriels	AR	AS	9,459,356	8.612.684	846.672	1.402.742
Autres immobilisations corporelles	AT	AU	767.174	394.416	372.758	491.234
Immobilisations en cours	AV	AW				
Avances et acomptes	AX	AY				22.713
Participations évaluées selon la méthode de mise en équivalence	CS	CT				
Autres participations	CU	CV				133.650
Créances rattachées à des participations	BB	BC				
Autres titres immobilisés	BD	BE				
Prêts	BF	BG				419.100
Autres immobilisations financières°	BH	BI	118.864		118.864	110.717
TOTAL (I)	BJ	BK	11.001,107	9.366.238	1.634.869	2.943.454
Matières premières, approvisionnements	BL	BM	55.640		55.640	30.364
En cours de production de biens	BN	BO				
En cours de production de services	BP	BQ	1,795,123		1.795,123	2.713.070
Produits intermédiaires et finis	BR	BS				
Marchandises	BT	BU				
Avances et acomptes versés sur commandes	BV	BW	10.500		10.500	4.650
Clients et comptes rattachés (3)°	BX	BY	9,290,366	1.235.350	8.055.016	5.230.406
Autres créances (3)	BZ	CA	131,616		131.616	578.482
Capital souscrit et appelé, non versé	CB	CC				
Valeurs mobilières de placement (dont actions propres :)	CD	CE	50		50	50
Disponibilités	CF	CG	492.244		492.244	556.418
Charges constatées d'avance (3)°	CH	CI	221.930		221.930	200.329
TOTAL (II)	CJ	CK	11.997.469	1.235.350	10.762.119	9.313.769
Charges à répartir sur plusieurs exercices° (III)	CL					
Primes de remboursement des obligations (IV)	CM					
Ecarts de conversion actif° (V)	CN					
TOTAL GÉNÉRAL (0 à V)	CO	1A	22.998.576	10.601.588	12.396.988	12.257.223

Renvois : (1) Dont droit au bail :

(2) part à moins d'un des immobilisations financières nettes CP

(3) Part à plus d'un an : CR

FIGURE 49

L.M.R.

 N° 30-2971
Formulaire obligatoire (article 53 A du Code général des impôts)

② **BILAN — PASSIF** avant répartition

D.G.I. N° 2051 ③
(1983)

Désignation de l'entreprise ____ SA L.M.R. ____

1er EXEMPLAIRE DESTINE A L'ADMINISTRATION

(Ne pas reporter le montant des centimes) *			Exercice N 1	Exercice N – 1 2
CAPITAUX PROPRES	Capital social ou individuel (1)* (Dont versé : ....)	DA	1.356.600	1.356.600
	Primes d'émission, de fusion, d'apport, ...	DB		
	Ecarts de réévaluation (2)* (dont écart d'équivalence EK	) DC		
	Réserve légale (3)	DD	135.660	135.660
	Réserves statutaires ou contractuelles	DE		
	Réserves réglementées (3) (4)	DF	571.877	571.877
	Autres réserves	DG	1.700.000	1.700.000
	Report à nouveau	DH	512.086	415.077
	RÉSULTAT DE L'EXERCICE (bénéfice ou perte)	DI	689.826	97.009
	Subventions d'investissement	DJ		
	Provisions réglementées *	DK		
	TOTAL (I)	DL	4.966.049	4.276.223
Autres fonds propres	Produit des émissions de titres participatifs	DM		
	Avances conditionnées	DN		
	TOTAL (II)	DO		
Provisions pour risques et charges	Provisions pour risques	DP		
	Provisions pour charges	DQ		
	TOTAL (III)	DR		
DETTES (5)	Emprunts obligataires convertibles	DS		
	Autres emprunts obligataires	DT		
	Emprunts et dettes auprès des établissements de crédit (6)	DU	1.453,975	1.813.038
	Emprunts et dettes financières divers (7)	DV		
	Avances et acomptes reçus sur commandes en cours	DW	1.056.044	1.486.866
	Dettes fournisseurs et comptes rattachés	DX	1.772.536	2.223.880
	Dettes fiscales et sociales	DY	2.997.242	2.320.129
	Dettes sur immobilisations et comptes rattachés	DZ		
	Autres dettes	EA	151.142	137.087
Compte régul.	Produits constatés d'avance (5)	EB		
	TOTAL (IV)	EC	7.430.939	7.981.000
	Ecarts de conversion passif* (V)	ED		
	TOTAL GÉNÉRAL (I à V)	EE	12.396.988	12.257.223

Total du bilan de l'exercice N en francs et centimes * | 12.396.988 | 40 |

RENVOIS	(1)	Écart de réévaluation incorporé au capital		1B		
	(2)	Dont	Réserve spéciale de réévaluation (1959)	1C		
			Ecart de réévaluation libre	1D		
			Réserve de réévaluation (1976)	1E		
	(3)	Dont réserve réglementée des plus-values à long terme *		EF		
	(4)	Dont réserve relative à l'achat d'œuvres originales d'artistes vivants*		EJ		
	(5)	Dettes et produits constatés d'avance à moins d'un an		EG		
	(6)	Dont concours bancaires courants, et soldes créditeurs de banques et CCP		EH		
	(7)	Dont emprunts participatifs		EI		

FIGURE 50

L.M.R.

cerfa N° 30-2977 ⑧

Formulaire obligatoire (article 53 A du Code général des impôts). (ne pas reporter le montant des centimes *)

ÉTAT DES ECHEANCES DES CREANCES ET DES DETTES A LA CLOTURE DE L'EXERCICE*

D.G.I. N° 2057 (1993)

Désignation de l'entreprise : _____ SA L.M.R. _____

CADRE A	ÉTAT DES CRÉANCES		Montant brut 1		A 1 an au plus 2		A plus d'un an 3
DE L'ACTIF IMMOBILISÉ	Créances rattachées à des participations	UL		UM		UN	
	Prêts (1) (2)	UP		UR		US	
	Autres immobilisations financières	UT	118.864	UV		UW	118.864
DE L'ACTIF CIRCULANT	Clients douteux ou litigieux	VA	1.308.692				1.308.692
	Autres créances clients	UX	3.773.791		3.773.791		
	Créance représentative (Provision pour dépréciation de titres prêtés * (antérieurement constituée* UQ)	UU					
	Personnel et comptes rattachés	UY	21.000		21.000		
	Sécurité sociale et autres organismes sociaux	UZ					
	État et autres collectivités publiques — Impôts sur les bénéfices	VM					
	Taxe sur la valeur ajoutée	VB	108.906		108.906		
	Autres impôts, taxes et versements assimilés	VN					
	Divers	VP					
	Groupe et associés (2)	VC					
	Débiteurs divers	VR	1.710		1.710		
	Charges constatées d'avance	VS	221.930		221.930		
	TOTAUX	VT	5.554.893	VU	4.127.337	VV	1.427.556
RENVOIS	(1) Montant des — Prêts accordés en cours d'exercice	VD					
	— Remboursements obtenus en cours d'exercice	VE	419.100				
	(2) Prêts et avances consentis aux associés (personnes physiques)	VF					

CADRE B	ÉTAT DES DETTES		Montant brut 1	A 1 an au plus 2	A plus d'1 an et 5 ans au plus 3	A plus de 5 ans 4
Emprunts obligataires convertibles (1)		7Y				
Autres emprunts obligataires (1)		7Z				
Emprunts et dettes auprès des établissements de crédit (1)	à 2 ans maximum à l'origine	VG	3.975	3.975		
	à plus de 2 ans à l'origine	VH	1.450.000	342.857	971.428	135.715
Emprunts et dettes financières divers (1) (2)		8A				
Fournisseurs et comptes rattachés		8B	1.772.536	1.772.536		
Personnel et comptes rattachés		8C	759.023	759.023		
Sécurité sociale et autres organismes sociaux		8D	503.558	503.558		
État et autres collectivités publiques	Impôts sur les bénéfices	8E	57.186	57.186		
	Taxe sur la valeur ajoutée	VW	1.549.745	1.549.745		
	Obligations cautionnées	VX				
	Autres impôts, taxes et assimilés	VQ	127.730	127.730		
Dettes sur immobilisations et comptes rattachés		8J				
Groupe et associés (2)		VI				
Autres dettes		8K	151.142	151.142		
Dette représentative de titres empruntée *		SZ				
Produits constatés d'avance		8L				
TOTAUX		VY	6.374.895	VZ 5.267.752	971.428	135.715
RENVOIS (1)	Emprunts souscrits en cours d'exercice	VJ				
	Emprunts remboursés en cours d'exercice	VK	342.857			

FIGURE 51

L.M.R.

D.G.I. N° 2052 [3]
(1993)

Désignation de l'entreprise : _____ SA L.M.R,

(Ne pas reporter le montant des centimes)*			Exercice N				Exercice (N-1)
			France 1		Exportation 2	Total 3	4
PRODUITS D'EXPLOITATION	Ventes de marchandises*	FA	2.966	FB		FC 2.966	2.653
	Production vendue { biens	FD	22.777.118	FE		FF 22.777.118	16.909.699
	services*	FG		FH		FI	
	Chiffres d'affaires nets*	FJ	22.780.084	FK		FL 22.780.084	16.912.352
	Production stockée*					FM (917.947)	727.299
	Production immobilisée*					FN	
	Subventions d'exploitation					FO 160.316	
	Reprises sur amortissements et provisions, transfert de charges*					FP 78.200	303.220
	Autres produits (1)					FQ 164.643	190.008
	Total des produits d'exploitation (2) (I)					FR 22.265.296	18.132.879
CHARGES D'EXPLOITATION	Achats de marchandises (y compris droits de douane)*					FS	
	Variation de stock (marchandises)*					FT	
	Achats de matières premières et autres approvisionnements (y compris droits de douane)*					FU 5.129.029	2.662.782
	Variation de stock (matières premières et approvisionnements)*					FV (25.276)	(11.682)
	Autres achats et charges externes (3)*					FW 4.746.464	4.081.643
	Impôts, taxes et versements assimilés*					FX 796.252	577.989
	Salaires et traitements*					FY 6.835.161	6.259.127
	Charges sociales					FZ 2.788.608	2.576.503
	DOTATIONS D'EXPLOITATION { Sur immobilisations { - dotations aux amortissements*					GA 831.107	1.192.218
	- dotations aux provisions					GB	
	Sur actif circulant : dotations aux provisions					GC 131.900	288.050
	Pour risques et charges : dotations aux provisions					GD	
	Autres charges					GE 1.010	69.041
	Total des charges d'exploitation (4) (II)					GF 21.234.255	17.695.671
1 - RÉSULTAT D'EXPLOITATION (I - II)						GG 1.031.041	437.208
opérations en commun	Bénéfice attribué ou perte transférée* (III)					GH	
	Perte supportée ou bénéfice transféré* (IV)					GI	
PRODUITS FINANCIERS	Produits financiers de participations (5)					GJ	
	Produits des autres valeurs mobilières et créances de l'actif immobilisé (5)					GK 15.961	77.213
	Autres intérêts et produits assimilés (5)					GL 140	60
	Reprises sur provisions et transferts de charges					GM	
	Différences positives de change					GN	
	Produits nets sur cessions de valeurs mobilières de placement					GO	
	Total des produits financiers (V)					GP 16.101	77.273
CHARGES FINANCIÈRES	Dotations financières aux amortissements et provisions*					GQ	
	Intérêts et charges assimilées (6)					GR 365.995	322.963
	Différences négatives de change					GS	
	Charges nettes sur cessions de valeurs mobilières de placement					GT	
	Total des charges financières (VI)					GU 365.995	322.963
2 - RÉSULTAT FINANCIER (V - VI)						GV (349.894)	(245.690
3 - RÉSULTAT COURANT AVANT IMPÔTS (I - II + III - IV + V - VI)						GW 681.147	191.518

FIGURE 52

L . M . R .

(Ne pas reporter le montant des centimes) *		Exercice N 1	Exercice N – 1 2
PRODUITS EXCEPTIONNELS Produits exceptionnels sur opérations de gestion	HA	.	
Produits exceptionnels sur opérations en capital *	HB		6.500
Reprises sur provisions et transferts de charges	HC		
Total des produits exceptionnels (7) **(VII)**	HD		6.500
CHARGES EXCEPTIONNELLES Charges exceptionnelles sur opérations de gestion	HE	2.707	
Charges exceptionnelles sur opérations en capital *	HF		
Dotations exceptionnelles aux amortissements et provisions	HG		
Total des charges exceptionnelles (7) **(VIII)**	HH	2.707	
3 – RÉSULTAT EXCEPTIONNEL (VII – VIII)	HI	(2.707)	6.500
Participation des salariés aux résultats de l'entreprise **(IX)**	HJ		
Impôts sur les bénéfices * CREDIT IMPOT RECHERCHE 264.292 IMPOT SOCIETES 252.906 **(X)**	HK	(11.386)	101.009
TOTAL DES PRODUITS (I + III + V + VII)	HL	22.292.783	18.216.652
TOTAL DES CHARGES (II + IV + VI + VIII + IX + X)	HM	21.602.957	18.119.643
4 – BÉNÉFICE OU PERTE (total des produits – total des charges)	HN	689.826	97.009

(1)	Dont produits nets partiels sur opérations à long terme	HO		
(2) Dont	produits de locations immobilières	HY		
	produits d'exploitation afférents à des exercices antérieurs (à détailler au (8) ci-dessous)	1G		
(3) Dont	– Crédit-bail mobilier	HP		
	– Crédit-bail immobilier	HQ		
(4)	Dont charges d'exploitation afférentes à des exercices antérieurs (à détailler au (8) ci-dessous)	1H		
(5)	Dont produits concernant les entreprises liées	1J		
(6)	Dont intérêts concernant les entreprises liées	1K		

(7)	Détail des produits et charges exceptionnels (Si ce cadre est insuffisant, joindre un état du même modèle) :	Exercice N	
		Charges exceptionnelles	Produits exceptionnels
(7bis)	Dont dons faits aux organismes d'intérêt général (art. 238 bis du C.G.I.) HX		
RENVOIS	CONTROLE U R S S A F	2.707	

(8)	Détail des produits et charges sur exercices antérieurs :	Exercice N	
		Charges antérieures	Produits antérieurs

FIGURE 53

L.M.R.

Désignation de l'entreprise _____ SA L.M.R.

TABLEAU D'AFFECTATION DU RÉSULTAT DE L'EXERCICE PRÉCÉDENT (Entreprises soumises à l'impôt sur les sociétés) (1)

ORIGINES	Report à nouveau figurant au bilan de l'exercice antérieur à celui pour lequel la déclaration est établie		OC	415.077
	Résultat de l'exercice précédant celui pour lequel la déclaration est établie		OD	97.009
	Prélèvements sur les réserves (à détailler)			
		Sous-total (à reporter dans la colonne de droite)	OE	
		TOTAL I	OF	512.086
AFFECTATIONS	Affectations aux réserves - Réserve légale		ZB	
	- Réserve spéciale des plus-values à long terme		ZC	
	- Autres réserves		ZD	
	Dividendes		ZE	
	Autres répartitions		ZF	
	Report à nouveau		ZG	512.086
	(N.B. Le total I doit nécessairement être égal au total II)	**TOTAL II**	ZH	512.086

(1) Ce cadre est destiné à faire apparaître l'origine et le montant des sommes distribuées ou mises en réserve au cours de l'exercice dont les résultats font l'objet de la déclaration. Il ne concerne donc pas, en principe, les résultats de cet exercice mais ceux des exercices antérieurs, qu'ils aient ou non déjà fait l'objet d'une précédente affectation.

RENSEIGNEMENTS DIVERS

			Exercice N :	Exercice N – 1 :
ENGAGEMENTS Ⓐ	– Engagements de crédit-bail mobilier	YQ	378	1.118
	– Engagements de crédit-bail immobilier	YR		
	– Effets portés à l'escompte et non échus	YS	2.226.839	1.762.216
DÉTAILS DES POSTES Ⓑ AUTRES ACHATS ET CHARGES EXTERNES	– Sous-traitance	YT		
	– Locations, charges locatives et de copropriété	XQ	476.090	443.423
	– Personnel extérieur à l'entreprise	YU	2.396.272	2.002.842
	– Rémunérations d'intermédiaires et honoraires (hors rétrocessions)	XR	36.807	30.867
	– Rétrocessions d'honoraires, commissions et courtages	YV		
	– Autres comptes	XS	1.837.295	1.604.511
	Total du poste correspondant à la ligne FW du tableau n° 2052	ZJ	4.746.464	4.081.643
Ⓒ IMPÔTS ET TAXES	– Taxe professionnelle	YW	635.026	423.610
	– Autres impôts, taxes et versements assimilés (dont taxe intérieure sur les produits pétroliers ZS [ ])	9Z	161.226	154.379
	Total du compte correspondant à la ligne FX du tableau n° 2052	YX	796.252	577.989
T.V.A. Ⓓ	Montant de la T.V.A. collectée	YY	4.236.544	3.145.204
	– Montant de la T.V.A. déductible comptabilisée au cours de l'exercice au titre des biens et services ne constituant pas des immobilisations	YZ	1.697.027	1.157.420
DIVERS Ⓔ	Montant de l'avoir fiscal imputé sur l'impôt sur les sociétés et correspondant aux dividendes perçus *	ZA		
	Montant brut des salaires (cf. dernière déclaration annuelle souscrite au titre des salaires DADS 1, DADS 1 simplifiée ou modèle 2460 de 1992). Voir notice	OB	6.766.377	
	Montant de la plus-value constatée en franchise d'impôt lors de la première option pour le régime simplifié d'imposition *	OS		

FIGURE 54

RENAULT

BILANS CONSOLIDES AUX 31 DECEMBRE

(En millions de francs)	1993	1992 pro forma (note 1B)	1991 pro forma (note 1B)
ACTIF			
Immobilisations incorporelles	227	220	204
Immobilisations corporelles	102.685	98.553	91.730
Moins amortissements et provisions	(57.078)	(52.415)	(47.886)
Immobilisations corporelles, nettes (note 9)	45.607	46.138	43.844
Immobilisations données en location (note 10)	2.431	2.359	2.202
Titres mis en équivalence (note 11)	3.970	5.179	7.617
Autres titres de participation (note 12)	3.653	1.074	1.063
Prêts et autres actifs financiers (note 13)	45.101	38.756	42.455
Immobilisations et actifs financiers	52.724	45.009	51.135
Créances de financement des ventes (note 14)	54.813	59.663	60.594
Stocks (note 15)	19.877	24.058	21.979
Clients (note 16)	13.959	16.543	16.090
Autres créances (note 17)	5.085	6.600	6.583
Charges constatées d'avance (note 18)	9.144	3.241	4.500
Valeurs mobilières de placement (note 19)	3.272	3.274	5.718
Disponibilités	5.472	4.498	2.709
Autres actifs	56.809	58.214	57.579
Total de l'actif	212.611	211.603	215.558

FIGURE 55

RENAULT

BILANS CONSOLIDES AUX 31 DECEMBRE

(En millions de francs)	1993	1992 pro forma (note 1B)	1991 pro forma (note 1B)
PASSIF			
Capital	3.401	3.401	3.387
Primes d'émission	10.838	10.838	10.706
Réserves	18.567	14.046	14.160
Résultat de l'exercice	1.071	5.680	3.078
Capitaux propres (note 20)	**33.877**	**33.965**	**31.331**
Intérêts minoritaires (note 21)	2.691	2.976	4.141
Avance d'actionnaire (note 22)	1.000	1.000	1.000
Titres participatifs (note 23)	2.390	2.415	2.585
Impôts différés passifs	6.393	1.572	1.789
Provisions pour engagements de retraite et assimilés (note 24)	5.903	5.281	2.745
Autres provisions pour risques et charges (note 25)	8.831	9.528	10.537
Provisions pour risques et charges	**21.127**	**16.381**	**15.071**
Emprunts obligataires (note 26)	16.971	15.523	14.918
Autres emprunts (note 26)	91.544	91.042	99.679
Avances et acomptes reçus sur commandes	511	750	747
Fournisseurs	24.342	28.058	27.112
Autres dettes (note 27)	13.972	15.279	15.116
Produits différés	4.186	4.214	3.858
Dettes	**151.526**	**154.866**	**161.430**
Total du passif	**212.611**	**211.603**	**215.558**

FIGURE 56

307

SOCIÉTÉ SAGEM : BILAN AU 31/12/93

Actif	1993 (en FRF)			1992
	Brut	Amortissements provisions à déduire	Net	(en milliers) de FRF)
ACTIF IMMOBILISE				
Immobilisations incorporelles				
Concessions, brevets, droits et valeurs similaires	105 880 292,65	79 750 305,11	26 129 987,54	35 977
Avances et acomptes				288
	105 880 292,65	79 750 305,11	26 129 987,54	36 265
Immobilisations corporelles				
Terrains	191 713 582,37	108 392 090,86	83 321 492,01	80 947
Constructions	639 358 413,58	538 373 647,76	100 984 765,82	115 280
Installations techniques, matériel et outillage industriels	680 473 615,65	553 514 919,36	126 958 696,29	102 866
Autres immobilisations corporelles	234 861 090,59	192 313 577,90	42 547 512,69	31 309
Immobilisations en cours	2 489 409,37		2 489 409,37	11 549
Avances et acomptes	10 298 162,09		10 298 162,09	3 745
	1 759 194 274,65	1 392 594 235,88	366 600 038,77	345 696
Immobilisations financières (1)				
Participations	1 819 219 493,15	207 665 190,00	1 611 554 303,15	1 276 779
Créances rattachées à des participations	5 251 085,88	5 251 085,88		20 000
Autres titres immobilisés	41 637 207,50	405 128,50	41 232 079,00	423
Prêts	265 695,33	70 049,00	195 646,33	0
Autres immobilisations financières	4 396 641,35	1 294 684,00	3 101 957,35	2 630
	1 870 770 123,21	214 686 137,38	1 656 083 985,83	1 299 832
Total I	3 735 844 690,51	1 687 030 678,37	2 048 814 012,14	1 681 793
ACTIF CIRCULANT				
Stocks et en-cours				
Matières premières et autres approvisionnements	409 034 187,12	96 322 285,54	312 711 901,58	245 507
En-cours de production	308 196 000,00		308 196 000,00	201 167
Produits intermédiaires et finis	164 127 086,06	28 888 538,68	135 238 547,38	112 309
	881 357 273,18	125 210 824,22	756 146 448,96	558 983
Avances et acomptes versés sur commandes	165 833 705,23		165 833 705,23	107 000
Créances (2)				
Créances clients et comptes rattachés (3)	1 617 544 628,42	131 454 035,30	1 486 090 593,12	1 601 561
Autres	194 653 592,16	44 640 426,17	150 013 165,99	153 321
Valeurs mobilières de placement				
Actions propres	62 556 783,17	2 083 066,74	60 473 716,43	41 952
Autres titres	936 826 820,25		936 826 820,25	778 336
Disponibilités	232 575 610,46		232 575 610,46	194 042
	3 209 991 139,69	178 177 528,21	3 031 813 611,48	2 876 212
COMPTES DE RÉGULARISATION				
Charges constatées d'avance (2)	56 815 931,42		56 815 931,42	41 842
Total II	4 148 164 344,29	303 388 352,43	3 844 775 991,86	3 477 037
Charges à répartir sur plusieurs exercices				96 643
Ecarts de conversion Actif	770 307,92		770 307,92	6 072
Total général	7 884 779 342,72	1 990 419 030,80	5 894 360 311,92	5 261 545

(1) Dont à moins d'un an.	96 545,01	20 521
(2) Dont à plus d'un an.	23 028 548,95	10 745
(3) Dont effets à recevoir.	240 080 536,31	310 811

FIGURE 57

SOCIÉTÉ SAGEM

Passif	Avant répartition		Après répartition	
	1993 (en FRF)	1992 (en milliers de FRF)	1993 (en FRF)	1992 (en milliers de FRF)
CAPITAUX PROPRES				
Capital (dont versé 181 280 000,00)	181 280 000,00	181 280	181 280 000,00	181 280
Primes d'émission, de fusion, d'apport	197 153 643,68	138 485	197 153 643,68	138 485
Ecarts de réévaluation	137 051 220,55	137 080	137 051 220,55	137 080
Réserves :				
Réserve légale	18 128 000,00	18 128	18 128 000,00	18 128
Réserves réglementées	381 667 481,53	362 992	386 620 810,09	381 668
Autres réserves	620 000 000,00	510 000	770 000 000,00	620 000
Report à nouveau	8 308 121,13	9 878	2 798 534,55	7 443
Résultat de l'exercice	228 300 541,98	197 846		
Subventions d'investissement	9 566 389,68	533	9 566 389,68	532
Provisions réglementées	25 617 616,27	23 612	25 617 616,27	23 612
Total I	**1 807 073 014,82**	**1 579 834**	**1 728 216 214,82**	**1 508 228**
AUTRES FONDS PROPRES				
Emprunts subordonnés	500 000 000,00	500 000	500 000 000,00	500 000
Total I bis	**500 000 000,00**	**500 000**	**500 000 000,00**	**500 000**
Total I + I bis	**2 307 073 014,82**	**2 079 834**	**2 228 216 214,82**	**2 008 228**
PROVISIONS POUR RISQUES ET CHARGES				
Provisions pour risques	263 240 284,01	220 519	263 240 284,01	220 519
Provisions pour charges	528 578 389,48	444 539	528 578 389,48	444 539
Total II	**791 818 673,49**	**665 058**	**791 818 673,49**	**665 058**
DETTES (1)				
Emprunts et dettes auprès des établissements de crédit (2)	153 267 912,52	70 206	153 267 912,52	70 206
Emprunts et dettes financières divers	144 243 419,35	175 973	144 243 419,35	175 973
Avances et acomptes reçus sur commandes en cours	918 840 355,96	736 890	918 840 355,96	736 890
Dettes fournisseurs et comptes rattachés	877 286 002,73	688 833	877 286 002,73	688 833
Dettes fiscales et sociales	611 346 911,87	729 181	611 346 911,87	729 181
Dettes sur immobilisations et comptes rattachés	41 604 856,89	65 640	41 604 856,89	65 640
Autres dettes	44 551 076,52	48 700	123 407 876,52	120 306
	2 791 140 535,84	2 515 423	2 869 997 335,84	2 587 029
COMPTES DE RÉGULARISATION				
Produits constatés d'avance (1)	1 958 311,00	804	1 958 311,00	804
Total III	**2 793 098 846,84**	**2 516 227**	**2 871 955 646,84**	**2 587 833**
Ecarts de conversion Passif	2 369 776,77	426	2 369 776,77	426
Total général	**5 894 360 311,92**	**5 261 545**	**5 894 360 311,92**	**5 261 545**
(1) Dont : à plus d'un an.	278 503 975,94	193 976	278 503 975,94	193 976
à moins d'un an.	2 514 594 870,90	2 322 251	2 593 451 670,90	2 393 856
(2) Dont concours bancaires courants et soldes créditeurs de banques.	6 847 354,46	3 834	6 847 354,46	3 834

FIGURE 58

SOCIÉTÉ SAGEM

— COMPTE DE RÉSULTAT DE L'EXERCICE —

	1993 (en FRF)	1992 (en milliers de FRF)
Produits d'exploitation (1)		
Ventes de marchandises		
Production vendue (biens et services)	5 648 320 140,84	5 421 414
Montant net du chiffre d'affaires	5 648 320 140,84	5 421 414
dont à l'exportation : 1 576 758 002		
Production stockée	(14 804 290,87)	25 886
Production immobilisée	5 630 385,63	5 328
Subventions d'exploitation	34 262 045,65	25 685
Reprises sur provisions (et amortissements), transferts de charges (2) (4)	257 394 953,99	223 238
Autres produits	21 134 031,71	525
	5 951 937 266,95	5 702 076
Charges d'exploitation (3)		
Achats de marchandises		
Variation de stock		
Achats de matières premières et autres approvisionnements	1 430 936 505,65	1 220 772
Variation de stock	(46 292 745,24)	(16 715)
Autres achats et charges externes (*)	1 675 900 919,45	1 500 975
Impôts, taxes et versements assimilés	151 868 156,41	158 837
Salaires et traitements	1 221 250 356,73	1 283 466
Charges sociales	653 117 131,81	678 300
Dotations aux amortissements et aux provisions :		
Sur immobilisations : dotations aux amortissements	141 362 013,89	124 995
Sur immobilisations : dotations aux provisions	2 629 925,15	
Sur actif circulant : dotations aux provisions	77 915 721,56	108 799
Pour risques et charges : dotations aux provisions	225 352 245,13	241 998
Autres charges	50 704 511,17	51 555
	5 584 744 741,71	5 352 982
Résultat d'exploitation	**367 192 525,24**	**349 094**
Produits financiers :		
De participations (5)	67 350 821,84	52 606
D'autres valeurs mobilières et créances de l'actif immobilisé (5)	1 347 333,49	221
Autres intérêts et produits assimilés (5)	49 544 239,73	69 971
Reprises sur provisions et transferts de charges	48 860 799,15	16 441
Différences positives de change	5 381 069,11	5 092
Produits nets sur cessions de valeurs mobilières de placement	21 632 272,00	29 821
	194 116 535,32	174 152
Charges financières :		
Dotations aux amortissements et aux provisions	47 899 673,00	49 021
Intérêts et charges assimilées	46 507 245,76	66 596
Différences négatives de change	15 061 468,64	6 875
Charges nettes sur cessions de valeurs mobilières de placement		
	109 468 387,40	122 492
Résultat financier	**84 648 147,92**	**51 660**
Résultat courant avant impôts	**451 840 673,16**	**400 754**
Produits exceptionnels :		
Sur opérations de gestion	47 552 848,34	2 417
Sur opérations en capital	64 991 361,89	29 727
Reprises sur provisions et transferts de charges	44 875 152,25	6 790
	157 419 362,48	38 934
Charges exceptionnelles :		
Sur opérations de gestion	41 011 338,07	3 110
Sur opérations en capital	39 446 155,59	10 519
Dotations aux amortissements et aux provisions	65 720 500,00	20 182
	146 177 993,66	33 811
Résultat exceptionnel	**11 241 368,82**	**5 123**
Participation des salariés	71 484 000,00	58 566
Impôts sur les bénéfices	163 297 500,00	149 465
Total des produits	**6 303 473 164,75**	**5 915 163**
Total des charges	**6 075 172 622,77**	**5 717 317**
Bénéfice	**228 300 541,98**	**197 846**

(*) Y compris :
– redevances de crédit-bail mobilier	51 381 248,14	77 409
– redevances de crédit-bail immobilier	66 260 058,08	65 071
(1) Dont produits afférents à des exercices antérieurs	779 969,71	525
(2) Dont transferts de charges	14 349 772,96	13 478
(3) Dont charges afférentes à des exercices antérieurs	340 407,45	1 226
(4) Dont reprises sur provisions portées dans les dettes	22 166 866,00	20 129
(5) Dont produits concernant les entreprises liées	68 682 766,28	51 695

FIGURE 59

SAGEM

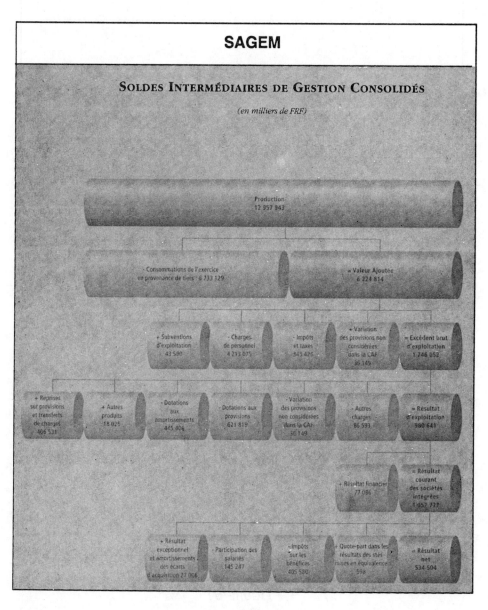

FIGURE 60

GROUPE SAGEM

BILAN CONSOLIDÉ AU 31 DÉCEMBRE 1993

(en milliers de FRF)

Actif	1993			1992
	Brut	Amortissements provisions	Net	
ACTIF IMMOBILISÉ				
Immobilisations incorporelles	272 891	204 406	68 485	84 085
Écarts d'acquisition	443 599	122 114	321 485	309 671
Immobilisations corporelles				
Terrains	263 745	117 706	146 039	140 563
Constructions	1 391 647	1 108 301	283 346	318 897
Installations techniques, matériel et outillage industriels	2 278 265	1 908 018	370 247	348 287
Autres	773 589	560 681	212 908	198 874
	4 707 246	3 694 706	1 012 540	1 006 621
Immobilisations financières (1)				
Titres mis en équivalence	74 298		74 298	97 622
Autres participations	579 616	82 503	497 113	291 048
Autres immobilisations financières	101 119	1 828	99 291	106 435
	755 033	84 331	670 702	495 105
Total actif immobilisé	**6 178 769**	**4 105 557**	**2 073 212**	**1 895 482**
ACTIF CIRCULANT				
Stocks et en-cours	2 171 545	233 458	1 938 087	1 803 421
Avances et acomptes versés sur commandes	166 332		166 332	165 336
Créances (2)				
Clients et comptes rattachés	3 814 895	190 944	3 623 951	3 403 675
Autres créances	355 814	50 561	305 253	269 605
Valeurs mobilières de placement	2 038 546	2 858	2 035 688	1 655 285
Disponibilités	369 753		369 753	260 438
	6 579 008	244 363	6 334 645	5 589 003
Total actif circulant	**8 916 885**	**477 821**	**8 439 064**	**7 557 760**
COMPTES DE RÉGULARISATION (2)	**102 363**		**102 363**	**166 953**
Total	**15 198 017**	**4 583 378**	**10 614 639**	**9 620 195**

(1) Dont à moins d'un an   *5 969*   *4 692*
(2) Dont à plus d'un an   *78 486*   *23 340*

FIGURE 61

GROUPE SAGEM

(en milliers de FRF)

Passif	1993	1992
CAPITAUX PROPRES		
Capital	181 280	181 280
Primes d'émission, de fusion, d'apport	181 308	138 485
Réserves	1 380 342	1 136 326
Écarts de réévaluation	137 051	137 080
Résultat consolidé de l'exercice	423 414	366 382
	2 303 395	1 959 553
Intérêts minoritaires		
Dans les autres capitaux propres consolidés	614 347	619 668
Dans les résultats	111 090	100 251
	725 437	719 919
Autres fonds propres	500 000	500 000
Total capitaux propres et autres fonds propres	**3 528 832**	**3 179 472**
PROVISIONS POUR RISQUES ET CHARGES		
Provisions pour impôts différés	16 155	22 858
Autres provisions	1 490 341	1 142 852
Total provisions pour risques et charges	**1 506 496**	**1 165 710**
DETTES (1)		
Emprunts et dettes financières (2)	544 913	664 208
Avances et acomptes reçus sur commandes en cours	1 642 571	1 429 448
Fournisseurs et comptes rattachés	1 726 014	1 503 004
Dettes fiscales et sociales	1 296 595	1 320 609
Dettes sur immobilisations et comptes rattachés	112 447	120 443
Autres dettes	226 777	215 466
Total dettes	**5 549 317**	**5 253 178**
COMPTES DE RÉGULARISATION (1)	**29 994**	**21 835**
Total	**10 614 639**	**9 620 195**

(1) Dont à moins d'un an — *5 123 613* — *4 986 708*
à plus d'un an et moins de cinq ans — *411 064* — *252 614*
à plus de cinq ans — *44 634* — *35 691*
(2) Dont dettes garanties par des sûretés réelles — *32 810* — *46 605*

FIGURE 62

GLOSSAIRE FRANCO-ANGLAIS

Français	Anglais	Américain
À court terme	Current	Current
Actif	Asset	Asset
Action	Share	Stock
Amortissement	Depreciation	Depreciation
Bilan	Balance sheet	Balance Sheet
Chiffre d'affaires	Turn over	Sales, net sales
Compte de résultat	Profit and loss account	Income statement
Compte de résultat	Profit and loss account	Income statement
Créancier	Creditor	Payable
Débiteur	Debtor	Receivable
Dépenses	Costs	Expenses
Dépenses d'exploitation	Operating costs	Operating expenses
Dette financière	Debt	Debenture
Dettes	Liabilities	Liabilities
Disponibilités	Cash	Cash
Emprunts	Borrowings	Debenture
Fonds de roulement		Working capital
Fonds propres		Stockholders equity
Immobilisation	Long term asset	Long term asset
Partie court terme des dettes	Current instalment of loan	Current portion of debt
Prime d'émission	Share premium account	Paid-in capital
Résultat d'exploitation	Trading profit	Earnings before Interest and taxes
Stock	Stock	Inventory

GLOSSAIRE ANGLO-FRANÇAIS

Anglais	Français	Américain
Asset	Actif	*Asset*
Balance sheet	Bilan	*Balance Sheet*
Borrowings	Emprunts	*Debenture*
Cash	Disponibilités	*Cash*
Action	*Share*	*Stock*
Costs	Dépenses	*Expenses*
Creditor	Créancier	*Payable*
Current	À court terme	*Current*
Current instalment of loan	Partie court terme des dettes	*Current portion of debt*
Debt	Dette financière	*Debenture*
Debtor	Débiteur	*Receivable*
Depreciation	Amortissement	*Depreciation*
Liabilities	Dettes	*Liabilities*
Long term asset	Immobilisation	*Long term asset*
Operating costs	Dépenses d'exploitation	*Operating expenses*
Profit and loss account	Compte de résultat	*Income statement*
Profit and loss account	Compte de résultat	*Income statement*
Share	Action	*Stock*
Share premium account	Prime d'émission	*Paid-in capital*
Stock	Stock	*Inventory*
Stocks	Stocks	*Inventories*
Trading profit	Résultat d'exploitation	*Earnings before Interest and taxes*
Turn over	Chiffre d'affaires	*Sales, net sales*
	Fonds de roulement	*Working capital*
	Fonds propres	*Stockholders equity*

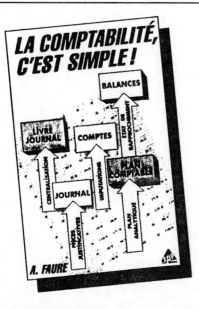

LA COMPTABILITÉ, C'EST SIMPLE !
par Alain FAURE

304 pages
178 Francs

Souvent considérée comme un mal nécessaire, la comptabilité apparaît ici comme un outil simple et efficace de maîtrise du présent.

De l'écriture jusqu'au bilan, vous comprendrez vite le rôle du journal, de la balance et du grand-livre.

Vous saurez mettre en place et tenir vous-même votre comptabilité ; vous retrouverez de suite la bonne imputation comptable ; vous aurez une méthode pour arrêter votre comptabilité, la vérifier, et préparer votre bilan.

Au sommaire

I. Les mécanismes de la comptabilité
Objectifs de la comptabilité – Initiation aux mécanismes comptables – Notions de débit et crédit – Les opérations comptables : nature de l'opération, mécanismes – Le support des opérations : l'écriture, le journal, le grand-livre, le miracle de la balance.

II. La technique comptable
Les documents – Comment retrouver une pièce comptable à partir de la comptabilité – Comment, partant d'une facture, retrouver sa trace dans la comptabilité – Le classement des pièces comptables – Les fiches comptables (plan comptable) – Comment mettre en place une comptabilité générale – Comment mettre en place une comptabilité analytique – Le plan comptable analytique.

BON DE COMMANDE RAPIDE
**à découper et à retourner accompagné de votre règlement
à TOP-ÉDITIONS, 121/127, avenue d'Italie 75013 Paris**

Veuillez m'adresser le livre LA COMPTABILITÉ, C'EST SIMPLE ! en ...... exemplaire(s) soit
178 F x ...... ex. = ... F + 25 F de frais d'expédition soit au total [F]
que je règle ci-joint par ☐ chèque ☐ mandat-lettre
Nom .... Prénom ....
Adresse ....
Code postal .... Ville...

LA BIBLIOTHÈQUE TOP ÉDITIONS

Collection Comptabilité-Finance

Ferpot Saint-Pères	Mon entreprise et mes banques (73 F)
Faure	Faire soi-même son bilan comptable (178 F)
Regnard	Lire un bilan, c'et simple ! (148 F)
Faure	La comptabilité, c'est simple ! (178 F)
Regnard	La trésorerie, c'est simple ! (178 F)
Regnard	La finance pour les non-financiers (178 F)
Ratelade	Apprenez à tenir les comptes d'une association (148 F)
Ratelade	Contrôle et gestion financière des associations (148 F)
Fratani	La gestion dynamique de patrimoine (198 F)
Galiègue	Comment choisir une action en Bourse (120 F)

Collection Management-Création d'entreprise

Debusschère	Documents pratiques pour la gestion de personnel (148 F)
Armand, Pironin	Créer son entreprise en temps de crise (85 F)
Tardieu, Regnard	La prévision, c'est simple ! (148 F)
Moran	Faire des affaires en Europe : guide culturel (148 F)
Jones	Les achats, c'est simple ! (148 F)
Hebson	S'installer et réussir comme consultant (78 F)
Le Poole	Négocier, c'est simple ! (148 F)
Lockett	Diriger, c'est simple ! (148 F)
Tardieu	La gestion, c'est simple ! (178 F)
Armand, Pironin	La Bible du créateur d'entreprise (185 F)
Reddin	Testez vos compétences de manager (178 F)
Cliquet	Recruter, c'est simple ! (148 F)
Retzler	Je crée mon entreprise de services (73 F)
Louapre	Le management et la contestation (170 F)
Adair	Le leader, homme d'action (148 F)
de Calan	Votre patron : diagnostic et mode d'emploi (120 F)

Collection Vente-Marketing

Cottin	Créer et utiliser un argumentaire de vente (98 F)
Denny	Vendre, c'est simple ! (148 F)
Quinn	Secrets pour rédiger sa publicité (148 F)
Maruani	Le marketing de A à Z (73 F)
de Winter	Les secrets de la vente par téléphone (148 F)
Adams	L'animation des ventes (73 F)
Retzler	La Bible du marketing direct (298 F)
Bird	Le marketing direct, une affaire de bon sens (245 F)
Hommes, Smith	Les incentives, techniques de stimulation des ventes (98 F)

EXTRAITS DE PRESSE

■ *SÉRIE MANAGEMENT/CRÉATION D'ENTREPRISE*

CRÉER SON ENTREPRISE EN TEMPS DE CRISE
« Tout ce à quoi il faut penser avant de se lancer, par deux spécialistes ».

LIBÉRATION, octobre 1993

« Parmi les ouvrages les plus utiles, celui de Paul Armand et Henry Pironin présente un bon rapport information/prix »

LE REVENU FRANÇAIS, juin 1994

JE CRÉE MON ENTREPRISE DE SERVICES
« Un guide rempli de conseils pratiques, avec de multiples exemples concrets et des simulations financières, qui s'avèrera indispensable pour se lancer dans ce secteur »

VIVE L'EMPLOI, novembre 1994

LA BIBLE DU CRÉATEUR D'ENTREPRISE
« Le livre s'adresse à tous, mais nul doute qu'un chef d'entreprise y trouvera le moyen de se perfectionner utilement. Les auteurs savent de quoi ils parlent »

L'ENTREPRISE

LA PRÉVISION, C'EST SIMPLE !
« Voici le premier livre accessible à tous, qui met à la portée du grand public les pincipales techniques de prévision, dont on a tous les jours besoin dans la vie professionnelle… De nombreuses applications et des exemples simples facilitent la lecture et la compréhension »

LE MONITEUR DU COMMERCE ET DE L'INDUSTRIE, nov. 1993

LES ACHATS, C'EST SIMPLE !
« Voici une approche dynamique de la fonction d'acheteur… A faire lire par vos collaborateurs »

ENTREPRENDRE, novembre 1993

LE MANAGEMENT ET LA CONTESTATION
« Ces coups de patte à la technocratie et ce retour au bon sens mettront du baume au cœur des hommes de terrain »

HOMMES ET COMMERCE, REVUE D'HEC

MON ENTREPRISE ET MES BANQUES

« Créateurs et chefs d'entreprise, professions libérales, patrons de PME/PMI trouveront de nombreuses réponses à leurs questions sur l'emprunt »

GRANDES ÉCOLES ET ENTREPRISES, novembre 1994

■ *SÉRIE VENTE/MARKETING*

LE MARKETING DE A À Z

« Les méthodes et les techniques du marketing sont décortiquées avec simplicité »

LE MIDI LIBRE, octobre 1994

VENDRE, C'EST SIMPLE !

« Ce livre, écrit par un vendeur, vous donne les bases pour devenir un pro de la vente, un gagneur »

HARVARD EXPANSION

CRÉER ET UTILISER UN ARGUMENTAIRE DE VENTE

« Pour convaincre et conclure : toutes les ficelles de la vente, expliquées aux non-spécialistes »

LA VIE DES MÉTIERS, juillet 1993

■ *SÉRIE COMPTABILITÉ/FINANCE*

FAIRE SOI-MÊME SON BILAN COMPTABLE

« Bien que tout à fait rigoureux, il est écrit en français, pas en comptable. Il est bourré d'astuces pratiques et de recommandations concrètes »

LES ÉCHOS, mai 1993

« Agréable à lire, très précis et facile à comprendre… »

PROFESSION COMPTABLE,
septembre 1993

LA TRÉSORERIE, C'EST SIMPLE !

« L'auteur se propose de démystifier la trésorerie et le métier de trésorier. Il y parvient fort bien, en termes accessibles et clairs »

LA REVUE DU FINANCIER

LIRE UN BILAN, C'EST SIMPLE !

« L'ouvrage apporte une clarification originale, ingénieusement illustrée »

ÉPARGNE ET FINANCE

Achevé d'imprimer en décembre 1995
sur presse CAMERON
par Bussière Camedan Imprimeries
à Saint-Amand-Montrond (Cher)

Nº d'impression : 4/1065.
Dépôt légal : janvier 1996.

Imprimé en France